The Memory Keeper's
Daughter

不存在的女儿

Kim Edwards

[美国] 金·爱德华兹 著

施清真 译

凤凰出版传媒集团　译林出版社

图书在版编目(CIP)数据

不存在的女儿／（美）爱德华兹（Edwards, K.）著;施清真译.
—南京:译林出版社,2007.8（2008.1重印）
书名原文：The Memory Keeper's Daughter
ISBN　978-7-5447-0278-2

Ⅰ.不...　Ⅱ.①爱...②施...　Ⅲ.长篇小说-美国-现代
Ⅳ.I712.45

中国版本图书馆 CIP 数据核字（2007）第 074286 号

The Memory Keeper's Daughter by Kim Edwards
Copyright © 2005 by Kim Edwards
Simplified Chinese language edition arranged with the author c/o Elaine
Markson Literary Agency through　JIA−XI Books Co. Ltd, Taiwan
Simplified Chinese translation copyright © 2007 by Yilin Press
登记号　图字:10-2006-354号
译文由台湾木马文化事业股份有限公司授权出版。

书　　名	不存在的女儿
作　　者	[美国]爱德华兹
译　　者	施清真
责任编辑	姚燚
原文出版	Penguin Group
出版发行	凤凰出版传媒集团
	译林出版社(南京湖南路47号　210009)
电子信箱	yilin@yilin.com
网　　址	http://www.yilin.com
集团网址	凤凰出版传媒网 http://www.ppm.cn
印　　刷	南京爱德发展有限公司
开　　本	880×1230 毫米　1/32
印　　张	12.75
插　　页	3
字　　数	298 千
版　　次	2007 年 8 月第 1 版　2008 年 1 月第 6 次印刷
书　　号	ISBN　978-7-5447-0278-2
定　　价	26.00 元

译林版图书若有印装错误可向承印厂调换

献给亚比该和拿俄米

CONTENTS
目　录

一九六四年

一九六四年三月

一

　　她临盆前的几小时下起了雪。起先只是午后阴沉的天上飘下几朵雪花，而后大风吹得雪花滚滚飞扬，盘旋在他们家宽敞前廊的边际。他站在她身旁，倚在窗边，看着雪花在强风中翻腾、回旋，缓缓飘落到地面。附近家家户户点亮了灯火，光秃秃的树枝变得雪白。

　　晚餐后，他生了一炉火。他鼓起勇气走入风雪中，去拿秋季堆积在车库旁边的柴火。冷冽的寒风打着他的脸颊，车道上的积雪已经深及腿肚。他捡起木头，抖去上面松软的白雪，抱着木头走回屋内。壁炉里的火花马上引燃熊熊火光，他在壁炉前盘腿坐了一会，一面添加木头，一面看着火花跃动，火焰周围带着一圈蓝光，令人昏昏欲睡。屋外，白雪在黑暗中静静地持续飘落，在街灯光束下，既静谧，又明亮、厚实。等到他起身往窗外一看，他们的车已经变成街角的一座白色小山丘，先前印在车道上的脚印已被填满，不见踪迹。

　　他拍去双手上的灰烬，坐到沙发上的妻子身旁。她双脚垫在靠枕上，肿胀的脚踝交叠，一本斯波克医生的育儿宝典四平八稳地摆在她肚子上。她读得出神，每次翻页就不自觉地舔一下食指。她双手纤细，十指有力，阅读时心无旁骛地轻咬着下唇。他看着她，心中顿时充满挚爱与惊叹：她是他的妻子，他们的宝宝即将诞生，预产期只剩下三星期。这是他们第一个宝宝,而他俩结婚才一年呢。

他拿条毯子盖住她的双腿,她微笑着抬起头。

"你知道吗?我始终想不出那是什么感觉。"她说,"我是说出生之前。真可惜我们不记得。"她拉开袍子,脱下穿在里面的毛衣,露出像西瓜般圆硬的腹部。她伸手抚过它圆滑的表面,火光映着她的肌肤闪动,在她的发际洒下金红色的光影。"你猜那种感觉像不像置身一个大灯笼里?书上说灯光能穿透我的皮肤,小宝宝已经看得见。"

"我不知道。"他说。

她笑笑。"怎么不知道?"她问道,"你是个医生。"

"我只是骨科医生。"他提醒她,"我可以告诉你小宝宝胚胎时期的骨化历程,但仅此而已。"他抬高她一只脚,裹在浅蓝色袜子里的双脚细腻而肿胀,他动手轻柔地按摩:她脚后跟的跗骨强劲有力,脚掌骨和趾骨隐藏在肌肤之下,密密相叠的肌肉仿佛是把即将展开的扇子。静悄悄的屋子里充满了她的呼吸声,她的脚温暖了他的双手,他脑海中浮现出骨头的完美、隐秘与匀称。在他眼里,怀孕的她显得美丽而脆弱,苍白的肌肤上隐约可见细微的蓝色血管。

怀孕过程非常顺利,医生也没有给出什么限制。尽管如此,他已好几个月没有跟她燕好。他发现自己反而只想保护她,抱她上楼、替她盖被子、帮她端布丁等等,"我不是病人。"她每次都笑着抗议,"也不是你在草坪上发现的雏鸟。"虽说如此,他的关爱其实令她相当开心。有时他醒来看着沉睡中的她,她的眼睫毛轻轻眨动,胸脯缓慢而平稳地起伏,一只手伸到一旁,小巧得能让他完全握住。

她小他十一岁。一年前,他初次与她相逢。当时是十一月的一个星期六,天气阴沉,他到市区的一家百货商店买领带,刚好看到她乘电扶梯上楼。三十三岁的他刚搬到肯塔基州的列克星顿。她从人群中脱颖而出,仿佛美景般,一头金发在脑后盘成优雅的髻,珍珠在她

4

颈部与耳际闪闪发光。她穿着一件深绿色的毛外套,肌肤澄净而洁白。他踏上电扶梯,推开人群往上走,力图让她不要离开自己的视线。她走到四楼的内衣与丝袜柜台,他试图跟随她前进,穿过一排排挂满内衣、胸罩、内裤的货架,件件衣物散发出柔软的光泽。有位穿白领和天蓝色外套的售货小姐拦下他,微笑着询问有何需要服务之处,他说想找件睡袍,同时双眼不停地在货架间搜寻,直至看到她的金发及深绿色的身影为止。她微微低头,露出洁白优美的颈线。我想帮住在新奥尔良的妹妹买件睡袍,他当然没有妹妹,或是任何他所认识的、尚在人间的亲人。

售货小姐离开,不久之后拿了三件质料结实的绒布睡袍过来,他漫不经心地挑拣,几乎连看都没看就拿起最上面那件。售货小姐说有三种尺寸,下个月还有更多颜色可供挑选,但他已经走向货架之间,手臂上搭着那件珊瑚色的睡袍,皮鞋在地砖上发出刺耳的声响,焦急地走过其他顾客朝她走去。

她正在看一叠昂贵的丝袜,丝袜细致的色彩映着光滑的玻璃柜台闪闪发亮:灰褐、天蓝,还有像猪血般暗沉的红栗。她绿色外套的衣袖扫过他的袖口,他闻到她的香水,气味淡雅却弥漫各处,好像他以前在匹兹堡学生宿舍窗外浓密、洁白的紫丁香花瓣。当年他住在地下室,低矮的窗户外面一片灰暗,总是蒙上钢铁工厂的煤灰,但到了春天紫丁香盛开,洁白与淡紫的花瓣紧贴着窗面,香气如同光线般飘进室内。

他清清喉咙,几乎难以呼吸;他举起天鹅绒睡袍,但柜台后面的店员正在讲笑话,没有注意到他。他又清清喉咙,这下她才不耐烦地瞄了他一眼,然后对她的顾客点点头,对方手里拿着三包薄薄的丝袜,仿佛是大张的扑克牌。

"抱歉,阿舍小姐先来的。"店员冷淡而傲慢地说。

他们的目光再度相逢,她的双眸有如她的外套一般深绿,他看了深感震慑。她上下打量着他：端整的斜纹软呢大衣，胡子刮得干干净净，脸颊冻得通红，指甲修剪得整整齐齐。她饶有兴趣地笑笑，略为高傲地指指他手臂上的睡袍。

"买给夫人的？"她问。他注意到她带着一丝优雅的肯塔基州口音。在这个仕绅望族所组成的城市中，这些特点蛮要紧的，虽然只在这里住了六个月，他已经明白这一点。"琼，没关系，"她转头对店员说，"先帮他结账吧。这位可怜的男士置身成堆的蕾丝之中，肯定感到不知所措。"

"帮我妹妹买的。"他对她说，极力想扭转先前给人的坏印象。他在这里经常犯错，讲话不是太直接，就是太坦率，老是得罪人。睡袍从他手臂中滑落到地上，他弯下腰拾起，脸红得跟玫瑰花似的。她的手套平摆在玻璃柜台上，光溜溜的双手轻轻交握在一旁。他窘迫的模样似乎让她心软，因为当他再度迎上她的目光时，她的双眸流露出和蔼的光芒。

他再试一次。"对不起，我似乎不知道自己在做什么，我赶时间。我是医生，到医院快迟到了。"

她的微笑随即起了变化，表情渐渐严肃起来。

"原来如此，"她边说边转头面对店员，"琼，真的没关系，请先帮他结账。"

她答应他的邀约，同时用娟秀的字迹写下了她的姓名和电话号码。她从小学三年级就学会写一手好字。班上的老师以前是修女，谆谆告诫学生们写字的艺术。她对大家说，每个字都有形状，而且形状独一无二，举世无双，大家必须将之表现得完美无缺。这个八岁、瘦小白皙，日后将穿上一袭绿色大衣，成为他妻子的小女孩，用她细小的手指紧握着笔，独自在房间里练习草体，直到写出行云流水般的优雅字迹为止。日后听到这件往事时，他想象她的头低垂在台灯灯光下，手指费劲地紧握着笔，心里不禁佩服她的毅力、对美的执著，以及她对师长的信赖。但那天他对这些往事一无所知，那天他把小纸片放在白大褂的口袋里巡视一间又一间病房，只记得字母在她笔下流畅而出，组合成她完美的姓名。他当天晚上就打电话给她，第二天晚上请她出去吃饭，三个月之后，他们就结婚了。

如今，在她怀孕的最后几个月，那件质料柔软的珊瑚色睡袍，她穿得合身极了。她先前发现睡袍好端端地摆在那里，便举高了给他看，但你妹妹很久以前就过世了，她惊讶地说，忽然大惑不解。在那一刻，他整个人呆住了，脸上微微一笑，一年前的谎言像只黑鸟似的猛然飞过屋内。过了一会，他不好意思地耸耸肩，我得说些什么吧，他对她说，我得找个法子问出你的名字。她听了微笑，走过房间拥抱他。

雪花从天而降。接下来的几小时，他们阅读、聊天，有时她拉起他的手，把手摆在她的腹部，让他感觉宝宝的蠕动。他不时起来添加柴火，瞄瞄窗外的积雪从三英寸累积到五六英寸。街道柔软而静谧，只有几辆车。

十一点钟，她起身上楼休息，他留在楼下，阅读最新一期的《骨科与关节手术期刊》。大家都知道他是位优秀的医生，具有诊断的天赋，而且医技高超。他以第一名的成绩毕业。虽然极为小心地加以掩饰，但他知道自己年纪尚轻，对自己的医技也尚有疑虑，所以他一有空就读书，同时暗自记录每次的成就，将此视为多了一项对自己有利的凭证。他觉得自己是个异数，家人们日复一日只顾着谋生，他却天生好学。他们认为教育是种不必要的奢侈，不一定有助于生计。他们穷，就算不得不去看医生，也只能到五十英里外摩根城的一家诊所。他清楚地记得那几趟稀罕的旅程：摇晃颠簸地坐在借来的小货车后座，车后尘土飞扬。妹妹和爸妈坐在驾驶室里，妹妹把这条路称为"跳舞的小径"。摩根城里的房间阴暗无光，混浊的池塘水色墨黑或蓝绿，医生们来去匆匆，对他们虽然亲切，却心不在焉。

多年之后，他依然感到在那些医生的注视下，自己不过是个冒牌货，只要犯一次错，马上就会遭到揭穿。他知道正是这种心态让他选择了他的专科。他放弃了刺激比较少的普通内科，或是精细、高风险的心脏科，转而投身于医治断裂的四肢、塑造石膏模型、查看 X 光片、看着断处缓慢却奇迹般地愈合。他喜欢坚实牢靠的骨头，即使在焚化炉的白热火焰中也不会消失。骨头能够持久，他很容易就对这种坚实而可靠的东西产生信心。

读着读着，早已过了半夜，词语开始在白花花的纸上无意义地闪动。他把期刊扔到咖啡桌上，站起来关照炉火。他将烧焦了的木炭捣成灰，打开风门，关上壁炉罩。他关上电灯，余火在层层灰烬中发出柔和的光芒，恰如屋外的雪花一样明亮细致。白雪已积到前廊的扶手和杜鹃花丛。

楼梯在他的体重下嘎嘎作响。他驻足在婴儿房门口，仔细端详朦胧中的婴儿床和可调桌。玩具布偶整齐地排列在架子上，墙壁漆成澄净的海绿色；妻子缝制的鹅妈妈被罩悬挂在另一头的墙上，针针细密精准。只要一察觉到不尽完美之处，无论如何微小，她都拆掉重缝。沿着天花板的下方印着一圈熊宝宝的图样，这也是她的杰作。

冲动之下，他走进卧室站到窗前，撩开透明的窗帘看雪。白雪飘落在路灯灯柱、栏杆和屋顶上，积雪已将近八英寸。列克星顿很少下这么大的雪，洁白的雪花不断飘落，他心中充满了兴奋与安详。在这一刻，他一生的断简残篇似乎自行拼凑出完整的风貌，过去的悲伤、失望、每个令人焦虑的秘密，以及背后隐藏的不安，全被层层柔软的白雪掩埋。明天将一片宁静，世界会显得柔和而脆弱，直到附近的孩子们拉着小车子高兴地大喊大叫，打破这片沉寂。他记得小时候在山里偶尔享受同样的快乐时光。他走入林中，呼吸急促，沉重的积雪压低了枝头，不知怎么的蒙盖了他飘荡在小径之上的声音。短短的几小时内，世界变了个样。

他在那里站了很久，直至听到她急促地挪动身子。他发现她坐在他们的床沿，头低垂，双手紧抓着床垫。

"我想我快生了。"她抬头说道，头发松散，一绺发丝垂落在嘴边。他帮她把发丝塞回耳后。他一坐在她身旁，她就摇摇头说："不知道怎么回事，我感觉很奇怪，那种绞痛的感觉，时好时坏，一阵阵的。"

他帮她侧躺下来，然后跟着躺下来按摩她的背。"说不定只是假性阵痛，"他安慰她，"毕竟离预产期还有三个礼拜，而且头一胎通常会晚生。"

他知道此话属实，也讲得自信满满。事实上，他非常确定，过了一会甚至不知不觉地睡着了，醒来时却发现她站在床边猛摇他的肩膀，她的睡袍和头发看起来几乎跟盈满房内的奇异雪光一样苍白。

"我计算了阵痛的时间，每次间隔五分钟，力道很强，我好害怕。"

他心中一片翻腾，兴奋与惧怕之情像浪花冲击下的白沫一样席卷全身。但他已经训练有素，在紧急状况中得以保持冷静，情绪也不受到影响。他沉着地站起来，拿起手表，跟着她缓慢而沉稳地在走廊上来回踱步。阵痛袭来时，她捏着他的手，力道之强让他觉得自己的手指会被捏得粉碎。正如她所言，阵痛间隔五分钟，然后是四分钟。他从衣柜里拿出皮箱，这些重要的事情忽然令他感到麻木。虽然期待已久，却依然感到事情来得突然。他跟着她一起走动，但周遭却慢慢呈现静止，他敏锐地察觉到每一个动作：他的气息急速地掠过舌间；她的双脚勉强塞进唯一一双穿得下的鞋子，浮肿的脚面在深灰色的皮革中拱成一座小山。搀扶着她的手臂时，他有种奇怪的感觉，仿佛飘浮在房里，离灯具不远之处，从高处俯瞰他们两人，注意着每一个微小的细节：她随着阵痛而颤抖，他的手指保护性地紧紧环绕住她的胳膊肘。屋外一片沉寂，雪花依然缓缓飘落。

他帮她穿上她的绿色毛料大衣,大衣的纽扣没扣,松垮地垂在她的腹间。他也找到他们初次见面时她戴的那双皮手套,确定这些细节没有出错似乎很重要。他们一起在前廊站了一会,白茫茫的世界令两人哑口无言。

"在这里等着。"他边说边跑下去,从积雪中拨出一条路。老爷车的车门全冻僵了,他花了好几分钟才打开一边车门。车门被拽开时,腾起一团雪雾。他费劲地从后座下面取出刮雪器和刷子。当他退出车外时,他的妻子倚在前廊的柱子上,双臂支撑着额头。在那一刻,他明白她承受了极大痛苦,宝宝也真的快出生了;就在今晚,宝宝将来到人间。他压下走向她的强烈冲动,反而把全部精神专注于清理汽车。双手冻得难以忍受时,他就轮流把光裸的双手放在腋下取暖。但暖手的同时也不得闲,他继续清除挡风玻璃、车窗和车顶的积雪,眼见积雪四散纷飞,消失在他腿肚周围柔软的洁白雪海中。

"你没说过会这么痛。"他走到前廊时,她对他说。他一把揽住她的肩膀,扶她走下台阶。"我能走。"她坚持,"但阵痛一来,实在让人受不了。"

"我知道。"他说,但依然没有放手让她自己走。

他们走到车旁,她轻触他的手臂,指指身后的房子。房子隐藏在白雪中,像个灯笼一样在黑暗的街道上闪烁着光芒。

"回家的时候,我们就带着宝宝了,"她说,"我们的世界将不再一样啦。"

挡风玻璃的雨刷结冰了,他倒着把车开到街上时,后车窗的玻璃堆满了雪。他慢慢行驶,心想列克星顿真美。树木和树丛上积了厚厚的一层雪。他转弯驶上大街,车轮接触到冰滑的路面,车子一时之间滑过十字路口,撞到路边的积雪才停下来。

"没事。"他大声说,思绪奔腾。幸好放眼望去没有其他车辆。他手中的方向盘跟他光裸的双手一样冷硬,他不时用手背擦拭挡风玻璃,身子往前倾,眯着眼睛从他擦出的圆孔中观看路面。"出门之前,我打了电话给本特利,"他提到另一位产科医生同事,"我请他在诊所跟我们碰面。我们直接去诊所,那里比较近。"

她沉默了一会儿,双手紧抓住前座的仪表板,借着呼吸熬过阵痛。"只要我的宝宝不在这部老爷车里出生就好了。"她终于控制了下来,试图开开玩笑,"你知道我一向讨厌这部车。"

他笑了笑,但他知道她真的很怕,他也一样害怕。

井然有序,行事果断;即使在紧急状况下,他也无法改变天性。他碰到每一个红灯都停车,即使在空荡荡的街道上转弯也会亮灯。每隔几分钟,她就一手按着仪表板,专注于呼气与吸气,他紧张得直咽口水,用眼角余光看看她。在他的记忆中,再也没有比这个夜晚更令人紧张的时刻。他比上第一堂解剖课还紧张,课堂上一个男孩被剥开了皮肉,暴露出人体的奥秘;他也比结婚当天更紧张,大喜之日,她的亲友坐满了教堂一侧,另一侧只有几个他的同事。他的父母已经去世,妹妹也离开了人间。

诊所停车场只停了一部车,那是护士的粉蓝色福特菲尔兰,车型保守,功能实用,而且比他的车子新。他也打了电话给她。他把车停在入口处,帮妻子下车。现在他们已经平安抵达诊所,两人都高兴得不得了,边笑边推门进入明亮的候诊室。

护士上前迎接。一看到她,他就知道出了问题。她白皙的脸上有双蓝色的大眼睛,看起来像四十岁,也像二十五岁。一碰到不顺心的事情,她的前额上双眼之间就露出一道细小的直线。她跟他们传达她获知的消息时,脸上就是这副表情。本特利的车子在家附近的乡间小路上出了事,路面积雪未清,车子在雪中的冰地转了两圈,滑到了沟渠里。

"你说本特利医生不会来?"他的妻子问道。

护士点点头。她身材高瘦,有棱有角,骨头似乎随时会冒出肌肤,蓝色的大眼睛露出严肃与智慧的光芒。好些个月来,大家谣传,或是开玩笑,说她有点爱上他,他认为这些不过是无聊的闲话,没把它们放在心上。当一个男人和单身女子日复一日近距离地共事,难免会产生谣言,虽然这有点烦人。有天晚上他趴在桌上睡着了。他梦见回到小时候的家,母亲正在腌制水果,一瓶瓶腌果子摆在窗下铺着油桌布的桌上,闪烁着如同珠宝般的光芒。五岁的妹妹坐在一旁,一只了无生气的手上抱着洋娃娃。虽然是个瞬间而过的影像,说不定只是回忆中的一景,却让他心中充满感伤与渴求。那栋房子已在他名下,现在却无人居住。妹妹去世、父母迁出之后,房子就荒废了。那些被母亲洗刷到泛白的房间全都空空荡荡,屋里只剩下松鼠和老鼠的脚步声。

睁开双眼,从桌上抬起头时,他已热泪盈眶。护士站在门口,一脸柔情。在那一刻,半带微笑的她显得很美,完全不像那个安静、能干,每天在他身旁工作的干练女子。他们目光相遇,医生觉得他似乎了解她——以某种深奥而确定的方式——他们彼此了解;在那一瞬间,他们之间毫无阻碍,那种亲密的感觉震撼人心。他一动不动,整个人呆住了;她则满脸涨得通红,转头望向别处,然后清清喉咙,板起面孔说她加班了两小时,现在要回家了。在此之后的好些日子,她始终回避他的目光。

那以后,大伙拿她跟他开玩笑时,他总是请他们住嘴。她是个非常优秀的护士,他边说边举起一只手示意别开玩笑,从此铭怀他们心念相通的那一刻。她是我共事过最好的一位护士,这是真的,而此时他很高兴她在身旁。

"到急诊室好吗?"她问,"你们能走到吗?"

医生摇摇头,阵痛间隔的时间只有一分钟左右。

"宝宝等不及了。"他看着他的妻子说。雪融在她的发间,散发出钻石王冠般的光泽。"宝宝快出来了。"

"没关系。"他妻子冷静地说。她的声调有点冷淡,也很决然。"等他长大了,一定要把今天这件趣事讲给他听。嗯,不一定是'他',男孩女孩都一样。"

护士笑了笑,双眼之间的直线依然清晰,但稍微缓和了一些。"我们这就带你进去吧,"她说,"让我们帮你减轻一些痛苦。"

他走进自己的办公室找件大褂。他走进本特利的检查室,妻子正躺在产台上,双脚踏在脚镫上。检查室漆成淡蓝色,四处都是黄铜与白色的珐琅器皿,以及闪烁着钢铁光泽的精良仪器。医生走到水槽边洗手,他高度警觉,注意到最微小的细节。履行了这个日常的仪式之后,本特利未能在场所引发的不安逐渐消退。他闭上双眼,强迫自己专注于眼前的工作。

"一切顺利。"他转身时,护士对他说,"情形不错。我想她的宫颈已经扩张到十公分,你看看如何?"

他坐在矮凳上,把手伸进妻子温暖的体内。羊膜囊还好好的。透过膜囊,他摸得到宝宝的头,像颗棒球一样光滑坚硬。他的亲生骨肉啊!他本应该在候诊室的某处踱步。他把手抽出妻子温暖的身体。室内另一端,唯一一扇百叶窗紧闭。他发现自己想着雪,不晓得外面是否依然飘雪,城市和远方也随之陷入沉静?

"没错,"他说,"十公分了。"

"菲比。"他的妻子说。他看不到她的脸,但她的声音相当清晰。他们这几个月一直讨论宝宝的名字,却尚未达成结论。"若是女孩,就叫她菲比;若是男孩,就叫他保罗,跟我叔祖父的名字一样。我跟你提过吧?"她问,"我先前就打算跟你说,我已决定好了。"

"这两个名字都很好。"护士安抚地说。

"菲比和保罗。"医生重复一次。但他关切的是妻子的躯体开始收缩,他对护士示意,护士已准备了麻醉气体。在他实习之时,医生们通常从一开始就让产妇吸入麻醉气体,直到分娩结束为止。但时代变了，现在是一九六四年，他知道本特利对此比较谨慎。产妇最好在清醒状态下自己用力。本特利只有在阵痛达到最高点、胎儿露头及小孩出世时，才将产妇麻醉。他的妻子全身紧绷，大叫出声，宝宝已移动到产道，撑破了羊膜囊。

"好。"医生说，护士随即把吸气罩套好。麻醉气体逐渐发生功效，他妻子的双手放松，拳头也松开。阵痛一波波地扫过体内之时，她躺得笔直，安详而没有知觉。

"就头一胎而言，宝宝出来得特快的。"护士发表意见。

"没错，"医生说，"目前为止，一切都好。"

这种情况持续了半小时。他的妻子清醒过来，低声呻吟、用力，当他觉得她受够了，或是当她哭喊说痛得受不了，他就点头示意护士用麻醉气。除了沉默地交换指示之外，他们没有说话。外面继续下着雪，雪花在屋子四周飘落，堆积在道路上。医生坐在不锈钢的椅子上，把注意力集中在几项重要的事上。他在医学院接生了五次，每次皆母子平安，现在他专心回想那些事情，从回忆中搜寻需要注意的细节。他的妻子依然双脚踏在脚镫上，腹部高耸到他看不见她的脸。当他仔细思考时，她变成了那几位产妇之一，她那圆滚滚的膝盖、光滑细腻的腿肚以及脚踝全在他眼前，看来熟悉而令人怜爱，但他没想要轻抚她的肌肤，或是拍拍膝盖请她安心。她使劲时，握住她手的是护士。医生已专注于当务之急，对他来说，她已不再仅仅是她自己：这副躯体跟其他人没两样。她是个患者，他必须使用各种医学技术协助她。他不能感情用事，特别是现在，他更得保持冷静。随着时间的流逝，先前在他们卧室的那种奇怪感觉再度浮上心头，不知怎么的，他觉得似乎被拉离了分娩现场。他人在这里，却又飘浮在别处，从某个安全距离观察一切。他看到自己精准地在阴部划了一刀。当鲜血规整地呈一条直线流出，他心想这刀划得不错，不让自己回想那些曾经热情地爱抚这个部位的时刻。

宝宝露头了。再用力推挤了三次，宝宝终于降临人间，滑进他等在一边的双手。宝宝大声哭叫，蓝色的皮肤渐渐变成粉红。

是个男孩！小宝宝满脸通红，发色乌黑，双眼带着警戒，对灯光和阵阵冷冽的空气感到疑惑。医生绑紧脐带，然后剪下来。我的儿子，他允许自己想道，我的儿子。

"他可真漂亮。"护士说。他检查宝宝的时候，她就站在旁边，注意到孩子快速而平稳的心跳、十指修长的双手和乌黑的头发。然后，她把孩子抱到另外一间屋，清洗一番，又向他眼里滴上几滴硝酸银溶液。孩子的哭声飘过去，惊醒了他的妻子。医生守在原地，一只手放在她的膝盖上，深吸几口气，等待着胞衣出现。我的儿子，他再次想。

"宝宝在哪里？"他的妻子问。她睁开双眼，拨开垂落在潮红脸际的发丝。"一切都好吗？"

"是个男孩，"医生俯身笑着对她说，"我们有个儿子了。等他清洗干净，你就可以看到他，他完美极了。"

他妻子疲倦的脸上露出放松的柔和表情。但忽然阵痛又起，全身再度紧绷。医生以为是宝宝的胞衣，于是他坐回她腿间的凳子上，轻压她的腹部，她放声大叫。等到了解是怎么回事时，他惊讶得仿佛水泥墙上忽然多出一扇窗。

"没关系，"他说，"没事，没事。护士。"他呼喊，下一波阵痛更加剧烈。

护士马上过来，怀里抱着宝宝，宝宝已包在白色的毛毯中。

"他的阿普伽评分是九，"她宣布，"分数好极了。"

他的妻子伸出双手想抱小宝宝，嘴里也开始说话，但阵痛让她受不了了，她又躺了下来。

"护士？"医生说，"我这儿需要你，请马上过来。"

护士感到有些困惑，随后放了两个枕头在地上，把小宝宝放在中间,跟着医生站在产台旁。

"多点麻醉气。"他说,看到她一脸惊讶。她一边遵照指示做,一边很快地点头表示了解。他把手放在妻子的膝盖上,随着麻药生效,他感觉到她的肌肉逐渐放松。

"双胞胎?"护士问。

男婴出生之后,医生允许自己放松下来。现在他的信心在动摇,除了点头之外,不敢多说什么。镇定下来,他对自己说,下一个宝宝的头冒了出来。你只不过在一个普通的地方。双手精准地动刀时,他从天花板某处俯瞰,心中想着,这次分娩也没什么不同。

这个宝宝体型较小,而且很容易就出来了。小宝宝很快滑进他戴着手套的双手,速度快到他得身子往前倾,用胸部挡一挡,以免小宝宝掉下去。"是个女孩。"他说。他像抱着足球一样轻摇女婴,把她的脸部朝下,拍她的背,直到她大哭为止。然后他把宝宝翻过来看看她的脸。

她细腻的皮肤上有着漩涡状的粉白色胎脂,全身溜滑,沾满羊水和血迹,蓝色的双眼有点混浊,头发墨黑。但他几乎没有注意到这些,他看到的是一些毋庸置疑的特征:她的双眼往上翻,仿佛正在大笑,眼睛内角有内眦赘皮层,鼻子扁平。典型的病例。他记得多年以前,他的教授检查一个类似的婴儿时,曾经这么说。这是个唐氏症孩子,你知道那是什么意思吗?医生恭谨地背诵在教科书上读到的症状:肌肉松弛、身心发育迟缓、可能导致心脏并发症、早天。教授点点头,把听诊器放在婴儿平滑赤裸的胸部。可怜的孩子。除了保持他身体清洁之外,他们什么也不能做。他们最好别让自己受苦,把他送到养育院。

医生似乎回到了从前。他妹妹生下来心脏就有毛病,成长得非常缓慢,一跑步就呼吸急促,几乎喘不过气来。多年以来,他们始终不知道这是怎么回事,直到首次造访摩根城的诊所才知情,知道了却也束手无策。他母亲将全部精力投注在妹妹身上,但她依然十二岁就离开了人世。医生当时十六岁,已经寄宿在城里念高中,而且准备前往匹兹堡就读医学院,追寻他现在拥有的生活。但他记得母亲深沉而无尽的悲伤。她每天早晨走到山上的坟地,双臂紧抱,抵御着她所遭逢的各种天气。

护士站在他身旁,仔细观察宝宝。

"医生,我真抱歉。"她说。

他抱着婴儿,忘了接下来该怎么办。她的小手完美,但大脚趾和其他脚趾间的裂缝就像缺了一颗牙齿似的。凝视她的双眼时,他看到虹膜边缘的苍白斑,细小但明显,仿佛鸢尾花上的雪花。他想象她李子般大小的心脏,很可能带着缺陷。他想到仔细粉刷的育婴室、柔软的玩具动物、单张婴儿床;他想到他的妻子站在他们闪闪发光的屋子旁,口中说着:我们的世界将不再一样啦。

宝宝的手拂过他的手掌,吓了他一跳。他想都没想就进行例行程序:剪掉脐带、检查她的心肺。与此同时,他一直想着白雪,银白的车子滑到沟里,空荡荡的诊所里很安静。日后想起这个夜晚(未来的岁月里,他会经常想到这个生命的转折点。自此之后,所有事件都绕着这个时刻打转),他记得室内一片寂静,外面白雪一直在飘落。寂静是如此深沉,如此浓厚,他被围绕在其中,觉得自己飘到某个新的高度,越过房间,更上一层楼;置身于此,他与白雪共处,房间里的一情一景展露在眼前,仿佛另一个人的人生,而他只是个旁观者,走在阴暗的街道上,透过散发出暖意的窗户,偶然往里一瞥。日后,他将记得那种感觉,那种无边无际的空旷。有位医生陷在沟里,而他自家的灯光在远处大放光明。

"好,请把她清洗干净。"他边说边把瘦小的婴儿放到护士怀中。"但把她留在另一个房间,我不想让我太太知道此事,最起码现在不想。"

护士点点头。她走出去，随后回来把他的儿子抱进他们先前买的婴儿车。这时医生已准备处理胎盘。胎盘形状完好，深红而厚实，每个都跟小碟子一般大小。异卵双胞胎，一男一女，一个显然很健康，另一个的体内每个细胞中都多了个染色体，这种机率有多高？他的儿子躺在婴儿车里，不时挥舞着双手，流畅而随性，仿佛跟着子宫内快速流动的羊水摇摆。他为妻子注射镇定剂，然后低头修补阴部。天将破晓，日光依稀环绕在窗沿，他看着自己移动的双手，心想伤口的缝线肯定完美无瑕，干净利落，工整均匀，就像她的针线活一样。

　　手术结束之后，医生发现护士坐在候诊室的摇椅上，怀里抱着小女孩。她一语不发地迎上他的凝视，令他想起那个她看着他沉睡的晚上。

　　"有个地方，"他边说边把名称和地址写在信封后面，"我想请你把她送到那里。我的意思是，等到天亮再过去。我会开张出生证明，也会打电话通知他们。"

　　"但是你太太……"护士说。站在远处的他，听得出她口气中的惊讶与不满。

　　他想到他妹妹，苍白而瘦弱，努力地想要喘口气，而他母亲转向窗口，极力掩饰眼中的泪水。

　　"你不明白吗？"他语调轻柔地问道，"这个可怜的婴儿八成心脏功能严重不全。这是致命的缺陷，我只是不想让大家将来伤心难过。"

　　他说得振振有词，坚信自己说得没错。他等着护士答应，她则坐在那里瞪着他，满脸惊讶，除此之外看不出她在想些什么。以他当时的心境，他根本没想过她可能拒绝。虽然当天晚上，以及后来的许多夜晚，他猜想自己或许造成了伤害，但当时他不这么想；他想象不到自己正危害着一切，反而对她迟迟不作答而感到不耐烦。他忽然觉得很累，平日熟悉的诊所显得很陌生，自己仿佛踏入梦境之中。护士用她那双难测的蓝眼睛仔细地观察他。他回应她的注视,眼睛眨都不眨。最后她终于点头,动作轻微到几乎看不见。

"雪下得真大啊。"她低下头喃喃自语。

*　　*　　*

但到了早上十点,风雪开始减缓。一片沉静中,依稀听得见远处铲雪机的声音。他从楼上窗户看着护士敲掉车上的积雪,开着粉蓝的车子驶向洁白的世界。宝宝藏在她旁边车座上的箱子里,箱里铺着毛毯,宝宝睡得正香。医生看着她左转,驶向街上消失无踪,然后回去坐在他的家人身旁。

他的妻子睡着了,金发散落在枕头上,医生也打了几个盹。醒来之后,他凝视空荡的停车场,望着街对面的烟囱冒出烟雾,盘算着他该说什么:这不怪任何人;女儿会受到妥善的照顾;其他人会像亲生母亲一样时刻照顾着她;这样对大家最好。

近午时分,雪终于完全停了,他的儿子饿得哭喊,妻子醒了过来。

"宝宝在哪里?"她说,用胳膊肘撑起身子,拨开脸颊旁的头发。他抱着他们的儿子,小宝宝温暖又轻盈。他坐到她身旁,把宝宝放在她怀里。

"嗨,我的甜心,"他说,"看看我们英俊的小儿子,你刚才真勇敢。"

她亲亲宝宝的额头,然后解开睡袍,把他抱到她的乳房前。他的儿子马上一把抓住。他的妻子笑眯眯地抬头看他一眼,他握住她空着的一只手,想起她先前握他握得真紧,手指几乎嵌到他的血肉里。他记得自己很想保护她。

"一切还好吗?"她问,"亲爱的?怎么了?"

"我们生了对双胞胎。"他慢慢地告诉她,心里想着乱蓬蓬的黑发,以及在他手中蠕动的滑溜溜的身躯,不禁热泪盈眶,"一男一女。"

"啊,"她说,"还有个小女孩?菲比和保罗。但她在哪里?"

她的手指真纤细,他心想,仿佛一只小鸟的骨头。

"亲爱的,"他开口,声音已然沙哑,原先仔细演练的话也全忘了。他闭上双眼。当他再度启口的时候,更多未经演练的话脱口而出。

"噢,亲爱的,"他说,"我很抱歉,我们的小女儿一出生就去世了。"

二

卡罗琳·吉尔小心翼翼、笨拙地涉雪走过停车场。积雪深及她的腿肚,有些地方已经到达她的膝盖。她抱着一个装有小宝宝的纸箱,小宝宝全身裹在毛毯中。纸箱原本是用来运送婴儿奶粉试用品,箱外印着红色字母和可爱的婴儿小脸,她每走一步,箱口就鼓翼而飞。几近空荡的停车场安静得出奇,寂静自四方涌来,似乎源自寒风,而后扩展到空中,好像在水中丢下一块石头一样扩散出去。她打开车门时,大雪翻飞,打在她脸上生疼。她不经思索,尽可能弯着身子保护纸箱。她把箱子推进后座,粉红色的毛毯悄悄垂落在白色尼龙座垫上。宝宝睡着了,跟一般新生儿一样熟睡,小脸绉成一团,双眼只是条细缝,鼻子和下巴微微隆起。卡罗琳心想,你不会知道的;若以前不知道,以后也不会。卡罗琳先前做阿普伽测试时,给了她八分。

城里街道上的雪被铲得乱七八糟,行车困难。车子两次打滑,卡罗琳两度几乎掉头。州际公路的状况较佳。上了公路,卡罗琳平稳地前进,驶过列克星顿郊外的工业区,来到散布着养马场,坡度平缓的平原,沿途尽是绵延的白色栅栏。栅栏在雪地上投下清新的光影,田野中的马匹成了一个个黑点。大片灰云飘过低垂的天际,天空显得生气盎然。卡罗琳打开收音机,在阵阵杂音中寻找电台,后来又把收音机关掉。车窗外的世界匆匆而过,一切如常,毫无改变。

自从勉强同意亨利医生这个令人惊愕的请求之后,卡罗琳就感到仿佛缓缓飘在空中,等着猛然落地,看看自己跌落在何处。他请她带走他的新生女儿,却不告诉他太太有这么一回事。这个请求似乎荒谬绝伦,但卡罗琳看着他一脸悲伤困惑地检查他的女儿,之后近乎麻木地缓缓行动,心中为之一动。她告诉自己,他很快就会恢复理智,他刚才吓坏了,谁能怪他呢?毕竟他在大风雪中接生了自己的双胞胎,如今又碰到这种状况。

她加速前进,清晨的一情一景有如小河般从她身边流逝。亨利医生执刀时如此冷静,动作专注而精准;诺拉·亨利的黑发、洁白的大腿和庞大的腹部忽隐忽现,一波波阵痛仿佛湖水被风激起的一阵阵涟漪;麻醉气体嘘嘘作响,亨利医生呼唤她的那一刻,声音细微但紧张,脸上的表情如此悲伤,让她以为第二个宝宝一定是刚出生就死了。她等着他采取行动,等着他采取措施救活婴儿。当他没有动手时,她忽然心想自己应该过去做个见证,这样一来,她日后才能说:没错,婴儿全身泛蓝,亨利医生试了,我们两人都试了,但已束手无策。

后来宝宝哭了,哭声把她引到他身旁。她看了才知道怎么回事。

她继续行驶,将回忆抛在脑后。公路穿过一片石灰岩,天空逐渐变窄,她开上微微隆起的山丘,然后朝着远处的河川慢慢下行。在她身后的纸箱里,宝宝依然熟睡,卡罗琳不时回头看看,一看到宝宝没有动静,顿时感到又安心又苦恼。她提醒自己,宝宝费劲来到世界之后,通常睡得很熟,这是正常现象。她心想自己出生之后的几小时,是否也睡得这么熟。但她的父母早已过世，没有人记得那些时刻。母亲过了四十岁才生下她，当时父亲已经五十二岁，早已放弃生育子嗣，不抱希望，也无期待，甚至了无遗憾。他们过得规律、平静而满足。

直到卡罗琳出奇不意地降临，宛如一朵破雪而出的盛开花朵。

他们当然很爱她，但关爱中带着一丝忧虑。他们将全副注意力投注在她身上，同时配上各种膏药、厚袜子和药用蓖麻油。夏日闷热，怕有流行性小儿麻痹症，卡罗琳被迫待在屋里。她四仰八叉地躺在楼上窗户旁的长椅上看书，汗珠一滴滴地滑过太阳穴。苍蝇靠着纱窗嗡嗡飞舞，有些一动不动地死在窗台上。屋外，田野在阳光和热气中闪烁着光芒，邻家孩子们在远处大喊大叫。他们的父母年纪轻，不大知道孩子可能感染上疾病。卡罗琳把脸和指尖紧贴着纱门，满心渴望地听着孩子嬉戏，空气凝滞不前，汗水浸湿了她棉衫的肩头以及烫平的裙头。楼下花园的另一头，母亲套上手套，穿着长围裙，戴上帽子拔除杂草；微暗的黄昏中，父亲从保险公司的办公室步行回家，走进百叶窗紧闭的宁静的家中，脱下帽子，外套下的衬衫潮湿而且带着汗渍。

她驶过桥面，车轮发出嗖嗖声。肯塔基河在遥远的下方缓慢流动，昨晚的精力渐渐消退。她又瞥了宝宝一眼。即使不能留下宝宝，诺拉·亨利总想抱抱她吧。

这当然都不关卡罗琳的事。

但她没有掉头，她再扭开收音机。这次她找到了一个播放古典音乐的电台，继续往前行驶。

离开路易斯维尔二十英里之后，卡罗琳参考了一下亨利医生写下的方向。他的笔迹强劲而仔细。她开下高速公路。此处离俄亥俄河非常近，山楂树和朴树高耸的枝头结了冰，闪闪发光；路面却平整而干燥。田野上铺了一层白雪，周围是一圈篱笆，篱笆之后马匹如黑点般移动,喷出一团团白色的雾气。卡罗琳转进一条更小的路,两旁田野微微起伏,无边无际。她开过大约一英里的光秃秃的山丘,不久就瞥见那栋建筑物,红瓦砖房建于二十世纪初,两侧低矮的屋翼比较现代化,看来不太协调。她沿着小路起伏转弯,房屋忽隐忽现,然后突然出现在她面前。

她开进环形车道。近看之下,这栋老房子需要整修,木头框架的油漆已经剥落,三楼的窗户被木板封了起来,胶合板木条支撑住破裂的窗沿。卡罗琳走下车。她穿着一双老旧的平底鞋,鞋底又薄又破。昨天半夜她一时之间找不到靴子,匆忙中穿上了这双摆在鞋柜里的平底鞋。碎石透过积雪往上顶,她的双脚立刻感到寒冷。她把事先准备好的袋子甩到肩上,里面摆着尿片和一个装了婴儿奶粉的保温奶瓶。她拿起放着婴儿的纸箱,走进屋内。光线透过久未擦拭的铅框玻璃投射在门两侧。进去之后还有一道毛玻璃门,然后是个黑橡木地板的走道。她闻到一股胡萝卜、洋葱和马铃薯的香味,四下充满了热气和食物的味道。卡罗琳往前走两步,木板跟着嘎嘎直响,但还是没有人出现。宽片木板地上铺着一长条光秃秃的地毯,一直延展到屋后的等候室。等候室里窗户高挑,窗帘厚重。她坐在破旧的天鹅绒沙发一隅,把纸盒紧靠在身旁,静静等候。

屋里太热。她解开外套纽扣,里面依然是她那件白色的护士服。她摸摸头发,这才发现自己还戴着高挺的白色护士帽。亨利医生一打电话她就起床,在下着大雪的深夜匆匆穿衣出门,一直忙到现在才停下来。她脱下护士帽,小心地折平,闭上双眼。远处依稀传来餐具的碰撞声和喃喃的说话声,楼上有人走动,激起阵阵回音。半睡半醒之间,她梦见母亲准备节庆大餐,父亲在木工室工作。她小时候总是一个人,有时甚至非常寂寞,但她脑中依然留存着某些回忆:紧抱着一条特别的被子、脚下那条绣着玫瑰花的地毯,以及属于她的自言自语。

远处传来两次铃声。我这儿需要你,请马上过来,亨利医生先前大喊,声音中充满紧张与危急。卡罗琳匆忙赶过去,还用两个枕头随便弄成一张奇形怪状的小床;双胞胎的第二胎出生时,她手执面具盖住亨利医生太太的脸,小女婴随后来到世界,带动了某些变化。

　　起了变化,没错,想要控制也没办法。即使身处这个毫无动静的屋子里,即使坐在沙发上等待,卡罗琳也不安地察觉到世界正微微变动,一切都停不下来。就是此刻?她忍着不想。这些年来,等的就是此刻?

　　三十一岁的卡罗琳·吉尔已经等了好久,等着真正属于她的生活;她曾对自己这么说,而且从小就觉得自己不会平凡地度过一生。那一刻终将到来,一切也将随之改变,而当那一刻到来之时,她会知道的。她曾梦想成为一个伟大的钢琴家,但高中舞台上的灯光跟家里的灯光大不相同,她在强光中愣住了。到了二十多岁时,她在护校的朋友们纷纷结婚生子,卡罗琳也不乏她心仪的年轻人,其中一个黑发、白皙、笑声雄厚的男孩子尤其吸引她,她梦想他将改变她的一生。虽然他始终没打电话来,但她依然梦想另一名男子会改变她的生命。即使过了多年,她逐渐将重心转移到工作,她仍然毫不绝望。她对自己和未来充满信心。她不是那种走到半路停下来,不确定自己有没有拔掉熨斗,房子会不会遭到火舌吞噬的人。她继续工作,继续等待。

　　她也阅读。先是赛珍珠的小说,然后是所有她能找到的描述中国、缅甸、老挝的书籍。有时读着读着,她让书从手中滑落,出神地凝视着她位居城缘的俭朴小公寓的窗外。她看到自己过着另一种富有异国情调、艰困却令人满足的生活,她的诊所将坐落在茂盛的丛林间,规模普通,说不定靠海;诊所的四面墙将漆上白漆,闪烁着珍珠般的光泽;人们会在外面排队,蹲在椰子树下等待;她,卡罗琳·吉尔将照顾每一个人,治好大家的病;她将改变他们和自己的一生。

她满怀着这种憧景，急切而兴奋地申请成为一名医疗传教人员。在一个夏末的晴朗周末，她搭乘公交车到圣路易斯面试，并被列入前往韩国的候补名单。但韶光渐逝，传教团延后了行程，最后取消了整个任务。卡罗琳被列入另一份候补名单，这次的目的地是缅甸。

　　而后，当她还在检查信件、梦想着热带丛林之时，亨利医生来到了这里。

　　那天相当平常，跟一般日子没什么两样。时值晚秋，正是流行性感冒的季节。屋里挤满了人，四处有人打喷嚏和闷声咳嗽。卡罗琳呼叫下一个病人时，也觉得喉咙深处有点干痒。这位病人是个名叫鲁伯特·狄恩的老先生。以后的几星期内，他的感冒会越来越严重，最后死于肺炎。此时他坐在扶手椅上与鼻血奋战。他慢慢地站起来，把手帕塞进口袋里，手帕上的点点血迹清晰可见。他走到桌子旁边，递给卡罗琳一张放在深蓝色硬纸板相框里的照片。那是一张略微上了点颜色的黑白照，照片中的女人神情警戒，穿着一件浅桃色的毛衣，头发微微起伏，有双深蓝色的眼睛。爱梅妲是鲁伯特·狄恩的妻子，已经去世二十年了。"她是我这辈子最爱的人。"他跟卡罗琳大声宣告，音量大到大伙都抬起头来。

　　候诊室外面的门开了，那道镶嵌着玻璃的内门随之嘎嘎响。

　　"她很漂亮。"卡罗琳说。她双手发抖，因为他的深情与悲伤触动了她的心弦；因为从来没有人以同等样的热情爱恋着她；因为她已经几乎三十岁，但如若明天过世，没有人会像鲁伯特·狄恩一样，过了二十多年依然悼念着她。她，卡罗琳·洛兰·吉尔，当然跟这位老先生照片中的女人一样独特，一样值得被爱，但她却不晓得如何表明这一点。艺术、爱情，甚至工作崇高的使命感都传达不了她的心意。

　　通往候诊室的门被推开的时候，她正试图镇定下来。一名穿着褐色粗呢大衣的男子在门口犹豫地站了一会。他手里拿着帽子，静静地打量质料粗糙的黄色壁纸、角落的蕨藤植物，以及金属架上破旧的杂志。他一头褐发带点暗红色，一脸清瘦，表情专注而谨慎。他并不出众，但姿态与神情有些特别，沉静中带着机警，有种好听众的特质，这些都令他与众不同。卡罗琳心跳加速，皮肤也一阵潮热，感觉又开心又恼人，仿佛忽然被飞蛾的翅膀扫了一下。他的目光迎上她，她马上就明白了；即使在他走过来跟她握手之前，即使在他操着外地口音报上姓名戴维·亨利之前，卡罗琳就百分之百地确定：她等待多年的人终于出现了。

那时他还没结婚。他没有太太，没有婚约，据她打听也没跟任何人约会。无论是当天他巡视诊所还是日后的欢迎会和会诊等场合，她都仔细聆听。其他人忙着说客套话，或是被他听来不熟悉的口音和突如其来的笑声弄得分心，她却听出了旁人没有注意到的一点：他偶尔提到那段在匹兹堡的日子，大家从他的履历和文凭中也知道这回事，但除此之外，他从来不提过去。在卡罗琳眼中，这种沉默与克制让他蒙上一层神秘感，这种神秘感更让她觉得旁人都不像她一样了解他。对她而言，他们每次相遇都别具深意，她仿佛隔着桌子、检验台，以及一具接着一具美丽却不完美的病人的躯体对他说：我懂得你，我了解，我看到了其他人没看到的地方。她无意中听到大伙开玩笑说她爱上新来的医生，感到又惊讶，又害臊，一张脸涨得通红。但她也暗自高兴，因为谣言说不定会传到他耳里，害羞的她肯定说不出这种话。

平静地共事了两个月之后，有天深夜，她发现他趴在桌上睡着了。他的脸搁在双手上，呼吸轻缓，带着节奏，看样子已经陷入熟睡。卡罗琳靠在门口，头微微倾斜。在那一刻，她酝酿了多年的梦想全都浮上心头：她和亨利医生将一起离开，远赴世上某个偏僻的地方；他们整天工作，额头上冒着汗珠，手中的工具愈来愈湿滑；夜晚时分，她会为他弹奏钢琴，钢琴可是飘洋过海，顺着某条湍急的河流，穿过茂密的丛林运送到他们的住处。卡罗琳沉醉在梦境之中，想得出神，当亨利医生睁开双眼时,她竟然毫无保留,毫无禁忌地对他微笑。她从未对任何人如此肆无忌惮。

他显然大吃一惊,这一下子把她拉回现实。她挺直身子,摸摸头发,喃喃地说些抱歉之类的话,脸涨得通红。她掉头离开,深感羞耻,但又有点兴奋,这下他一定知道了;这下他眼中的她,终将如同她眼中的他。接下来的几天,她期待着后续发展,紧张得很难与他共处一室。但日子一天天过去,什么也没发生。她并不失望,反而放松下来,为他迟迟没有行动找些借口,然后继续等待。

三个礼拜之后,卡罗琳翻开报纸,看到社交版的婚礼照片。照片中已经成为戴维·亨利夫人的诺拉·阿舍转过头,她的脖子优雅纤细,眼睫毛微微上翘,仿佛一扇扇贝壳……

卡罗琳动了动,大衣里开始冒汗。屋里太热,她几乎迷迷糊糊地睡着了。宝宝依然在她身旁熟睡。她站起来走到窗边,木地板在破旧的地毯下嘎嘎直响,天鹅绒布幔垂落及地。很久以前,这里曾是一处优雅的庄园,现在只留下些许残迹。她摸摸布幔后面透明窗帘的一角,窗帘泛黄、脆弱,上面布满了灰尘。窗外,几头牛站在积雪的田野中,到处找青草,一个身穿红色格子花布外套,戴着深色手套的男子清出一条通道走向谷仓,双手上的铁桶晃来晃去。

这些灰尘,这堆白雪,不公平,一点也不公平。诺拉·亨利凭什么拥有这么多,凭什么过着平静快乐的日子?卡罗琳被这个想法以及自己深沉的怨恨吓了一跳,她任凭窗帘从手中滑落,走出房间,朝着有人声的地方走去。

她走进一条走廊,日光灯在高高的天花板上一闪一闪,空气中充斥着浓重的液体清洁剂、水煮蔬菜,以及淡淡的尿味。推车嘎嘎响,有些人高声喊叫,有些人喃喃低语。她转弯,再转个弯,走下一级台阶,来到屋子比较现代的一侧。这里的墙漆成青绿色,胶板地上松松地盖着油毡。她经过几道门,瞥见人们的生活片段,而这些影像如同照片般停驻在空中：一个男人凝视着窗外，阴影遮住了他的脸，看不出多大岁数；两个护士正在铺床，她们的手臂举得老高，洁白的床单一度几乎飘达天花板；两个空荡荡的房间，帆布摊开了铺在地上，油漆罐堆积在角落；一道门紧闭，然后是最后一道门，门开着，里面有个年轻女子穿着一件白色的棉质无袖衬裙坐在床沿，低着头，双手轻轻交握搁在大腿上。另一名女子是护士，她站在年轻女子身后，银色的剪刀闪闪发光，头发像黑色的瀑布般掉落在白布上，女子赤裸的颈背一露无遗，颈子修长、细腻而白皙。卡罗琳停下来站在门口。

"她会冷。"她听见自己开口说，两名女子听了都抬起头。坐在床沿的女子有双大眼睛，散发出黑亮的光泽，她的头发本来很长，现在被剪得乱七八糟，长及下巴。

"没错。"护士边说边拍掉女子肩上的一些头发，头发在单调的灯光中落在床单上，落在污迹斑斑的油毡上。"但非剪不可。"说完便眯起眼睛打量卡罗琳皱巴巴的制服以及没戴帽子的头。"你是新来的，或者有什么其他事情吗？"她问。

卡罗琳点点头，"新来的，"她说，"没错。"

一名女子拿着剪刀，另一名女子身着棉质衬裙坐在自己剪落的发渣中。日后当她想起那个时刻，她总把它想成黑白画面。这幅画面令她深感空虚与怜悯，但她却不确定为什么。头发散落一地，再也接不回去，窗外透进冷冷的光线，她感到泪水在眼中滚动。另一个大厅中人声回荡，卡罗琳想起纸箱还摆在等候室的天鹅绒沙发上，宝宝依然在箱内沉睡，她赶紧掉头回去。

一切都跟她先前离开时一样。印着红彤彤的可爱婴儿脸的纸箱还在沙发上，宝宝的双手握成小拳头摆在下巴旁，依然睡得很熟。菲比，诺拉·亨利在吸了麻醉气体昏过去之前曾说，若是女孩，就叫她菲比。

菲比，卡罗琳轻轻解开层层毛毯，把她抱起来。她好小，只有5.5英磅，比她哥哥轻，但两人都有一头黑发。卡罗琳检查一下她的尿布，乌黑黏稠的粪便弄脏了潮湿的尿布。卡罗琳换了尿布，再把她包回毛毯内。她一直没醒，卡罗琳抱着她坐了一会，感觉到她好轻，好小，好温暖。她的脸颊是如此袖珍，如此多变。即使在睡梦中，各种表情也如同云朵般飘过她的五官，卡罗琳从中依稀看到诺拉·亨利皱眉的神情，也看到戴维·亨利专心倾听的神态。

她把菲比抱回纸箱里，轻轻地把毛毯裹在她的周围。她想起戴维·亨利带着些许倦意，坐在桌前边吃奶酪三明治，边喝完一杯半凉的咖啡，然后重新打开诊所大门。每个星期二晚上，他总是为那些付不出医药费的患者免费出诊。在那些晚上，候诊室总是人满为患。午夜时分，当卡罗琳终于下班，累得几乎无法思考之时，他依然留在诊所里。正因他的善心，她才爱上了他，但他却把她和他的新生女儿送到这种地方。在这里，一个女子坐在床沿，发丝缓缓飘落而下，一团一团柔柔地散落在地面上凄冷的光影中。

这事会伤透她的心，他曾提到诺拉。我不要让她伤心。

远处传来脚步声，愈来愈近。随后有个一头灰发，身穿一件类似卡罗琳制服的女人站在门口。她身材粗壮，以她的体型而言，行动算是敏捷了，而且一脸严肃。若在另一个场合中碰面，卡罗琳说不定会觉得此人还算顺眼。

"我能帮什么忙吗？"她问，"你等了很久了吧？"

"是的。"卡罗琳慢慢地说，"没错，我已经等了很久。"

女人气愤地摇摇头。"唉，对不起，都是因为这场雪，所以我们今天人手不足。肯塔基州简直寸步难行，好不容易才前进一英寸，整个州陷入瘫痪。我在爱荷华州长大，实在不知道下点雪有什么大不了的，但这只是我个人想法。好了，我能为你做点什么？"

"你是西尔维娅吗？"卡罗琳一边问，一边拼命地想记起亨利医

29

生写在行车路径下方的名字。她刚才把纸条落在车上了。"西尔维娅·帕特森?"

女人看上去更加气恼。"不,当然不是。我叫珍妮特·马斯特斯。西尔维娅已经离职了。"

"噢。"卡罗琳说完就住了口。这个女人不知道她是谁,也显然没跟亨利医生通过电话。卡罗琳手上还拿着脏尿布,这下赶紧把双手垂到身体两侧,把尿布藏起来。

珍妮特·马斯特斯双手稳稳地叉在臀部,眯起眼睛。"你是奶粉公司的人吗?"她问,目光移到房间另一端沙发上的纸箱,纸箱上红彤彤的小婴儿露出无邪的微笑。"西尔维娅跟那个业务员有些牵扯,我们都知道。你若是同一个公司派来的,不妨马上收拾东西离开。"她狠狠地摇头。

"我不明白你在说什么,"卡罗琳说,"我这就离开。"她加了一句,"真的,我这就走,不会再打扰你。"

但珍妮特·马斯特斯还没讲完。"狡猾阴险,你们这些人就是这副德行。送些免费样品过来,过了一个礼拜再让我们付钱。这里或许是智障人士之家,但管理人员可不笨,你明白吧?"

"我知道,"卡罗琳轻声说,"真的很抱歉。"

远处传来铃声,女人的双手从臀部垂下。

"限你五分钟之内离开。"她说,"赶紧走,而且不要回来。"说完掉头就走。

卡罗琳瞪着空荡荡的门口,一道冷风飘过她的脚边。过了一会,她把脏尿布放在沙发旁摇摇晃晃的三脚桌中间,摸摸口袋找到钥匙,然后抱起装着菲比的纸箱,快步走向简朴的走廊,想都没想自己在做什么。她穿过两道门,屋外寒风迎面袭来,令人浑身一惊,仿佛刚刚降生到这个世界上。

她再次把菲比安顿好,然后开车离开。没有人试图阻止她,事实上,根本没人注意到她。卡罗琳一上高速公路就加速前进,疲惫感宛若流水滴下岩石般贯穿全身。刚上路的三十英里,她跟自己争辩,有时还讲得很大声。你做了什么?她严厉地自问;她也跟亨利医生争辩,同时想象他额头的皱纹渐渐加深,两颊肌肉不住抽动,他生气时就是这副表情。你在想些什么?他坚持要知道答案,而卡罗琳必须坦承她根本不清楚。

但这些对话很快就越来越没劲。开到州际公路时,她机械性地开车,不时甩甩头让自己保持清醒。时值午后,菲比已经睡了几乎十二个小时,再过不久就得喂她。卡罗琳无助地希望在宝宝饿了之前能赶回列克星顿。

她开过法兰克福的最后一个出口,离家里只有三十二英里,这时前面车子却突然闪起煞车灯。她减速慢行,然后再慢一点,最后几乎完全停下来。天快黑了,太阳在浓厚的云层中露出黯淡的光芒。开上山坡时,交通全部停滞,一长串尾灯交替闪烁着红光与白光。前面出了连环车祸,卡罗琳觉得自己快要哭了。油表显示油箱里剩下不到四分之一的汽油,只够开回列克星顿,但不足以应付其他状况。看看这个车阵,唉,大伙可能被困在这里好几小时,车里有个刚出生的宝宝,她不能冒险关掉引擎,停掉暖气。

她笔直地坐了几分钟,脑中一片麻木。最近的一个交流道出口在她后方四分之一英里,出口和她之间有一列闪闪发光的车辆。她粉蓝色的车盖上冒出热气,在薄暮中微微闪烁,溶化了少许雪花。天上又开始飘雪,菲比叹了一口气,小脸微微紧绷,然后又放松。卡罗琳凭着一股日后令自己称奇的直觉,猛力扭转方向盘,车子滑过柏油路,开上铺着碎石的路肩。她逆向行驶,慢慢倒着开过一列动弹不得的车辆,那种感觉相当奇怪,好像正经过一列火车。有个女人身穿一件貂皮大衣,三个小孩扮了鬼脸,还有个正在抽烟,穿着夹克外套的男人。她在愈来愈暗的天光中慢慢地倒驶,停滞的交通宛如一条结冰的河流。

她顺利地开到出口，这条路通往六十号公路，路旁的树木上盖了一层厚厚的积雪。房屋打断了绵延的田野，刚开始只有几栋房子，后来房屋栉比鳞次，家家户户的窗户已在暮色中散发出光芒。不久之后，卡罗琳沿着凡尔赛的主要街道行驶，砖面的商店赏心悦目，她一边开车，一边寻找能够引领她回家的标记。

克罗格超市的深蓝色店标高悬在一个街区之外的地方，熟悉的店标，再加上明亮的店窗上贴着各种减价宣传单，安抚了卡罗琳的心情。忽然间，她觉得很饿。现在到底是什么时候？星期六，还不到晚上吧？所有商店明天都歇业，而她家里只剩下少数存粮。尽管非常疲倦，她还是把车开进停车场，关掉引擎。

温暖轻盈、十二小时大的菲比裹在毛毯里沉睡。卡罗琳把装尿片的包甩到肩头，把宝宝藏到大衣里。宝宝很小，缩成一团紧贴着她，感觉暖暖的。大风扫过柏油路面，残余的雪花随之飘起，片片新落下的雪花在角落盘旋。她小心翼翼地走过泥泞的积雪，生怕跌倒伤了宝宝。与此同时，她也想着若把宝宝留在垃圾箱旁边教堂的阶梯上，或是任何地方，其实相当容易。但这个想法稍纵即逝。这个小生命全由她掌握。她心中忽然充满浓浓的责任感，几乎感到头重脚轻。

玻璃门一开，灯光与暖气迎面而来。店里挤满了人，四处都是购物的人潮，购物车堆得老高，一个帮顾客装货的小伙子站在门口。

"我们因为这种天气才营业到现在，"她进门之时，小伙子提醒她，"再过半小时就打烊了。"

"但风雪已经停了。"卡罗琳说，小伙子笑笑，兴奋中带点不可置信，暖气从自动门里源源而出，飘散到黑夜之中。他的脸被暖气烘得红红的。

"你没听说吗？今天晚上还会有场暴风雪，但应该没事。"

卡罗琳把菲比安顿在购物车里，走过一排排不熟悉的货架。她不知道该选哪一种奶粉，或是暖奶器。成排的奶瓶各有不同的奶嘴，还有各式小围兜，每样东西都令她再三思量。她朝着结账柜台前进，忽然想到最好帮自己买些牛奶和食物，还得多买些尿片。人们鱼贯经过她身旁，看到菲比都露出微笑。有些人甚至停下来，把毛毯拨到一旁看看她的小脸。"噢，好可爱！"，"多大了？"，大家说道。卡罗琳脸不红气不喘地回答说两星期大了。"唉，这种天气你不应该带她出来。"一位灰发的女人告诫她，"老天爷啊！你应该赶快把宝宝带回家。"

卡罗琳在第六排货架挑选西红柿罐头汤时，菲比动了动，小小的双手猛烈摇摆，开始大哭。卡罗琳犹豫了一会儿，然后抱起宝宝和装了一大堆东西的包走到超市后方的洗手间。她坐在一张橘色的塑料椅上，听着水龙头的滴水声。与此同时，她还得让宝宝在她大腿上坐稳，从保温壶里把牛奶倒进奶瓶。菲比非常激动，而且又不晓得怎么吸吮，所以几分钟之后才安静下来。最后她终于摸到窍门，吃奶的神态跟睡着时一样专注，小手握拳搁在下巴旁。等到她吃饱了，心满意足了，店里广播说即将打烊。卡罗琳赶紧冲到柜台结账，柜台旁只剩下一个收银员，一脸的无聊和不耐烦。她连忙付账，一只手提着大包小包，另一只手抱着菲比。她刚走出去，店员们就关上了店门。

停车场几乎空荡荡的，最后几部车不是闲置，就是慢慢地驶向街道。卡罗琳把装着杂货的纸袋放在车盖上，然后把菲比安顿在后座的纸箱内。停车场另一头依稀传来店员们的说话声。雪花四处飘扬，盘旋在圆锥形的街灯光影中，雪下得跟先前差不多大。天气预报经常出错，菲比出生之前的那场大雪，天气预报就完全没有报告。她提醒自己那不过是昨晚的事，但感觉似乎过了好久。她伸手到纸袋里拿出一条面包，扯开包装拿出一片来。她一整天都没吃东西，肚子饿坏了。她边嚼边关上车门，一心只想回家。她的公寓简朴而整洁，双人床上铺着绒纱床单，每样东西都井然有序。她才调了一半头，忽然发现尾灯微弱地闪着红光。

她停下来瞪着尾灯。刚才在超市货架间惶然地走来走去，还坐在陌生的洗手间里喂菲比，而车子的尾灯从头到尾都亮着，灯光流泄在雪地上。

她试着发动车子，引擎仅是咔嗒一声。电池早就没电，引擎连响都没响。

她走出车外，站在敞开的车门旁。停车场现已空无一人，最后一部车也开走了。她开始大笑，笑声不比寻常，连卡罗琳自己都听得出来。她笑得太大声，几近哭泣。"我有个小宝宝，"她惊慌地大喊，"我有个小宝宝在车里。"但眼前的停车场静静地延伸开去，超市窗户里的灯光在泥泞的雪地上投射出一个个巨大的长方形。"我这里有个小宝宝。"卡罗琳再次喊道，声音在空气里变得越来越微弱。"小宝宝！"她又一次对着一片沉寂大声呼喊。

三

诺拉睁开眼睛，天空几近黑暗，但月亮依然被挡在枝头，苍白的月光映入房内。她一直身处梦境之中，在冰冻的大地上找寻某样失落的东西。草刃尖锐而脆弱，一触即碎，在她的肌肤上留下一道道小刮痕。她高举双手行走，一时感到困惑。不过她的双手没有刮痕，指甲修饰得整齐而光滑。

身旁的婴儿床中，她的儿子正在哭泣。诺拉稳稳地把他抱到床上，倒不是刻意，而是一种本能。她身边的那块床单洁白而凉爽，戴维已经出去了。她刚才睡着时，他被叫去诊所。诺拉把小儿子抱进自己温暖的怀里，掀开睡袍。他小小的双手像飞蛾的翅膀一样在她肿胀的乳房边挥动。他含住乳房，一阵巨痛突然袭来。母乳一流出，痛楚才像波浪般消退。她轻抚他稀薄的头发和脆弱的头盖骨。没错，这个小家伙的力量确实令人惊讶，他的小手静止不动，像小星星一样靠着她的光环。

她闭上双眼，在醒与睡之间缓慢地游移。她体内深处的井被开栓宣泄了，奶水汩汩流出。她说不出为什么，只觉得自己成了河流或风，围绕着梳妆台上的水仙花、屋外默默生长的嫩草，以及贴着树芽冒出的新叶；有如小珍珠般洁白的小幼虫化身为蜈蚣、尺蠖，和蜜蜂，小鸟拍拍翅膀飞翔，高声鸣叫，这些全都属于她。保罗的小拳头搁在下巴下面，脸颊随着有节奏的吮吸而微微动弹。环绕在他们四周的宇宙低声吟唱，柔美细致。

诺拉心中顿时盈满一股爱意，也升起一股庞大而难以驾驭的快乐与忧伤。

当时，她没有马上为他们的女儿哭泣，但戴维已经泪流满面。小宝宝是蓝色的，他告诉她，泪珠滴落在他一天没刮，刚长出来的胡渣上。小女孩连一口气都没吸进去。保罗坐在她的大腿上，诺拉仔细端详：他的小脸皱巴巴的，又是那么恬静。他戴着一顶有条纹的小针织帽，指头粉红、细致而弯曲，小小的指甲依然柔软，有如昼时之月一般透明。诺拉无法接受戴维所说的话，她真的没办法；她对昨晚的记忆刚开始还算清楚，后来便一片模糊：屋外下着雪，他们在空旷的街上开了好久才到诊所。戴维每碰到红灯就停下来，她则拼命压抑那股用力的冲动，阵痛一波波袭来，有如地震般剧烈。在那之后，她只记得断续、奇怪的片段：诊所里安静得出奇，有人在她膝上盖上一块蓝布，触感轻柔；她光裸的背部靠着产台，感觉冰冷；卡罗琳·吉尔每次伸手给她吸麻醉气体，手上的金表就闪闪发光。后来她醒了过来，保罗在她怀中，戴维在她身旁啜泣。她抬起头，关切地看着他，好奇中带点无动于衷，那是麻药的副作用，再加上她刚生产，体内的激素含量依然很高。他说还有个小婴儿、一个蓝色的小宝宝，这怎么可能？她记得第二次用力，戴维声音中隐含着如同激流中岩石的张力。但她怀中的婴儿完美又漂亮，这就够了。没关系，她边跟戴维说，边轻抚他的手臂，没关系。

直到第二天下午，他们离开诊所，小心翼翼地踏入冰冷、潮湿的户外，失落感终于贯穿心头。当时已近黄昏，空气中弥漫着融雪与潮湿土地的味道。天气阴沉，山楂树的树枝光秃秃一片。天空阴沉沉的，苍白而粗糙。她抱着保罗，小宝宝跟小猫一样轻。我们家多了一个全新的成员，她心想，感觉好奇怪。她先前仔细装饰过婴儿房，挑选了漂亮的枫木婴儿床和衣柜，贴上小熊壁纸，缝制窗帘，而且亲手缝了被子。事事井然有序，准备齐全，她的小儿子就在她怀里。然而走到诊所门口时，她停在两个细长的水泥柱之间，无法再迈出一步。

"戴维。"她说。他转身，一脸苍白，一头黑发，宛如天空下的大树。

"怎么了？"他问，"怎么回事？"

"我要看看她。"她说，声音轻似耳语，但在寂静的停车场中却显得有力。"看一眼就好，我们离开之前，我得看看她。"

戴维把双手插进口袋，仔细看着人行道。今天一整天，冰柱不断从参差不齐的屋顶上掉下来，现在他们脚边布满了碎冰。

"哦，诺拉，"他轻声细语地说，"拜托，我们回家吧，我们有个漂亮的儿子。"

"我知道。"她应允，因为那时是1964年，他又是她的先生，而她向来听从先生的话。但她似乎无法动弹，也失去了平日的感觉，仿佛正在丢弃某个不可或缺的部分。"噢！一眼就好，戴维，我为什么不能看看她？"

他们的目光相遇，他眼中的哀伤令她的眼眶中充满泪水。

"她不在这里，"戴维的声音粗嘎，"这就是为什么。本特利家里的农场有个墓园，墓园在伍弗德郡，我已经请他把她带过去了。过一阵子，等春天到了，我们再过去看看。噢，诺拉，拜托，你这样让我更伤心。"

诺拉听了闭上双眼。想到一个小婴儿，她的小女儿被埋在三月冰冷的地面下，她感到体内的一部分被掏空了。她抱着保罗的双臂僵硬而稳定，但身子其他部分的感觉却像液体，仿佛自己也流进沟渠中，随着白雪消失无踪。她心想，戴维说得没错，她不会想知道细节。他登上台阶，把手臂环绕在她肩头，她点点头，他们一起穿过空荡荡的停车场，走向渐渐消逝的天光。他弄妥宝宝的安全座椅，小心翼翼，有条不紊地开车回家。他们抱着保罗穿过前廊，走进大门，把沉睡中的他抱进婴儿房。戴维处理每件事以及照顾她的方式都让她安心，因此她没有再跟他吵着要看看他们的女儿。

但现在她每晚都梦见丢失了东西。

保罗睡着了，窗外茱萸的枝干长满了新芽，在渐渐黯淡的靛青色空中摇动。诺拉扭身，把保罗移到另一个乳房前面，然后再次闭上双眼。迷迷糊糊，半睡半醒之际，她忽然被哭声惊醒，她感到一片潮湿。屋里充满阳光，从刚才到现在已过了三小时，她的乳房又涨满了。她坐起来，感觉全身沉重。她胃部的肌肉松弛到一躺下来就摊散开，乳房涨满了奶水，硬实又饱满，关节仍因分娩而发痛。她走出卧室，走廊上的木板在她脚下嘎嘎作响。

保罗在可调桌上哭得更大声，小脸涨得通红。她脱下他潮湿的衣物和湿透的棉布尿片。他的皮肤是如此细腻，一双小腿像拔光了毛的鸡翅膀一样细瘦、红润。她想象早夭的女儿在一旁徘徊，静静地观看；她拿着棉花棒用酒精擦拭保罗的脐带，把尿布丢到桶子里泡起来，然后再帮他穿衣。

"亲爱的小宝宝，"她一边抱起他，一边喃喃自语，"我的小宝贝。"她说，然后抱着他下楼。

客厅里的百叶窗依然低垂,窗帘尚未拉起。诺拉辛苦地走到角落一张舒服的皮椅旁,坐下来拉开睡袍。奶水再次如同无法抗拒的潮水般溢出,带着一股特有的韵律,力量之强,似乎洗净了她过去的一切。她想着,我缓缓醒来,安稳地往后一躺,却因想不起作者是谁而有点苦恼。

家里一片沉静,壁炉嚓的一声熄火了,屋外树叶沙沙作响,远处浴室的门开了又关,依稀听得到水声。她妹妹布丽轻轻走下楼,身上那件旧衬衫的衣袖垂到指间。她的双腿白皙,细瘦的双脚赤足踏在木板地上。

"别开灯。"诺拉说。

"好。"布丽走过来,手指轻抚保罗的脑袋。

"我的小外甥还好吗?"她问,"亲爱的保罗可好?"

诺拉看看儿子的小脸,如同往常一样惊讶地听到这个名字。小宝宝还没长成"保罗"的模样,名字像手环似的挂在手腕上,好像一不小心就会掉落遗失。她曾读过有些民族认为,刚出生几星期的小宝宝悬置在两个世界之间,还不是人间的一份子,所以拒绝马上帮孩子取名字。但她也想不起在哪里读过这回事。

"保罗。"她大声地说,语气宛如阳光下的石头一样硬实、确切、温暖,恰如船锚。

她又轻轻对自己加了一句:菲比。

"他饿了,"诺拉说,"他总是饿。"

"啊,看来他跟他阿姨一样。我要去拿几片吐司和牛奶,你需要什么吗?"

"一杯水吧。"她边说边看着四肢修长优雅的布丽离开房间。她居然希望向来跟她大相径庭、被她视为对手的妹妹相伴,想来真是奇怪。但这是真的。

布丽虽然才二十岁,但她顽固、倔强,而且极有自信。诺拉经常觉得布丽才是姐姐。三年前，还在读高中时，布丽跟一个住在街对面的药剂师私奔。药剂师是个单身汉，年纪是布丽的两倍。大家认为药剂师年纪较长，应该知道对错，所以归咎于他；大家也怪布丽太野。布丽初中时忽然失去父亲，每个人都知道那个年纪的孩子最脆弱，难怪会变坏。大家预期这场婚姻早早收场，而且没什么好结果，事实也果然如此。

但大家若猜想一场错误的婚姻会让布丽变乖，那就错了。诺拉还是个小女孩时，外面的世界就已经起了变化。布丽不但没有如同大家所预期的羞怯、惭愧地回家，反而申请进了大学，还把名字从布里吉特改为布丽，因为她觉得后者听起来顺耳，感觉轻盈而自由。

这场令人颜面尽失的婚姻让她们的母亲难过极了。后来母亲嫁给环球航空公司的一名机长，搬去圣路易，留下两个女儿自力更生。唉，最起码我有一个女儿知道怎么做人，她边说边抬头看看诺拉，她正将瓷器装入纸箱。时值秋季，空气清新，金黄色的树叶如雨般飘落，她泛白的金发如同轻盈的云朵，秀气的五官因为忽然涌现的情感更显柔和，噢，诺拉，你无法想象我多么庆幸有个端庄乖巧的女儿，亲爱的，就算你一直没结婚，你也永远是个淑女。诺拉正把装有父亲照片的相框摆到纸箱里，听了这话又恼怒，又受挫，脸色阴沉了下来。布丽的厚脸皮与胆识也令她大吃一惊。她气社会规范变了样，布丽多少因而得逞，没有因为结婚、离婚和整件丑闻而受到惩罚。

她恨布丽对全家所做的一切。

她又是多么希望是她先做了这些事情。

但这些事情绝对不会发生在她身上，她始终是个好女孩，向来都如此。她一直跟父亲很亲，父亲是个温和、缺乏组织的人。他是研究羊的专家，不是成天呆在顶楼门窗紧闭的房间里阅读期刊，就是到户外研究，站在一群双眼怪异、歪斜、泛黄的羊群中间。她很爱他，终其一生。不知道为什么，她总觉得自己应当弥补他对家人的疏忽，赔偿母亲对于婚姻以及嫁了这样一个冷漠男人的失望。她更觉得应该补偿自己。父亲去世之后，这股让一切变得完美、整顿世界的冲动变得更加强烈。因此她继续乖乖念书，循规蹈矩地照着大家的期望行事。毕业之后，她在一家电话公司工作了六个月。她从来没有喜欢过这份工作，嫁给戴维之后就开心地辞了职。他们在"沃尔夫威尔百货公司"的内衣柜台相遇，两人随后旋风式地成婚，称得上是她这辈子最疯狂的举动。

布丽总说诺拉的生活像一出情景喜剧。你过得了这种生活，她边说边把一头长发甩到肩后，大大的银手镯几乎滑到她的胳膊肘。我可过不来，我大概一个礼拜就会发疯，说不定一天都受不了！

诺拉生闷气，强迫自己不响应；她看不起布丽，却又心怀忌妒。布丽选修了有关弗吉尼亚·伍尔夫的课，跟路易斯维尔一家健康食品餐厅的经理同居，然后就不来找她。但奇怪的是，诺拉怀孕之后，一切都改变了。布丽再次登门造访，而且带来一些印度进口的蕾丝货品和小小的银脚链，她说她在旧金山的一家商店找到这些东西。一听说诺拉打算亲自喂奶，她还带来油印的哺乳指南。诺拉很喜欢布丽来访，她高兴地收下那些漂亮却不实用的小礼物，更庆幸得到布丽的支持。在1964年那个年代，喂母乳是个相当前卫的念头，她很难找到相关信息。她们的母亲拒绝讨论此事，缝纫班的女人们说她们会在浴室里摆张椅子，确保她的隐私。布丽听了嗤之以鼻，令她大大地松了一口气。这些女人真是老古板！布丽坚称，别理她们。

虽然感激布丽的支持，但有时她私底下依然觉得不自在。布丽似乎游走于加州、巴黎或纽约之间。在她的世界里，年轻女子赤裸着上身在家里走来走去，帮自己和靠在她们豪乳上的宝宝拍照，撰写倡导母乳营养价值的专栏。喂母乳再自然也不过，也是哺乳动物的天性，布丽解释道。但一想到自己是个哺乳动物，受到天性驱使，而且被人以"吸吮"之类的字眼来描述（她觉得这类字眼真像交配或是发情,把某种美好的事降格到牲口的层次),诺拉就满脸通红,想要起身离开。

布丽端着放了咖啡、新鲜面包和奶油的托盘回来。她弯腰把一大杯冰水放在诺拉旁边的桌上,一头长发倾泄过肩。她把托盘放在咖啡桌上,安坐在沙发上,修长白皙的双腿缩在身子下。

"戴维走了?"

诺拉点点头,"我甚至没听到他起床。"

"你认为他花这么多时间工作好吗?"

"嗯,"诺拉肯定地说,"我觉得这样很好。"本特利医生跟诊所里其他医生商量过了,大伙都同意让戴维休假,但戴维回绝了。"我觉得他现在忙一点比较好。"

"真的吗?你呢?"布丽边问边咬了一口面包。

"我?老实说,我没事。"

布丽摇摇手。"你不认为……"但在她刚要开口再次批评戴维之前,诺拉就打断了她。

"有你在这里真好。"她说,"没有其他人跟我说话。"

"这话没道理,这一阵子家里到处都有人想跟你说话。"

"我生了双胞胎,布丽。"诺拉低声说,脑海中浮现出她的梦:那片空旷、寂静、冰冷的大地,以及她疯狂的搜寻。"其他人都没提到她,大家表现得好像既然我已有了保罗,我就应该满足,仿佛生命可以替换。但我有一对双胞胎,我还有个女儿……"

她停下来,喉头忽然一阵紧缩,打断了她的话。

"每个人都很伤心,"布丽口气轻柔,"又是高兴,又是悲伤,全都纠缠在一起。大伙不知道该说什么,如此而已。"

诺拉把保罗举到肩头,小家伙已经熟睡,他的呼吸温暖了她的脖子。她拍拍他那比她手掌大不了多少的背。

"我知道,"她说,"我知道。但心里还是不好过。"

"戴维不应该这么快就回去上班。"布丽说,"只过了三天。"

"他在工作中寻找安慰。"诺拉说,"如果我有工作,我也会去上班。"

"不。"布丽摇摇头,"不,诺拉,你不会。你知道,我一定得说,戴维只是自我逃避,封锁住所有感情,你却还想填满心里的空虚,试图做些弥补,但你做不来的。"

诺拉仔细端详妹妹,心里琢磨那个药剂师隐藏了哪些情感。布丽虽然直爽开放,但从来不提那段短暂的婚姻。诺拉虽然暗自同意布丽,但她依然觉得必须为戴维辩护。他在悲伤之中处理了一切;他悄悄安排了无人观礼的下葬,也跟朋友们做了解释,迅速地把悲伤打了结。

"他必须用自己的方式来应对。"她边说边伸手拉开窗帘。天空已变得一片湛蓝,在过去短短几小时内,枝头的树芽似乎胀大了。"我只希望能见她一面,布丽,大家认为这样不妥,但我真的很想看看她。我好希望摸摸她,哪怕一次也好。"

"这没什么不妥,"布丽轻声说,"我觉得合理极了。"

接下来一阵沉默。布丽不自在地打破僵局,试探地把最后一片抹了黄油的面包递给诺拉。

"我不饿。"诺拉撒了个谎。

"你得吃东西。"布丽说,"体重终究会减轻,这是哺乳不为人知的一个好处。"

"才没有不为人知呢,"诺拉说,"你一天到晚都在讲。"

布丽笑笑。"我想是吧。"

"说真的,"诺拉边说边伸手拿杯水,"我很高兴你在这里。"

"嗨,"布丽有点不好意思,"我还能在哪里?"

保罗的脑袋很温暖,细致浓密的头发柔柔地贴着她的脖子。诺拉心想,他会想念他妹妹吗?他会记得那个在他短短生命中曾经相随,现在却消失了的亲密伴侣吗?他会永远感到若有所失吗?她摸摸他的头,看看窗外。越过那些大树,她看见依稀挂在天际的月亮,月影已逐渐失去光泽。

＊　　　＊　　　＊

稍后,趁保罗睡觉时,诺拉洗了个澡。她穿上三套不同的衣服,然后把它们全都丢在一旁。裙子在腰上勒得太紧,长裤则紧绷在臀部。她向来娇小、苗条,身材比例匀称。现在身材走样,令她诧异而沮丧,最后在无计可施的情况下,她套上那件她曾发誓再也不穿的旧牛仔布孕妇装。衣服松垮垮的,感觉很舒服。她穿了衣服却赤着脚,在家里每个房间晃悠,房间跟她的身材一样走样,杂乱无章,到处积了一层薄薄的尘土,衣服散置在地面上,床单从没整理的床上垂落下来,梳妆台上有一层明显的尘埃。戴维在此摆了花瓶,瓶中水仙花的花瓣早已泛黄,窗户也蒙上灰尘。过几天,布丽会离开,她们的母亲则要来访。想到这里,诺拉顿时无助地坐在床沿上,戴维的领带软趴趴地悬挂在她手中。脏乱的房子如重担般压迫着她,室内的阳光仿佛忽然成了实体,有了重力;她没有精力跟脏乱奋战,更何况她似乎毫不在乎,这点更令人苦恼。

门铃响了,布丽的脚步声重重地穿过每个房间,激起阵阵回音。

诺拉马上就认出这些声音。她在原地多待了一会,觉得精疲力竭,心里想着怎样请布丽把她们打发走。来访的是教堂晚间班的教友们,大伙带来礼物,急着想看看小宝宝。另外两批人已经来过了,一批是缝纫班的伙伴,另一批是瓷器着色班的朋友。冰箱里塞满了大家带来的食物,保罗也像个奖杯一样在大家手中传来传去。诺拉以前造访初为人母的朋友们时,也曾多次重复这些举动,现在她却惊讶地发现自己深感厌恶,而非充满感激。大家的来访打乱了生活秩序，她还得写答谢卡，这加重了她的负担，况且她不在乎那些食物，甚至根本不想要。

布丽在叫她。诺拉下楼，她懒得涂口红，甚至连头都没梳，脚丫子依然光秃秃的。

"我看起来好丑。"她边跟大家说边走进来，口气中带着一丝叛逆。

"噢，不。"鲁思·斯塔林边说边拍拍她身旁的沙发。但诺拉注意到其他人交换了某种眼神，心头不禁浮上一股奇异的快感。她乖乖地坐下，脚踝交叉，双手放在膝上，一副小女孩的模样。

"保罗刚睡着，"她说，"我不想叫醒他。"她的声音中隐藏着怒气，语带挑衅。

"亲爱的，没关系。"鲁思说。她已将近七十岁，一头柔美的白发梳理得相当整齐。她结婚五十年的先生去年刚过世。诺拉心想，那时她不知道付出了多大代价，才维持住整齐的仪容和愉悦的神态？现在也是一样吗？"你受了不少罪吗。"鲁思说。

诺拉再度感觉到女儿的存在，飘渺虚无，无法辩认。她压下一股忽然想跑到楼上，确定保罗没事的冲动。我快疯了，她心想，双眼凝视着地面。

"喝点茶好吗？"布丽问，轻松中带点不自然。大家还没来得及回答，她就消失在厨房中。

诺拉尽力专心跟大家闲聊：医院的枕头是棉质还是麻布的？大家对新来的牧师印象如何？她们该不该捐毛毯给救世军？然后萨莉告诉大家，凯·马歇尔昨晚刚生下一个小女孩。

"足足七磅重。"萨莉说，"凯的气色好极了，宝宝也很漂亮。他们给她取名叫伊丽莎白，跟她外婆的名字一样。他们说生产的过程相当顺利。"

而后，大家忽然意识到发生过的事情，顿时一片沉默。诺拉感觉沉默正从内心的某个地方扩散开来，向整个房间蔓延。莎莉抬头看着她，懊恼得满脸通红。

"哦，"她说，"哦，诺拉，太遗憾了。"

诺拉很想继续说话，让一切重新转起来。合适的词语在她脑际盘旋，可她就是发不出声音。

她沉默地坐着，沉默恰似一个湖泊、一片海洋，快要将她们都淹没。

"好吧，"鲁思终于轻快地说，"上帝啊，诺拉，你一定很累。"她拿出一个庞大的包裹，包装纸色彩鲜艳，还有一圈紧紧纽成一团的细缎带。"这是大家合送的礼物，我们想你八成已经有太多的尿布扣针啦。"

女人们松了一口气地笑笑，诺拉也微笑着撕开包装纸，打开盒子。里面是一把婴儿弹椅，备有金属椅架和布面椅垫，颇似她有次在一个朋友家赞美过的一款弹椅。

"当然，他得再过几个月才用得上。"萨莉说，"但是等他一开始动来动去，我们想不出比这个更好的东西。"

"还有这个。"弗洛拉·马歇尔起身说，手中拿着两个柔软的包裹。

弗洛拉比班上其他人年长。她年纪甚至比鲁思大，但是个性倔强而活跃。她帮教堂里每个新生宝宝织毯子。从诺拉肚子的尺寸看来，她猜想诺拉说不定会生双胞胎，所以她织了两条婴儿包毯。大伙晚上在教堂聚会，或是休息时间一起喝咖啡时，她的包里总是冒出一团团柔软亮丽的毛线，粉黄、青绿、嫩蓝和粉红的毛线团混在一起。她开玩笑说她可不想冒险猜测小宝宝是男是女，但她确定是双胞胎。当时没有人把她的话当真。

诺拉接过两个包裹，强吞下泪水。一打开第一个包裹，轻柔的毯子缓缓落在她的大腿上，她失去的女儿似乎近在眼前。诺拉心中充满对弗洛拉的谢意,弗洛拉有着祖母般的智慧,她晓得该怎么办。诺拉拆开第二个包裹,迫不及待地想看看另一条同样鲜艳柔软的毯子。

"这件有点大。"当一件婴儿运动衫落在诺拉大腿上时,弗洛拉表示歉意。"但话又说回来,这个阶段宝宝长得很快。"

"另一条毯子呢?"诺拉质问,她听到自己的声音像哭泣的小鸟一样粗嘎,心里十分惊讶。她个性向来沉稳,也以脾气温和、谨言慎行而骄傲。"你帮我的小女儿织的毯子呢?"

弗洛拉满脸通红,环顾客厅向众人求助。鲁思拉起诺拉的手,紧紧地握住,诺拉感觉到柔软的肌肤以及五指令人吃惊的压力。戴维曾告诉她这些指骨的名称,但她却记不起来。更糟的是,她哭了。

"别哭,别哭,你有个漂亮的小男孩。"鲁思说。

"他曾经有个妹妹。"诺拉轻声回答。她语气决然,同时环顾众人的脸庞。她们好意来访,没错,她们都很难过,而她却让大家更伤心,她到底是怎么回事?她这一辈子都在试着做她该做的事,但她觉得很累。"她叫菲比,我想听听有人说她的名字,你们听见了吗?"她站起来。"我要有人记得她的名字。"

随后,有块冰凉的白布贴在她额头上,好几双手搀扶她躺在沙发上。她们叫她闭上双眼,她依言照办,但泪珠却依然滚滚而下,如同泉涌,她似乎停不下来。大家又开始说话,讨论应该如何是好,声音仿佛在风中翻旋的雪花。有人说即使母子均安、生产过程顺利,产后的几天也可能忽然心情低落,一点都不奇怪;另一个声音建议马上打电话给戴维。但这时布丽来了,冷静而优雅地把大家送到门口。大家离开之后,诺拉张开眼睛,看到布丽穿着她的一件围裙,绣着荷叶边的腰带松松地系在纤细的腰际。

弗洛拉的毯子在地上一堆包装纸之间。她拾起毯子,将手指缠绕在柔软的毛线间。她擦擦眼泪,开口说话。

"戴维说她的头发是黑色的,跟他的一样。"

布丽专注地看着她。"你说你要帮她办一场追思会,诺拉,何必再等呢?为什么不现在就办?说不定能带给你一些安宁。"

诺拉摇摇头。"戴维和大家说得有道理,我应该专心照顾手边这个宝宝。"

布丽耸耸肩。"但你却没有这么做。你越试着不想她,就越会想到她。戴维不过是个医生,"她强调,"他不是什么都懂,也不是上帝。"

"当然不是,"诺拉说,"我知道。"

"有时候我怀疑你并不知道。"

诺拉没有回答。光滑的地板上出现各种光影,树叶的影子把光影刺穿出一个个小洞,壁炉架上的时钟发出柔缓的滴答声,她觉得她应该生气,但她并无怒意。办个追思会似乎是个好主意,从她踏上诊所外的台阶的那一刻起,她就觉得精力和意志力逐渐被掏空,直到现在依然如此。办个追思会说不定能够断绝这种感觉。

"或许你说的没错。"她说,"我不知道,说不定办一场规模很小,很安静的活动吧。"

布丽把电话拿给她。"好,现在就开始打探消息吧。"

诺拉深深吸了一口气,着手进行。她先打电话给新来的牧师,跟牧师说希望办个追思会,没错,在教堂后院里举行,没错,风雨无阻,为我女儿菲比办的,她一出生就过世了。接下来的两小时,她对花店、报社负责分类广告的女人、缝纫班的朋友们重复了一次又一次。缝纫班的朋友们还答应负责鲜花摆饰。每说一次,她就觉得心中愈加宁静,那种感觉就好像让保罗吮着乳头吃奶,她释放了痛苦,让自己跟周遭世界重新搭上线。

布丽去上课了,诺拉在寂静的家中走了一圈,盯着一片脏乱。午后的阳光透过玻璃窗照进卧室,疏懒的结果全都现形。先前她每天看到家里杂乱无章，却一点也不在乎，但此刻她感到一股精力，而非疲惫与怠惰。生产之后，她第一次兴起这种感觉。她扯下床上皱成一团的床单，打开窗户，清扫灰尘；她脱下牛仔布的孕妇装，在衣柜中搜寻，直到找到一条合身的裙子，以及一件没有沾上奶渍的衬衫为止。她皱着眉头看看镜中的自己，虽然还是太臃肿、太笨重，但她感觉好多了。她也花了点时间整理头发。她梳了一百下，完毕之后梳子上夹满了发丝，宛如一床厚厚的金色羽毛被。随着体内的荷尔蒙重新调整，她怀孕期间的丰润也会渐渐消退。她知道会是如此，但她还是想哭。

够了，她严厉地对自己说，一边擦上口红，一边眨掉泪水，够了，诺拉·阿舍·亨利。

下楼之前，她披上一件毛衣，也找她那双乳白色的平底鞋。最起码她的双脚已经恢复纤细。

她过去看看保罗，小宝宝依然沉睡，顶着她指尖的鼻息轻柔而真实。她取出一盘冷冻熏肉放入烤箱，摆好餐具，开了一瓶酒。她丢掉枯萎了的花朵，那些花朵的枝干摸起来冰凉而黏腻。就在此时，前门开了，她的心跳随着戴维的脚步声而加速。他不一会儿就站在走廊口，瘦削的身躯上的那套深色西装显得松垮，脸颊因为步行而发红，他累了。他眼见家里整整齐齐，她穿上了昔日熟悉的衣服，空气中弥漫着食物的香味，明显地看得出松了一口气。他握着一束从花园里采来的水仙花，她亲吻他时，他的双唇冰凉地贴着她的嘴。

"嗨，"他说，"看来你今天过得不错。"

"是的，今天很好。"她几乎想马上跟他说她所做的安排，但她反而先帮他倒了杯他喜欢的不加冰块的纯威士忌。她清洗莴苣时，他靠在水池边。"你还好吗？"她边说边把水关掉。

"还可以，"他说，"很忙。昨晚很抱歉，没跟你说一声就出门了。一个患者心脏病发作，幸好没有送命。"

"跟骨头有关吗?"

"噢,当然,他从楼梯上摔下来,摔断了胫骨。宝宝在睡觉吗?"

诺拉瞄了时钟一眼,叹了一口气。"说不定应该把他叫醒,"她说,"如果我想让他按照固定时间吃奶的话。"

"让我来吧。"戴维边说边带着花上楼。她听到他在楼上走动,想象他弯下身子轻抚保罗的额头,握住宝宝的小手。但几分钟之后,戴维一个人下楼,身上穿着牛仔裤和毛衣。"他看起来很安详,"戴维说,"让他睡吧。"

他们走进客厅,一起坐在沙发上。在那片刻之间,一切几乎和以前一样:家里只有他们两人,周遭熟悉而单纯,未来也充满了希望。诺拉本来打算利用吃晚饭的时候跟戴维解释她的计划,但现在她却忽然说起她所安排的追思会、预定刊登的报纸启事等等。说着说着,她感到戴维的目光越来越专注。不知为何,他看起来非常脆弱,脸上的神情令她犹豫。他似乎赤裸裸地暴露在她面前,而她却猜不透他的反应,仿佛正在跟一个陌生人说话。他的双眼更加深沉,她从未见过这种目光,也猜不出他在想些什么。

"你不喜欢这个主意。"她说。

"我不是这个意思。"

她再度看到他眼中的悲伤,也听出他语气中的哀痛。为了减轻他的伤痛,她几乎打算放弃计划,但她感到先前花了好大功夫才驱走的怠惰再度浮现,潜伏在屋里,伺机而动。

"这样做对我有帮助,"她说,"而且也没有错。"

"是的。"他说。"确实没错。"

他似乎想多说些什么,但他制止自己,反而站起来走到窗边,凝视着街对面一片漆黑的小公园。"但该死的,诺拉,"他低沉而严厉地说,他从未用过这种口气说话,话语中带着怒气,把她吓坏了,"你为什么这么顽固?打电话给报社之前,最起码先通知我一声吧?"

"她死了，"诺拉这下也生气了，"没什么不好意思的，也没理由把这当成秘密。"

戴维肩头紧绷，没有转身。这个在沃尔夫威利百货公司，手臂上担着一件珊瑚色睡袍的陌生人，当时看来出奇地眼熟，好像某个多年没见，确曾相识的男子，但结婚一年之后，她却几乎不了解他。

"戴维，"她说，"我们之间出了什么事？"

他仍未转身，屋里充满了肉和马铃薯的香味。她想起烤箱里热腾腾的晚餐。她一整天都拒绝承认自己饿了，如今饿意在胃中翻腾。保罗在楼上发出哭声，但她站在原处，等着他回答。

"我们之间没事。"他终于说。当他转过身时，眼中依然明显地流露着哀伤，但还带着某种她不明了的决断。"诺拉，你分明是小题大作。"他说，"不过我认为这也情有可原。"

这话听来冷漠、轻慢而高傲。保罗哭得更大声，怒气让诺拉猛地转身，冲上楼，抱起宝宝换尿片。慢慢来，慢慢来，但她从头到尾都气得发抖。然后她坐在摇椅上，解开扣子喂奶，也算一种缓解。她闭上双眼，戴维在楼下各个房间里走来走去。最起码他碰过他们的女儿，看过她的脸。

不管如何，她一定要办个追思会。她要为她自己而办。

保罗吃饱了奶，天色渐暗。她渐渐冷静了下来，再度感到自己是条宽阔平静的大河，接纳了全世界，轻易地带着一切随波逐流。屋外，青草正慢慢、静静地生长，蜘蛛的卵囊正爆裂开来，小鸟们展翅飞翔。这是神圣的，她心想，她怀中的宝宝和埋入土中的孩子，让她与世间存在着以及曾经存在的万物发生了牵连。她闭着眼睛，过了好一会才张开双眼。周遭漆黑而美丽，令她大感震慑：玻璃门把反射出长圆的小光圈，在墙上微微发光；保罗的新毯子织工精细，像瀑布一样从婴儿床上垂落而下；梳妆台上摆着戴维的水仙花，水仙花宛如肌肤般细腻，花朵几近透明，采撷了来自走廊的灯光。

四

　　她的声音在空旷的停车场逐渐减弱到听不见,卡罗琳猛力关上车门,奋力穿越泥泞的雪地。走了几步之后,她停下来走回去抱小宝宝。菲比微弱的哭声在一片漆黑中响起,迫使卡罗琳走过柏油路和一大片亮晃晃的灯光,朝着超市的自动门前进。门锁住了,卡罗琳大喊着敲门,叫声中夹杂着菲比的哭声。超市里的货架灯火通明,空无一人,一个拖把桶被丢在角落,罐头在一片沉寂中闪闪发光。卡罗琳一个人静静地站了几分钟,聆听菲比的哭声以及远处大风猛烈吹过枝头的声音,然后振作起来奋力走到超市后面。卸货平台上的铁门已经拉下,但她还是爬上去。她闻到水泥地上腐烂的蔬菜水果的臭味。冰冷油腻的水泥地上积雪已化,她用力踢门,回音砰砰响,她听了很满意,于是又用力踢了几下,直到上气不接下气为止。

　　"就算他们还在里面,小姐,也得过好一阵子才会开门,况且我猜里面八成没人。"

　　一个男人的声音。卡罗琳转过身,看到他站在她下方的斜坡上,卡车司机通常利用这种斜坡倒车进入卸货的地方。即使隔了一段距离,她依然看得出他身材高大。他穿着一件厚重的外套,戴着一顶毛线织的帽子,双手插在口袋里。

　　"我的宝宝在哭,"她说,其实说了也是多余,"车子电池没电,超市大门一进去就有公用电话,但我进不去。"

　　"你的宝宝多大?"男人问。

　　"刚出生不久。"卡罗琳告诉他,几乎想都没想,眼泪即将夺眶而出,声音中也充满惊慌。荒谬极了,她向来瞧不起惊慌的小女人,但现在她正是这副德行。

"现在是星期六晚上。"男人说，声音回荡在两人之间的雪地上，停车场外的街道一片沉寂。"市内所有的修车厂可能都关门了。"

卡罗琳没有作答。

"小姐，请听我说。"他慢慢开口，声音就像锚一般低沉。卡罗琳知道他尽力保持冷静，刻意安抚她；他说不定以为她疯了。"我上星期不小心把跨接线放在另一辆卡车里，所以没办法帮你充电，但你说得没错，这里很冷，你何不跟我待在我的卡车里？车里很暖和，我两小时前刚送了一批牛奶到这里，正等着看看天气状况。我的意思是，小姐，我很欢迎你到我的卡车里休息，你也可以趁机想想该怎么办。"卡罗琳没有马上回答，他又说，"我是为了宝宝着想。"

她看到停车场另一端的角落停了一部载货挂车，漆黑的驾驶室冒着热气。她先前曾看到它，但没有特别注意这部长长、单调、银白的大车子。卡车停在那里，好像世界边缘的一栋房屋。菲比在她怀中喘息，休息了一下，继续哭泣。

"好吧，"卡罗琳做了决定，"现在也只能这样了。"她小心跨过一堆破烂的洋葱。当她走到斜坡时，他站在下面伸出手接她，她握住他的手，有点气恼，但也有点感激，因为她可以感觉到腐烂的蔬菜水果和融雪之下有层冰。她抬头看看他，这人一脸大胡子，棒球帽盖到眉毛，帽下是一双深色的和善的眼睛。他们一起走过停车场时，她对自己说：这真是荒谬，而且愚蠢、疯狂。他可能是个用斧头杀人的罪犯，但说真的，她几乎已经累得不在乎了。

他帮她从车里拿些东西，将两人安顿在驾驶室内。卡罗琳爬进高高的座椅时，他抱着菲比，然后把小宝宝举到空中交给她。卡罗琳把更多婴儿奶粉从保温壶倒入奶瓶。菲比激动极了，花了好几分钟才明白食物已送到嘴边。即使如此，她还是费了好大功夫试图吸吮。卡罗琳轻抚她的脸颊，最后她终于含住奶嘴，开始喝奶。

"有点奇怪，不是吗？"等她安静下来，男人说。他已爬上驾驶座，引擎在黑暗中低鸣,听来好像只大猫,感觉很温馨。世界朝着黑暗的地平线无尽延伸。"我的意思是,肯塔基下起了这种雪。"

"每隔几年都会发生一次。"她说,"你不是当地人?"

"俄亥俄州的阿克伦城,"他说,"我老家在那里,但已经四处奔波了五年。这些日子来,我老爱说自己四处为家。"

"你不觉得寂寞吗?"卡罗琳问,心里想着平常的夜晚,她晚上经常一个人待在家里。她不敢相信现在居然置身于此,跟一个陌生人如此亲密地交谈,感觉实在奇怪,但也很刺激,好像跟一个你在火车或公交车上碰到的人吐露心事。

"噢,有时候会。"他承认。"这工作当然很寂寞,但我也经常意外碰到某些人,例如今晚。"

驾驶室里暖暖的,卡罗琳觉得自己逐渐松弛下来,轻松地靠在椅背很高很舒服的座椅上。雪花仍在街灯中飘落而下,她的车子停在停车场的中央,成了孤单单的一个轮廓,车身覆满了白雪。

"你打算去哪儿?"他问她。

"只去列克星顿。离这里几公里的公路上出了车祸,所以我下了公路,本来打算帮自己节省一点时间和麻烦。"

他的脸在街灯的灯光下变得柔和。他露出了微笑,卡罗琳也跟着笑,自己都有点惊讶,然后两人相视而笑。

"计划蛮周详的。"他说。

卡罗琳点点头。

"小姐,"他沉默了一会儿之后说,"如果你只想去列克星顿,我不妨送你一程。我可以把卡车停在那里,反正车子停在这里也一样。明天是星期天,对不对?但是你星期一一早就可以打电话叫人来拖你的车,车子停在这里绝对安全。"

街灯的灯光照在菲比的小脸上。他探过身,用他的大手非常轻柔地摸摸她的额头。卡罗琳喜欢他粗手粗脚和镇定沉稳的模样。

"好吧，"她下了决心，"如果这不会让你被开除的话。"

"哦，不会。"他说，"他妈的，不会。对不起，我说了粗话。列克星顿刚好顺路。"

他把她车里剩下的东西拿过来，诸如超市的购物纸袋、毛毯等等。他叫艾尔，全名是艾伯特·辛普森。他在驾驶室的地上摸索，从座椅下找出另一个杯子，用手帕小心地擦拭过，然后从他的保温壶里倒了一些咖啡给她。她啜饮一口，真高兴咖啡很纯、很热，也很高兴身旁这人对她一无所知。虽然空气不流通，夹杂着一股臭袜子的味道，沉睡在她大腿上的宝宝也不属于她，但她觉得安全。很奇怪，她甚至感到快乐。艾尔边开车边跟她说在路上碰到的各种事情，诸如可以冲澡的休息站等等。他也告诉她，这些年来他一晚接着一晚兼程前进，已经开了好多英里。

引擎低鸣，车里一片温暖。雪花飞过卡车前灯，卡罗琳镇定了下来，慢慢地睡着了。当他们驶进公寓的停车场时，载货挂车占了五个车位。艾尔下车扶她下来。他让引擎开着，同时提着她的东西走到公寓外头的楼梯。卡罗琳尾随其后，怀里抱着菲比。一楼某户人家的窗帘闪动了一下，露西·马丁像往常一样窥视着，卡罗琳停步，忽然感到晕眩，动弹不得。四下一切如常，但她肯定自己已经不是那个昨天半夜离开家，涉雪走到车旁的女人。她已变了一个人，当然应该走进不同的房间，走向不同的灯光。但她拿出那把眼熟的钥匙，插入锁孔，门像往常一样应声而开，她抱着菲比推门而入，走进一个她熟得不能再熟的房间：耐用的深褐色地毯，减价时买的格子呢布沙发和椅子，玻璃面的咖啡桌，她最近睡前阅读的《罪与罚》上端正地做了记号，她读到拉斯柯尔尼科夫对桑亚忏悔就睡着了，还梦见两人在寒冷的阁楼里，后来被电话声吵醒，醒来一看街上堆满了雪。

艾尔别扭地走来走去，把门口塞得满满的。他可能是个连续杀人犯、强暴犯，或是骗子，他可能什么都是。

"我有张沙发床，"她说，"你今晚可以用。"

他犹豫了一会儿之后踏进房里。

"我没有先生。"她说，然后才意识到这样说不妥。"现在没了。"

他仔细端详她，手里拿着毛线帽站在一旁，一头黑色的乱糟糟的卷发。她感觉有点迟缓，但咖啡和疲惫令她加倍警戒，她忽然想到自己在他眼中的模样：身穿护士制服，头发好几个小时没梳，外套敞开，怀里抱着婴儿，一脸疲惫不堪。

"我不想给你添麻烦。"他说。

"麻烦?"她说，"若不是你，我现在还困在停车场呢。"

他听了咧嘴一笑，回到他的卡车上，几分钟之后拿着一个深绿色的帆布袋回来。

"有人从楼下的窗户张望。你确定我不会对你造成任何困扰?这里的人会怎么说?"

"那是露西·马丁。"卡罗琳说。菲比一直乱动。她从暖奶器里拿出奶瓶，在手臂上试试牛奶的温度，然后坐下。"她是个讨人厌的长舌妇，你这下可让她开心啦。"

但菲比不肯喝奶，哭了起来。卡罗琳站起来，一边喃喃自语，一边在房里走来走去。同时，艾尔自己动手，很快就拉开沙发床，把床铺好，被子的每个角都像军人床铺一样工整。菲比终于安静下来之后，卡罗琳对他点点头，轻轻说声晚安。她紧紧关上卧室的门，忽然想到艾尔是那种会注意到家里没有婴儿床的人。

在回家的途中，卡罗琳一直暗自盘算。此时她拉开衣柜的抽屉，把里面整齐的衣物成堆地倒在地上，然后把两条折好的毛巾放在底部，在毛巾上罩上折好的床单，把菲比放在毛毯间。当她爬上自己的床，倦意像波浪般席卷而来，她马上睡着了，睡得很沉，一夜无梦。她没听到艾尔在客厅里高声打鼾、除雪机穿越停车场的噪音，或是垃圾车在街上隆隆作响，但当菲比半夜起来乱动，卡罗琳马上起身，她像涉水般走过一片漆黑,虽然疲倦,却很清楚自己该做什么。她帮菲比换尿片、热奶瓶,专注于怀中的宝宝和眼前的工作。这些工作刻不容缓,耗时耗力,非做不可,而且只有她做得来,片刻都不能等。

＊　　　＊　　　＊

卡罗琳在一片明亮以及熏肉和煎蛋的香味中醒来。她站着拉好睡袍,弯腰碰碰宝宝安详的脸颊。然后,她走进厨房,艾尔正在面包上涂奶油。

“嗨。”他边说边抬头看看她。他已经梳了头,但依然有点乱。他后面头皮上有一块秃,脖子上挂着一条有块牌子的项链。“希望你不介意我把这里当成自己家,我昨天晚上没吃饭。”

“好香,”卡罗琳说,“我也饿了。”

“这下正好,”他边说边递给她一杯咖啡,“幸好我做了一大堆吃的东西。你这个小地方真不错,舒适又整齐。”

“你喜欢吗?”她问。咖啡比她平常泡的更纯,更浓。“我正考虑搬家。”

她被自己的话吓了一跳,但话一出口,回荡在空中,听起来似乎是真的。平淡的光线扫过暗褐色的地毯和沙发扶手,屋外,水从屋檐滴滴落下。她已经存钱存了很多年,总想着自己会住在一栋有庭院的房子里,或是出外冒险。但现在她卧室里有个婴儿,餐桌旁有个陌生人,她的车被困在凡尔赛。

“我正考虑搬到匹兹堡。”她说,这话又吓了自己一跳。

艾尔用炒铲翻搅一下鸡蛋,然后把蛋盛到盘中。“匹兹堡?很不错的城市,你为什么想搬到那里去?”

“哦,我母亲有些亲戚住在那里。”卡罗琳说。他把盘子放在桌上,在她对面坐下。一个人一旦开始说谎,谎言似乎毫无止境。

"你知道吗?不管孩子的父亲是怎么回事,"艾尔说,黝黑的双眼慈善而柔和。"我一直想跟你说,我为你感到难过。"

卡罗琳几乎忘了她谎称自己有先生,当她听出艾尔似乎不相信她结过婚,感到有点惊讶。他认为她是个未婚妈妈,想来不可思议。他们吃饭时没说太多话,偶尔聊些天气、交通以及艾尔接着要去哪里。他下一站是田纳西州的纳什维尔。

"我从来没去过纳什维尔。"卡罗琳说。

"真的吗?嗯,跟我一起去吧,你可以带着女儿一起去。"艾尔说。他在开玩笑,但玩笑中隐含着邀请。他邀请的对象不见得是她,而是个倒霉到了极点的未婚妈妈。但在那一刻,卡罗琳想象自己抱着纸箱和毛毯踏出门,从此再不回头。

"说不定下回吧,"她边说边伸手拿咖啡,"我这里还有事情要处理。"

艾尔点点头。"了解,"他说,"我知道那种状况。"

"还是很谢谢你,"她说,"谢谢你的邀请。"

"乐意之至。"他认真地说,然后站起来准备离开。

卡罗琳从窗户看着他走向挂车,爬上驾驶室,转头从敞开的车门跟她挥手。她也挥挥手,他嘴边经常挂着轻松自在的笑容,她看了很开心,心头跟着一紧,令自己十分惊讶。她想起驾驶室后面他有时睡在上面的小床,也想起他轻柔地摸摸菲比额头的模样。她忽然有股冲动想追过去。一个生活如此孤单的男人当然守得住她的秘密,也能包容她的梦想和恐惧。但他发动了引擎,驾驶室的银管喷出烟雾。他随后小心地倒车离开停车场,驶向安静的街道离去。

* * *

接下来的二十四小时,卡罗琳依照菲比的作息睡睡醒醒,醒着的时间刚好够她吃点东西。说来奇怪，她向来特别注意三餐，生怕随时乱吃零食会让人觉得自己是个古怪、独居的老小姐，但现在她进食的时间相当奇怪。她直接从盒子倒出冷麦片吃，或是靠着厨房的料理台，直接用汤匙从纸盒里舀冰淇淋。她仿佛走进某种离奇之境，置身于半睡半醒之间。在这种状态中，她不必考虑先前这个决定，或是沉睡在她衣柜抽屉里宝宝的前途，或是她个人的未来。

星期一早上，她及时醒来打电话请病假。接待小姐鲁比·森特斯接起电话。

"你还好吗?甜心，"她问，"你听起来糟透了。"

"我想我患了重感冒，"卡罗琳说，"说不定得请几天假。诊所里有什么事吗?"她问，口气尽量保持平常。"亨利医生的太太生了吗?"

"嗯，我不太确定。"鲁比说。卡罗琳想象她慎思地皱着眉头，桌上井然有序，角落摆着一小瓶塑料花，已经准备开始工作。"诊所里大概有一百名患者，但是大家都还没来上班。卡罗琳小姐，看来每个人都被你传染啦。"

卡罗琳刚挂上电话就听到敲门声，绝对是露西·马丁，她等了这么久才上门，卡罗琳还觉得有点诧异呢。

露西穿着一件印着粉红色花朵的衣服，大大的花朵颜色艳丽，身上的围裙也滚着粉红色的细边，脚上套着绒毛拖鞋。卡罗琳一开门，她马上踏进来，手里端着半条包在塑料纸里的香蕉面包。

每个人都说露西心地善良，但卡罗琳一看到她就讨厌。露西能借着她的糕点、烤派和热菜挤进每一件事:死亡、意外灾祸、宝宝出生、结婚庆典以及葬礼守灵等等。她的热心让人感到不太对劲，好像在偷偷等着窥视他人的不幸，感觉相当怪异。卡罗琳通常与她保持距离。

"我看到了你的客人。"露西边说边拍拍卡罗琳的手臂。"老天啊! 好英俊的家伙，不是吗?我急着想听听独家消息呢。"

沙发床已经折起来,露西就坐在沙发上。卡罗琳坐在扶手椅上,卧室的门开着,菲比在里面熟睡。

"亲爱的,你没生病吧?"露西说。"因为我想想,往常早上这个时候,你已经出门了。"

卡罗琳打量着一脸急切的露西,知道自己无论说什么,很快就会传遍全镇。两三天之后就会有人在超市或教堂里拉着她,问起那晚留宿在她公寓的陌生人是谁。

"你昨晚看到的是我的表哥。"卡罗琳自如地说。一想到自己忽然具有这种天赋,说谎说得如此自在流畅,她不禁又感到诧异。她的谎话没有漏洞,撒谎时眼睛连眨都不眨。

"喔,我还在好奇呢。"露西看来有点失望。

"我知道。"卡罗琳回答,然后先发制人地继续说下去,事后想想都十分惊讶。"可怜的艾尔,他太太住院了。"她往前靠一点、压低声音。"露西,真令人难过啊,她才二十五岁,但他们认为她可能得了脑癌。她最近跌倒了好多次,所以他把她从萨默塞特带来看医生。他们有个小宝宝。我跟他说,你过去陪她,必要的话,日夜待在医院都没关系,宝宝留给我照顾。我想因为我是护士,所以他们很放心。我希望她的哭声没有吵到你。"

露西听呆了,安静了好几分钟,卡罗琳这下体会到传达晴天霹雳所带给人的愉悦和权力感。

"你表哥和他太太好可怜啊!宝宝多大?"

"刚满三个礼拜。"卡罗琳说,然后她心生一计,站了起来。"请你在这儿等一下。"

她走进卧室,从衣柜抽屉里抱起菲比,让毛毯紧紧裹住她。

"她很漂亮,不是吗?"她边问边坐到露西旁边。

"噢,是啊,她真可爱!"露西说,碰碰菲比的一只小手。

卡罗琳笑笑,感到一股突如其来的骄傲和快乐。歪斜的双眼,稍显扁平的脸，这些她在产房里看到的特征，现在已经熟悉到感觉不出有什么不同。露西没受过专业训练，根本看不出这些异状，菲比就像所有小宝宝一样细嫩、可爱、理所当然地予取予求。

"我真喜欢看着她。"卡罗琳老实说。

"噢，那个可怜的小母亲，"露西轻声说，"他们不指望她能熬过这一关吧？"

"没有人知道，"卡罗琳说，"只有让时间来证明了。"

"他们一定很伤心。"露西说。

"没错，没错，他们难过极了，几乎完全失去了食欲。"卡罗琳赶紧说明。这样一来，露西就不会送上她那些出了名的菜肴了。

*　　*　　*

接下来的两天，卡罗琳没出门，报纸、送上门的杂货、送牛奶的人，以及交通的噪音让她感到世界依然运转。天气变了，大雪来得突然，去得也突然，雪水沿着房子倾泄而下，消失在沟渠之中。对卡罗琳而言，过去几天拼凑成一连串模糊、杂乱的影像：她那部蓝色的福特菲尔兰重新充了电，车子被拖进公寓的停车场。阳光透过满是灰尘的窗户，迷样的湿土气味，喂鸟架上站着一只知更鸟。她确实担心，但令她惊讶的是，当她和菲比坐在一起时，她心中总是一片安宁。她跟露西·马丁说的是实话：她好喜欢看着这个小宝宝，她喜欢坐在阳光中抱着她，她警告自己不要爱上菲比，她不过是个临时过客；卡罗琳在诊所里观察戴维·亨利够久了，她相信他的天性慈悲。那个夜晚当他从桌上抬起头，迎上她的目光，她在他眼中看到了无尽的慈爱。卡罗琳深信等他镇定下来，他一定会做出正确的选择。

每次电话一响，她就吓一跳。但已经过了三天，他却没有跟她联络。

星期四早上，有人敲门，卡罗琳急忙过去开门，同时顺顺身上的洋装，理理她的头发。但来人只是个送货员，手里捧着一个插满了花的花瓶。在宝宝呼吸的雾气中，她看到一团深红和浅粉。花是艾尔送的，谢谢你的招待，他在卡片上写道，说不定下一趟送货时再见面。

卡罗琳把花拿到屋里，把它们端放在咖啡桌上。她心神不宁地拾起好几天没看的报纸，拿掉橡皮圈。她随意浏览报上的文章，没有专心阅读其中任何一篇。越南战情日益紧张，社交版中报导上星期谁邀宴了谁，卡罗琳正想把报纸丢到一旁，忽然注意到一个黑框的小方块：

追思会

为我们挚爱的女儿所办

菲比·格雷斯·亨利

生殁于一九六四年三月七日

列克星顿基督教长老会教堂

一九六四年三月十三日星期五上午九时

卡罗琳慢慢坐下。她又读了一次，然后再读一次，她甚至摸摸这些字，似乎这样就能让字句清楚一点，让人看得懂。她站起来走到卧室里，手里依然拿着报纸。菲比在衣柜抽屉中沉睡，一只白皙的臂膀伸到毛毯边。生殁，卡罗琳走回客厅，打电话到诊所，电话一响鲁比就接了起来。

"我想你不会来上班吧？"她说，"这里忙疯了，好像全市每个人都患了重感冒。"她接着压低声音说，"卡罗琳，你听说亨利医生跟他的宝宝了吗？他们真的生了双胞胎，小男孩没事，宝贝极了，但小女孩一出生就死了，好可怜。"

"我在报上看到了。"卡罗琳的下巴和舌头都感到僵硬。"能不能请你麻烦亨利医生打电话给我?请告诉他事关重大,我读了报纸,"她重复道,"请你转告,鲁比,好不好?"说完她就挂掉电话,呆呆地坐在那里凝视着山楂树和停车场。

一小时之后,他敲响了她的大门。

"来啦。"她边说边请他进来。

亨利·戴维走进屋,在她的沙发上坐下。他驼着背,一只手把帽子转来转去。她在他对面的椅子上坐下,好像从未见过他似的盯着他。

"诺拉刊登了那则启事。"他说。他抬起头的时候,她忍不住升起一股同情,因为他额头上出现了皱纹,双眼通红,好像多日没睡。"她自作主张,没告诉我。"

"但她以为她女儿死了。"卡罗琳说,"你跟她这么说的吗?"

他缓缓点头。"我打算告诉她实话,但当我张开嘴,却说不出口。在那一刻,我只想不让她难过。"

卡罗琳想到她自己接二连三的谎话。

"我没把她留在路易斯维尔。"她轻声说,朝着卧房点点头,"她在里面,正睡着呢。"

亨利·戴维抬眼瞪着她。卡罗琳顿时丧失了所有的勇气,因为他满脸苍白,她从没看过他如此慌张。

"为什么?"他问,几乎发起脾气。"你究竟为什么没把她留在那里?"

"你去过那里吗?"她问,脑海中浮现出那位苍白的女子,一头黑发落在冰冷的油毡上。"你见过那个地方吗?"

"没有,"他皱眉,"我只知道那里口碑相当不错。以前我曾把其他人送到那里,而且没听到过任何负面评价。"

"那里糟透了。"她说,心里松了一口气。这么说来,他不明白自己在做什么。尽管如此,她还是不想原谅他。但她想起多少夜晚,他自愿待在诊所为付不出钱的患者看病。患者来自乡村和山区，千辛万苦地来到列克星顿，囊中羞涩，却满怀希望。诊所的其他医生不喜欢这种状况，但亨利医师却不放弃，他不是个卑劣小人，她知道的，也不是怪人，但现在……现在为一位活着的孩子举办追思会，实在太诡异了。

"你得告诉她。"她说。

他的脸色依然苍白，但口气坚决。"不，"他说，"现在告诉她已经太迟了。卡罗琳，随便你怎么办，但我不能告诉她，我不会告诉她。"

感觉真是奇怪；这番话让她恨透了他，但在那一刻，她却感到他们之间亲密极了，她从来没有这种感觉。此时此刻，他们因为某个重大秘密而产生了牵连，不管将来如何，他们将永远脱不了关系。他拉起她的手，她觉得非常自然，仿佛他应该这么做。他把手举到他的唇边，吻了一下。她感觉到他的双唇紧压着她的指节，肌肤上也感到他的温暖的鼻息。

当他抬起头放开她的手时，脸上尽是痛苦与困惑。卡罗琳若察觉出任何一丝伪装或算计，她绝对会马上拿起电话通知本特利医生或是警察，向他们一五一十地和盘托出。但他眼中含着泪水。

"一切由你掌握，"他边说边放开她的手，"我交给你来处理。我相信对这个孩子来说，路易斯维尔的中心是个不错的栖身之地，我考虑了很久才做出这个决定，她会得到其他地方无法提供的医疗照顾。但不管你打算怎么办，我都尊重你的决定，就算你决定打电话给有关部门，我也会负起全责。我保证你绝对不会受到任何牵连。"

他表情凝重。卡罗琳第一次想到未来，也考虑到将小宝宝排除在外的种种状况。在此之前，她从未想过他们俩人的事业会受到影响。

"我不知道，"她慢慢地说，"我得想想，我不知道该怎么办。"

他拿出钱包，把它全部掏空，三百元！她很惊讶他身上有这么多钱。

"我不要你的钱。"她说。

"这不是给你的,"他说,"这是给孩子的。"

"菲比,她叫菲比,"卡罗琳边说边推开钞票,她想到出生证明,在那个下着雪的早晨,亨利·戴维在匆忙中除了签字之外,其余一切空白。她若在出生证明上打上菲比和她自己的姓名,那该多容易啊。

"菲比。"他说,他起身准备离开,把钱留在桌上。"卡罗琳,拜托,做出任何决定之前,请先通知我一声。我只有这个要求,不管你做何打算,请先给我个警告。"

说完他便离开,屋里一切跟先前完全一样:时钟摆在壁炉架上,地板上一方光影,光秃秃树枝的影子非常显著。几星期后,树木将长出新芽,枝头冒出片片新叶,地上的影子也将随之改变。这些她已见过太多次。但此时屋里显得陌生,好像她根本没住过这里,感觉相当奇怪。过去这些年来,她没有添置太多物品,原因不仅是天生节俭,而且因为她总想着自己会搬到其他地方,过她该过的日子。粗格呢布的沙发和配成一套的椅子,她觉得这类家具还不错,也是她自己挑的。但现在看来,她全都可以轻易舍弃。她环顾四周,上了相框的风景版画、沙发旁的柳条杂志架、低矮的咖啡桌,她心想,这些全都可以丢弃。忽然间,她的公寓和市内所有诊所的候诊室一样单调乏味,况且这些年来,除了等待之外,这里还有什么值得留恋?

她试图打消这些念头,当然还有其他比较不戏剧化的处理方式,她母亲就会这么说。母亲会摇着头叫她别当莎拉·伯恩哈特,多年来,卡罗琳始终不知道谁是莎拉·伯恩哈特,但她晓得母亲的意思:过度感情用事是不好的,结果只会扰乱平静的生活秩序。因此,卡罗琳把感情像寄存大衣一样储藏在心中。她把感情摆在一旁,想象着有一天终究会重新拾起,但她当然从来没有这么做。直到从亨利医生手中接过宝宝,情况才有所改观。某些事情已经起了头,她想阻止也没办法。她感到又害怕又兴奋。她今天就可以离开，到其他地方展开新生活，更何况不管她打算拿宝宝怎么办，她都非走不可。在这个小地方，她连到超市都会碰到熟人。她想象露西·马丁的眼睛愈睁愈大，四处传播卡罗琳的秘密，告诉每个人卡罗琳有多喜欢这个小宝宝。露西八成暗自窃喜，可怜的卡罗琳，大家会这么说，这个老小姐想有个自己的小孩想疯了。

我交给你来处理，卡罗琳。他看来老了好几岁，整张脸皱得像颗核桃。

＊　　＊　　＊

第二天早晨，卡罗琳起个大早，天气好极了，她打开窗户，让新鲜的空气以及春天的气息飘进屋里。菲比晚上醒了两次。趁她睡着时，卡罗琳已经打包，在黑暗中把东西搬到车里。卡罗琳发现自己东西很少，只装满了几个皮箱，很容易就摆进车子的后座和车厢。真的，她随时可以启程前往中国、缅甸、或是韩国，她想想觉得很开心，也很满意自己的效率。昨天中午之前，她已做好所有安排："善意"慈善机构会来收取家具，清洁公司会来打扫公寓，她已经取消水电和订报，也写了信取消银行户头。

卡罗琳一边啜饮着咖啡一边等待着，直到听到楼下的门用力关上，露西轰隆隆地发动车子，她才很快地抱起菲比。临走之前，她在门口站了一会。她在这里度过好多充满希望的岁月，此时此刻，这些岁月有如昙花一现，似乎从来不曾存在。她紧紧带上大门，走下楼梯。

她把菲比放在后座的纸箱里，开车进城，一路驶过青绿色墙面和橘色屋顶的诊所、银行、干洗店和她最喜欢的加油站。到达教堂时，她把车子停在街旁，把沉睡中的菲比留在车上。教堂后院里的人群比她预期的多。她在人群边缘停步,距离近到刚好看得见戴维·亨利冻成粉红色的后颈和诺拉·亨利盘成一个正式发辫的金发。没有人注意到卡罗琳,她的鞋跟陷到人行道旁边的泥地里。她把重心移到脚指头,想起亨利医生上星期叫她去的中心那股陈腐的气味,也想起那个穿着无袖棉袍,黑发落在地上的女子。

话语飘荡在沉静的晨间空气里。

黑夜有如白昼一样明朗;黑暗与光明对主而言不分轩轾。

卡罗琳整夜没睡。她半夜站在厨房窗边吃饼干,她已分不出白天和黑夜,昔日舒适平凡的生活已完全改变。

诺拉·亨利用蕾丝边的手帕擦擦眼睛。卡罗琳记得她用力生下双胞胎时,手抓得好紧,也记得那时她眼中的泪水。这会伤透了她的心,戴维·亨利断然说道,此时卡罗琳若抱着她失去的婴孩走过去,她会作何反应?卡罗琳若干扰了她的追思,会不会引发更多伤痛?

你将我们的罪孽摆在你面前,将我们隐藏的罪恶摆在你的光辉之中。

牧师说话时,戴维·亨利挪动了一下身子。卡罗琳第一次从心底知道了自己打算怎么办。她喉头一紧,呼吸变得短浅,小碎石似乎紧压着她的鞋底。后院里的人群在她眼中晃动,她觉得自己快昏倒了。诺拉弯起修长的双腿,如此优雅动人,忽然之间却跪倒在泥地上。卡罗琳看在眼里感到好沉重。风掀起诺拉短短的面纱,拉扯着她的圆盒帽。

因为所见的是暂时的,所不见的是永恒的。

卡罗琳看着牧师的手。当他再度开口时,话音虽然模糊,但似乎不是针对菲比,而是冲着她来的,仿佛是某种无法扭转的定局。

我们已将她的躯体交付自然,泥归泥,尘归尘,土归土,天主佑护并留下她,主用他脸上之光照亮她,予她安宁。

声音暂时中止,风吹向树林间。卡罗琳振作起来,用手帕擦擦眼睛,快速甩甩头。她转身走到车子旁,菲比依然沉睡,一缕阳光掠过她的脸庞。

所有的结束都是开始。不一会,她已转过堆了一排墓石、墓碑的工厂旁边的街角,向着州际公路前进。人们刚进城就看见墓碑工厂,岂不是个坏兆头?想来真是奇怪,但她已将这些抛在脑后。开到公路分叉点时,她选择朝北前进,驶向辛辛那提,然后前往匹兹堡,循着俄亥俄河开往那个蕴藏着亨利医生神秘过去的地方。另一条通往路易斯维尔智障人士之家的公路,逐渐消失在她的后视镜中。

卡罗琳开得很快,感觉狂放不羁,激动不已,心中有如白昼般明亮。说真的,此时此刻,坏兆头算得了什么?毕竟,在世人的眼中,这个在她车里的婴儿已经死了。而她,卡罗琳·吉尔,也正从世界上消失。开着开着,她感觉愈来愈轻盈,仿佛车子已经飘浮到高空,静静越过俄亥俄州南部的田野。在那个阳光亮丽的下午,车子朝着北方和东方前进,卡罗琳对未来充满信心。为何不呢?因为倘若在世人眼中,最不幸的事已经发生在这两个人身上,那么毋庸置疑,她们已将最糟糕的留在了身后。

The Memory Keeper's Daughter

一九六五年

一九六五年二月

　　诺拉光脚站在饭厅的凳子上，把粉红色的彩带系在黄铜枝形吊灯上，不太确定自己能否保持平衡。一串串粉红和洋红色的纸心在桌子上方飘荡，横跨过瓷器、蕾丝桌布和亚麻餐巾。绘着深红色玫瑰花，镶着金边的瓷器是她的结婚礼物。她干活的时候，暖气闷声低鸣，一束束皱纹纸飘来飘去，扫过她的裙边，而后轻轻地落在地上，沙沙作响。

　　十一个月大的保罗坐在角落，旁边有个装葡萄的旧篮子，篮子里摆满了积木。他才刚学会走路，整个下午穿着他的第一双鞋在新家用力地踏来踏去，自己玩得很开心。每个房间都是个冒险。他把钉子丢在暖气的节气门上，钉子引发的回音逗得他大笑；他还把一包石膏拖过厨房，所经之处留下一道狭长的白粉。此时他张大眼睛看着有如蝴蝶般美丽、迷蒙的彩带，然后把自己从椅子上撑起来，摇摇晃晃地追逐。他捉住一束粉红色彩带，猛力一拉，吊灯随之摇动。接着他忽然失去平衡，猛地坐在地上，惊吓之余放声大哭。

　　"噢，小甜心，"诺拉边说边爬下来抱他，"没事，没事。"她轻声耳语，一只手顺顺他柔软的黑发。

　　外面车灯亮了又暗，车门猛然关上。同时，电话铃声大作，诺拉抱着保罗走进厨房，刚接起电话就听到有人敲门。

　　"哈啰？"她将嘴唇紧贴着保罗的额头，感觉又潮湿又柔软，有点担心是谁把车停在车道上。布丽再过一小时才会回来。"小甜心，"她轻声说，然后对着电话再说一声，"哈啰？"

"亨利太太吗？"

来电话的是戴维办公室的一位护士。她一个月前才加入这家医院，诺拉从未见过这个女人。她的声音亲切而洪亮，诺拉想象她是个中年妇女，体型壮硕，精心梳了一个蜂窝头。卡罗琳•吉尔，那个握住诺拉的手熬过一波波阵痛的护士不声不响地消失了，神秘中带点丑闻意味。卡罗琳的蓝眼睛和坚定的眼神，总让诺拉想起那个纷乱、下雪的夜晚。

"亨利太太，我是莎朗•史密斯。亨利医生刚被叫进急诊室。我发誓他已经走出诊所大门，准备回家，却被叫了回去。李斯汤路附近发生了可怕的车祸。你知道的，青少年总爱闯祸，他们的伤势很严重，亨利医生请我打电话跟你说，他会尽快回家。"

"他有没有说还要多久？"诺拉问，空气中充满了烤猪肉、酸白菜和烤马铃薯的香味，这些都是戴维最爱吃的东西。

"他没说，但他们说这场车祸很严重，我猜可能得花上好几小时呢。"

诺拉点点头，前门开了又关，阵阵脚步声轻盈而熟悉，穿过门厅、客厅、饭厅而来；布丽提早到了，她来接保罗，好让诺拉和戴维共享这个情人节前的夜晚，庆祝他们的结婚纪念日。

诺拉计划给他一个惊喜，算是送他的礼物。

"谢谢。"她向护士道谢，然后挂掉电话。"谢谢你打电话来。"

布丽走进厨房，身上那股雨的味道随着飘了进来。在长雨衣之下，她穿了一双及膝的长靴，一件诺拉所见过最短的迷你裙，遮掩了她修长白皙的大腿。一对镶着土耳其玉的银耳环在灯光下闪闪晃动。布丽是一家地方电台的经理，她直接从办公室过来，包里塞满了她正在修课的课本和报告。

"哇,"布丽说,一边把包甩到料理台上,一边伸手抱保罗。"一切看起来完美极了,诺拉。我不敢相信你在这么短的时间里,把家里布置得这么漂亮。"

"有事情忙比较好。"诺拉说,心里想着这几个礼拜以来,她花时间撕下壁纸,涂上一层层新漆。她和戴维决定搬家,两人都认为搬家就像戴维换工作一样,能够帮他们将过去抛在脑后。诺拉只想忘了过去,所以全心布置新家,但效果却不如预期,失落感依然时常在心中翻腾,好像余烬中升起的火焰。单是过去这个月,她就两次雇了保姆照顾保罗,径自离开家,抛下家中漆了一半的墙沿和成捆壁纸,飞速开过狭窄的乡间小路,直奔有个铁门的私人墓园。她女儿便安眠于此。墓园中墓碑低矮,有些年代久远,磨损得几近平滑。菲比的墓碑是块粉红色的大理石,式样简单,标示着她短暂生命的年月日深深地凿刻在她的姓名之下。冬日景致寂寥,强风吹过她的头发,诺拉跪在干裂、冰冷的草地上,一如她的梦境。她伤心得几乎瘫痪,难过得连哭都哭不出来,但她还是待了好几个小时,最后终于站起来掸掸身上的衣服,掉头回家。

保罗正在跟布丽玩游戏,试图捉住她的头发。

"你妈妈实在了不起,"布丽对他说。"她最近简直就是'苏西主妇娃娃',不是吗?不,甜心,别碰耳环。"她补了一句,伸手抓住保罗的小手。

"'苏西主妇娃娃'?"诺拉重复一遍,愤怒像波浪般涌上心头。"你这话是什么意思?"

"没什么意思。"布丽说。她先前一直跟保罗扮鬼脸,现在惊讶地抬头看着她。"噢,说真的,诺拉,放松一点嘛。"

"'苏西主妇娃娃'?"她又说了一遍。"我只想把家里弄得漂漂亮亮,庆祝我的结婚纪念日,这有什么不对?"

"没什么不对,"布丽叹了一口气,"一切看起来漂亮极了,我刚才不就这么说吗?我来接宝宝,你忘了吗?你干嘛一肚子气?"

诺拉摇摇手。"算了,唉,该死的,别提了,戴维在手术室。"

布丽等了一会才说,"不想也知道。"

诺拉想开口为他辩护,但什么也没说,只是用双手紧按着脸颊。"唉,布丽,为什么是今天晚上?"

"真是可恶。"布丽同意,诺拉脸拉了下来,嘟起了嘴。布丽笑笑说,"哦,别这样。老实说,这或许不是戴维的错,你自己也很清楚,对不对?"

"好吧,这不是他的错,"诺拉说,"先前出了一场车祸。但是,你说的没错,真是可恶,百分之百扫兴极了,这下你满意了吧?"

"我了解。"布丽说,口气出奇地缓和。"这实在扫兴,姐,真抱歉。"说完她又笑笑。"你瞧,我买了礼物给你和戴维,说不定会让你开心一点。"

布丽用另一只手抱起保罗,然后在她的大布袋里乱翻,掏出几本书、一块糖、一叠关于即将举行的示威的小册子、一副摆在破旧皮盒里的太阳眼镜,最后终于拿出一瓶酒。她帮两人各倒一杯,酒闪烁着深红色的光泽。

"为爱情喝一杯。"她边说边递给诺拉一杯,同时举起另一个酒杯。"为永恒的快乐和欢愉喝一杯。"

她们一起笑着喝酒。酒质淳厚,带着浆果的香气,隐隐有些橡木味道。雨水沿着排水管滴落。多年之后,诺拉依然记得这个阴沉、满怀失望的夜晚,以及布丽带来的些许欢乐。她那双闪亮的靴子、她的耳环、她那股有如日光般的精力,都让诺拉觉得好美,但却如此陌生,难以捉摸。多年之后,诺拉才晓得那种围绕着她的阴郁氛围叫做忧郁症。但在一九六五年那个年代,没有人提到这点,甚至连想都没想过,诺拉当然更不这么想。她有个家、一个小宝宝和一位当医师的先生,她应该满足而快乐。

"嗨，你的旧房子卖了吗？"布丽边问边把酒杯放在料理台上。"你准备接受对方的出价吗？"

"我不知道，"诺拉说，"价钱比我们希望的低。戴维想接受出价，赶快解决这件事，但我不知道，那里曾是我们的家，我仍然不想卖了它。"

她想到他们的第一栋房子，满室黑暗、空荡，前院插着一个"待售"的牌子，感到周遭顿时变得脆弱不堪。她靠在料理台边稳住身子，又喝了口酒。

"你这一阵子的感情生活如何？"诺拉问，试图改变话题。"你跟那个叫什么名字来着的家伙，喔，杰夫，你跟杰夫还好吧？"

"哦，他啊，"布丽脸色一沉，摇摇头，仿佛试图理清头绪。"我没跟你说吗？两个礼拜以前，我回家发现他跟一个小甜妞在床上，我的床唉！她还跟我们一起参与过市长的竞选活动呢。"

"噢！我真抱歉。"

布丽摇摇头，"别这么说，我并不爱他，或是特别有感情。我们只是还好，你知道的，在一起感觉不错。最起码我是这么想。"

"你不爱他？"诺拉重复道。她听到也厌恶自己语气中带着类似她母亲的不满。她不想跟她母亲一样，变成一个身处寂静而井然有序的故居中独自饮茶的女子，但她也不想变成一个因为悲伤而觉得世界没有意义的女人，而近来这种感觉似乎来愈强烈。

"是的，"布丽说，"是的。我不爱他，但有一阵子以为或许可以。现在说这些都没用了，最重要的是，他让这段感情变成陈腔滥调，我最恨这一点，我最讨厌变成陈腔滥调的一部分。"

布丽把她的空酒杯放在料理台子上，换用另一只手臂抱着保罗。她未上妆的脸相当细致，轮廓也很漂亮，双颊和双唇蕴上一抹淡粉红。

"我不能过着你一样的日子。"诺拉说。自从保罗出生、菲比过世之后，她觉得自己必须保持警戒，仿佛一不留意就会大祸临头。"我就是没办法打破所有规范，放弃该注意的一切。"

"世界不会就此毁灭。"布丽轻声说，"你说不定会吓一跳。但说真的，世界不会因为这样就走向末日。"

诺拉摇摇头。"还是有可能的。你不知道什么时候会发生什么事情。"

"我明白，"布丽跟她说，"甜心，我了解。"感激之情忽然涌上诺拉心头，扫去了先前的不悦。布丽总是听她说话，适时响应，也尊重她所经历的一切。"你说的没错，诺拉，任何事情都可能发生，任何时候都是如此，但事情出了问题不是你的错，你剩下的这辈子不能总是蹑手蹑脚，试图躲避灾祸。这样是行不通的，结果只会错过了你拥有的一切。"

诺拉不知道如何回答，所以伸手抱过保罗。保罗在布丽怀里扭来扭去，小家伙饿了。他的头发太长，但诺拉不忍心将它剪短。每次他动动身子，一头长发就像在水中一样轻微漂动。

布丽帮两人再倒点酒，从料理台的水果篮里拿起一个苹果。诺拉把奶酪、面包和香蕉切块，将它们散放在保罗婴儿椅的托盘上。她边切边喝酒，不知怎么地，周遭似乎愈来愈清晰、鲜活，她注意到保罗的小手像海星一样把胡萝卜洒在头上，厨房的灯光照着后院的扶手，扶手投影在草地上，交织成黑影与亮光的花格。

"我买了一个相机给戴维当作结婚纪念日礼物。"诺拉说，她真希望能够捕捉这些稍纵即逝的时刻，将它们保留到永远。"自从接下这份新工作之后，他干得很努力，他得有个消遣。我真不敢相信他今晚必须工作。"

"你知道吗？"布丽说，"我还是把保罗带走吧，我的意思是，说不定戴维赶得及回家吃晚饭，就算是午夜又如何？你们可以省略晚餐，推开碗盘，在饭厅的桌上做爱。"

"布丽！"

布丽笑笑。"拜托嘛，诺拉，我不介意照顾保罗。"

"他需要洗个澡。"诺拉说。

"没关系，"布丽说，"我答应不让他溺死在澡盆里。"

"不好笑，"诺拉说，"一点都不好笑。"

但她终究还是同意，而且收拾好保罗的东西。布丽抱着他走出家门时，他柔软的头发贴着布丽的脸颊，一双黑色的大眼睛严肃地盯着她，然后两人就离开了。她从窗户看着布丽车子的尾灯消失在街道上，带走了她的儿子，她能做的只是克制自己不要追着跑出去。她怎么可能让孩子长大，让孩子进入这个危险而不可预测的世界？她站了几分钟，遥望漆黑的远方，然后走进厨房，用锡箔纸包住烤猪肉，关掉烤箱。已经七点了，布丽的那瓶酒几乎空了，厨房里安静到可以听见时钟的滴答声。诺拉又开了一瓶酒，这瓶昂贵的法国红酒是为了今晚晚餐买的。

家里寂静无声。保罗出生之后，她可曾单独在家？甚至连一次也没有吗？大概没有。她试图避免这种孤独、寂静的时刻。在这种时刻，她夭折的小女儿说不定不请自来，出现在她眼前。那场在教堂后院里三月晴朗的阳光下所举办的追思会虽然发挥了功效，但诺拉有时依然感觉到女儿的存在。她说不上为什么，好像一转身就看到小女儿在楼梯上，或是站在外面的草地上。

她用手按着墙，甩甩头理清思绪，然后手执酒杯，走遍家中的每个角落，仔细检查她的工作成果。脚步声在刚擦亮的地板上发出空洞的声响，屋外雨势不断，街对面的灯光变得朦胧。诺拉想起那个白雪飘扬的夜晚，戴维搀扶着她的胳膊肘，帮她穿上那件绿色的旧大衣。大衣现已破烂不堪，但她却不忍心丢弃。大衣在她圆滚滚的肚子周围敞开，他们四目相视，他好关切，好紧张，浑身洋溢着紧张的兴奋之情；在那一刻，诺拉觉得她了解他，正如她了解自己。

但一切都变了。戴维变了，晚上跟她坐在沙发上翻阅期刊时，他整个人都心不在焉。以前担任长途电话接线员时，诺拉碰着冰冷的开关和金属按钮，仔细听着隐约的铃声，咔嗒一声接上线。请稍等，她说，声音回荡而迟缓；人们同时开口，然后停住，显露出相隔于两方之间极度沉寂的夜晚。有时她听人讲话，这些她永远没有机会见面的人真心诚意地交换出生、结婚、生病、死亡等消息，她感觉到黑夜的距离，也察觉到自己有能力让这些距离消失。

但她已经失去了这种能力，最起码在她最需要这种能力之时，她已经办不到。有时，即使半夜他们做爱之后，两人躺在一起，心跳映着心跳，她看着戴维，依然感觉耳中充斥着宇宙间黑暗、模糊的咆哮。

已过八点，周围变得一片朦胧。她走回厨房，站在炉子旁，剥食不再多汁鲜嫩的烤猪肉。她直接从烤盘里挑出一块马铃薯，用叉子把它在肉汁里捣碎了吃。奶酪烤花椰菜已经凝结，开始变得干硬，诺拉也尝了一口，烫到了嘴。她伸手取酒杯，酒杯空了，她站在水池边喝了一杯又一杯水。她紧抓着料理台的边缘，因为周围晃动得好厉害。我醉了，她想，惊讶之余又有点得意。她从来没有喝醉过。布丽有次跳舞回家之后，在油毡布上大吐特吐，她跟她们的母亲说，有人在果汁里偷加了酒，但她跟诺拉说了实话：大伙把啤酒藏在褐色纸袋里，偷偷聚在树丛里喝酒，鼻息在黑暗中形成朵朵鲜明的小云彩。

电话一下子变得遥不可及。行走之际，她感觉很奇怪，不知怎么的，好像飘浮在半空中，恍恍惚惚。她一手握住门闩，一手拨电话，听筒贴在她的肩膀和耳朵之间，电话一响布丽就接起来。

"我就知道是你。"她说，"保罗很好，我们念了一本书，洗了澡，他现在睡得很香。"

"哦，好，好，好极了。"诺拉说，她本来打算告诉布丽周围一片晃动，但现在讲这些似乎太私密，这是她的秘密。

"你呢?"布丽说,"你还好吧?"

"我很好。"诺拉说,"戴维还没回来,但我很好。"

她很快就挂了电话,给自己再倒一杯酒,她走到屋外的前廊,站在原地望向天际,一层薄雾悬挂在空中。此时酒精似乎像热气或光束一样流窜到全身,经由四肢散布到她的指尖和脚趾。转身之时,她的身子马上又飘浮了起来,好像飘离了自己。她想起他们的车,宛如在空中飞行一样开过冰滑的街道,车子突然有点打滑,戴维很快就控制住了。大家说得没错:她不记得分娩的痛苦,但她永远忘不了那种坐在车里,世界悄然失控、天旋地转的感觉。她也忘不了她双手紧握着冰冷的仪表板,有条不紊的戴维却还是碰到红灯就停下来。

她想知道他在哪里,双眼忽然盈满泪水。她究竟为什么嫁给他?他为什么非娶她不可?他们初识之后,那段浓情蜜意的日子里,他每天到她家,送花、请她吃晚餐、开车带她到乡间兜风。平安夜那晚,门铃响了,她穿着旧睡袍去开门,以为来人是布丽,但一打开门却看到戴维。他的脸冻得发红,手臂里夹着包装精美的礼物。他说他知道时间很晚了,但问她愿不愿意跟他出去兜兜风。

不,她说,你疯了!但从头到尾她都因为他的疯狂而笑容满面,边笑边站到一旁让他进来。这个男人捧着鲜花和礼物站在她公寓的阶梯上,令她吃惊、快乐,也有点惊愕。以前她总是看着同学们出去参加姊妹会的舞会,或是待在电话公司没有窗户的办公室里,静静地坐在自己的凳子上,听同事们规划着她们的婚礼,讨论胸花、宴会薄荷糖等细节,而安静端庄的她心想自己八成一辈子独身。但这时有个英俊的医生站在她的门口,嘴里说着:来吧,拜托,我想让你看个特别的东西。

那晚夜色清明,天上繁星明亮。诺拉坐在戴维的旧车里,宽阔的塑料前座上。她穿着一件红色的羊毛外套,觉得自己很漂亮。空气是如此清新,戴维双手握着方向盘,车子驶过黑暗,驶过冰冷,驶过越来越窄的小路，来到一处她不认识的地方。他把车停在一座老磨坊的旁边，他们下车，迎向潺潺的水声。漆黑的河水捕捉了月光，流过岩石，带动磨坊的巨轮运转。磨坊朦胧地矗立在迷蒙的夜空下，遮住了繁星。四下充满了湍急、潺潺的水声。

"你冷吗？"戴维在水声间高喊。诺拉笑笑，颤抖地说不，她不冷，她还好。

"你的手还好吗？"他高喊，声音清脆响亮，宛如流水般奔腾。"你没带手套来。"

"我还好。"她高声回答，但他已经拉起她的双手，将它们紧贴在自己胸前，摆在手套和大衣的暗斑羊毛之间帮她取暖。

"这里好美！"她大声对他说。他笑笑，然后倾身亲吻她。他放开她的双手，把手伸进她的大衣里，滑上她的背。水流湍急，打在岩石上激起阵阵回音。

"诺拉。"他大喊，声音融入黑夜之中，有如溪水般流动。话语虽然清晰，但在其他声音之中依然细微。"诺拉，嫁给我好吗？"

她笑着，仰起头来，黑夜的气息环绕着她。

"好！"她大喊，又把手掌紧贴着他的大衣，"好，我愿意！"

他随即把一枚戒指套在她手指上。细细的白金指环尺寸刚好，一颗橄榄形的钻石嵌在两枚小小的绿宝石之间。他后来跟她说，宝石正配她眼睛的颜色，以及他们初识时她穿的那件大衣。

她走进屋里，站在饭厅的门口，翻转着手指上的戒指。彩带飘了下来，一条拂过她的脸颊，另一条落到她的酒杯里，染上了颜色。色彩蔓延而上，诺拉饶有兴趣地看着。她注意到颜色几乎和餐巾一模一样。是啊，她的确是"苏西主妇娃娃"，就算刻意思索，她也找不出更贴切的名词。酒从她的杯中溅出，流过桌布，弄脏了她给戴维的礼物。冲动之下，她拿起裹着金色条纹包装纸的礼物，一把扯开包装纸。我真的醉了！她心想。

相机不大，重量刚好。诺拉苦思了好几个礼拜，试图想出一份适合的礼物，直到她在席尔斯百货公司的橱窗，看到这个摆在展示盒里的相机。机身漆黑带点黄铜色，附带复杂的功能旋钮和扳手，接环周围刻着数字，整个相机颇似戴维的医学装备。热心的年轻售货员跟她说了一大堆光圈、光圈值、广角镜头等技术术语。这些名词如流水般涌过来，但她喜欢她手中这个相机的重量，以及冰冷的质感。当她把相机举到眼前时，世界被如此精准地加上了框。

此时，她试验性地推一下银色的扳手，咔嗒一声按下快门。放开按钮之时，声音在屋里格外响亮。她转动小小的功能旋钮，向前拧转胶卷，向前拧转胶卷，她记得售货员曾用过这个术语，他忽然提升音量，声音盖过店里种种噪音。她透过取景器看看，再度把镜头对准肮脏的桌面，然后转动两格旋钮找寻焦点。这次当她按下快门时，灯光闪过墙面。她眨眨眼，把相机翻过来，仔细研究灯泡，灯泡已经焦黑变形。她换上新的灯泡，烫伤了手指，但不知怎么的，她却不觉得痛。

她站起来，瞄了一眼时钟：九点四十五分。

雨滴轻缓而持续地落下，戴维是走路去上班的。她想象他拖着疲惫的步伐，走过漆黑的街道回家。一时冲动下，她拿起外套和汽车钥匙，她要去医院给他一个惊喜。

车里很冷，她倒车开出车道，摸索着寻找暖气开关，但习惯使然，她开错了方向。即使发现了自己的错误，她依然冒雨继续在熟悉的小街上前进，开回他们的旧家。在旧家里，她曾怀着天真的期望装潢婴儿房，而后却孤单地坐在黑暗中哺育保罗。她和戴维同意搬离此地对大家都好，但事实上她却不忍心卖掉房子，她仍然几乎天天过去看看。不管她的小女儿对生命了解多少，她对小女儿又认识多深，这一切都发生在那栋房子里。

除了一片漆黑之外，房子看起来跟以前一样：宽敞的前廊有四根白色的圆柱，灰石地切工粗糙，仅有一盏照明灯。仅仅几英尺之外，隔壁的迈克斯太太在自家厨房里走动，一边洗碗，一边遥望漆黑的夜晚；班奈特先生坐在安乐椅上，窗帘没拉，电视也开着。走上台阶之时，诺拉几乎相信她依然住在这里，但大门一开，所有房间都空空荡荡，小得令人愕然。

诺拉在冰冷的屋里走了一圈，挣扎着理清头绪。此时酒精的后劲更加强烈，她的思绪无法连贯，怎样也想不清楚。她手里还拿着戴维的新相机，但她只是刚好握着，而不是刻意带着相机出来。相机里还有十五张底片，她口袋里有些备用闪光灯泡。她照了一张吊灯的照片，深感满意，因为当灯光一闪，她就永远保留了那个影像。二十年之后，哪天半夜若醒过来，她仍不会忘了这些优雅的金色吊坠。

她从一个房间走到另一个房间，依然酒醉，但充满了使命感。她把窗户、灯具、地板上的漩涡图形摄入镜头，纪录下每个细节，似乎这是个重要的任务。后来在客厅里，有个用过起泡了的灯泡从她手中掉到地上，摔成了碎片，她退后一步，玻璃刺穿了她的脚后跟。她看看自己只穿了丝袜的双脚，研究了好一会。她一定是习惯使然，把湿鞋子留在了大门口。想想自己居然醉成这样，实在令人难以置信。她又在家里走了两圈，拍下电灯开关、窗户，以及那条以前把暖气送上二楼的管子，下楼时才发现一只脚在流血，留下了一道血迹斑斑的痕迹。一颗颗灰暗的心形血渍，宛如小小的情人节贺礼。诺拉看到自己造成的混乱，深感惊愕，却又莫名地兴奋。

她找到她的鞋子，走出屋外。坐进车里时，她脚后跟的脉搏跳动急速，相机依然悬挂在手腕上。

日后，她不太记得那趟车程，只记得黑暗狭窄的街道，风在树叶间吹拂，车灯映着一潭潭积水闪闪发光，水花溅在她的车胎上。她不记得金属冲撞的声音，只记得一个闪亮的垃圾筒忽然飞到她的车前，把她吓了一大跳。被雨水淋湿了的垃圾筒。似乎在空中悬荡了好一会儿才掉下来。她记得它撞上引擎盖，翻滚了两下，打在挡风玻璃上；她记得车子滑过路边，慢慢停到中央分隔岛的针枞树下。她不记得挡风玻璃遭到撞击，但玻璃看上去像个蜘蛛网，复杂的裂纹朝着四处延展，细致、美丽而精密。她把一只手贴在额头上，手上沾染了一抹鲜血。

她没下车。垃圾筒在街上滚动，憧憧黑影绕在筒边窥探，可能是几只猫。她右边的房子亮起了灯，一名男子穿着睡袍和拖鞋走出来，从人行道匆匆走到她的车旁。

"你还好吗？"她慢慢摇下车窗，男子倾身探向车窗问道。夜晚的冷风吻上她的脸颊。"发生了什么事？你还好吗？你的额头在流血。"他加了一句，从口袋里拉出一条手帕。

"我没事。"诺拉说。手帕皱得令人起疑，她摇摇手表示婉拒。她又用手掌轻按额头，擦掉另一抹血迹。相机依然挂在她的手腕上，轻轻地敲打着方向盘。她褪下相机，小心地把它放在旁边的座椅上。"今天是我的结婚纪念日。"她告诉这位陌生人，"我的脚后跟也在流血。"

"你需要看医生吗？"男人问。

"我先生就是医生。"诺拉说，她注意到男子一脸不解，这才晓得自己刚才说的话大概没什么逻辑，现在也没多大意义。"他是医生，"她口气坚决地重复，"我会去找他。"

"我不确定你该不该开车。"男人说，"你把车留在这里，让我帮你叫救护车，好不好？"

在他恳切的言辞中，她热泪盈眶。但她想到灯光、警号，以及一双双温柔的手。戴维随后将匆匆而至，发现她在急诊室里，衣物凌乱，流着鲜血，还有些醉意。这无疑是个丑闻，也是个屈辱。

"不，"她说，讲话也比较谨慎，"我很好，真的没事。一只猫跑出来吓到了我，但我真的很好。我这就回家，我先生会处理伤口，真的没关系。"

男人犹豫了好一会儿，他的头发在街灯下闪烁着银光。然后他耸耸肩，点了点头，走回路边。诺拉小心、缓慢、谨慎地在空荡荡街道上打灯行驶，从后视镜中，她看到他抱起双臂盯着她，直到她转弯、消失在他的视线中。

她沿着熟悉的街道开回家，四下一片沉寂。酒精的后劲开始消退，她的新家灯火通明，楼上楼下每扇窗户都散发出灯光。灯光有如某种液体般流泄而出，四处泛滥，再也围堵不住。她把车停在车道上，下车，在潮湿的草地上站了一会儿。雨水轻轻落下，一滴滴打在她的发际和大衣上。她瞥见屋内戴维坐在沙发上，保罗在他怀中，头轻靠在戴维肩上睡着了。她想到她所留下的残局：泼在桌上的酒、散乱的彩带、不成样子的烤猪肉。她拉紧大衣，快步走上台阶。

"诺拉！"戴维到门口接她，怀里仍抱着保罗。"诺拉，你出了什么事？你在流血。"

"没关系，我没事。"她说，戴维伸出手想帮忙，她却一把将他的手推开。她的脚发痛，但她却庆幸自己痛得厉害。脚后跟的巨痛和她头部的抽痛一唱一和，似乎呈直线般贯穿全身，反而稳住了她的身子。保罗睡得很熟，呼吸平缓而均匀。她把手掌轻放在他小小的背上。

"布丽在哪儿？"她问。

"她出去找你了。"戴维说。他瞄了一眼饭厅，她追随他的目光，看见报废了的晚餐和掉落在地上的彩带。"我回来发现你不在家，惊慌的不得了，打了电话找她。她把保罗带回来，然后出去找你。"

"我在旧家，"诺拉说，"我撞上一个垃圾筒。"她把手放在额头上，闭上双眼。

"你喝了酒。"他镇定地说。

"喝酒配晚餐，你迟到了。"

"那里有两个空酒瓶，诺拉。"

"布丽也在,我们等了很久。"

他点点头。"你知道吗?今晚车祸受伤的都是年轻人,车祸现场到处都是啤酒罐。诺拉,我很担心。"

"我没喝醉。"

电话响了,她接起电话,话筒在手中沉甸甸的。是布丽打来的,声音像流水般急促,急着想知道发生了什么事。"我很好,"诺拉说,试图冷静而清晰地说话,"我没事。"戴维正看着她,仔细端详她手掌上的黑红色血迹,血已止住,血迹被风干了,她用手指遮住血迹,转过身子。

"好了。"她一挂掉电话,他马上轻柔地说,摸摸她的手臂。"到这儿来。"

他们上楼。戴维把保罗抱到婴儿床里时,诺拉脱下破损的丝袜,坐到浴缸边上。周围不再晃动之后,她在明亮的灯光中眨眨眼,试图把今晚发生的事情理出头绪。过了一会,戴维回到她身边。他把她的头发从额头边拨开,动作温柔精准,同时动手清洗伤口。

"你最好让另一个家伙伤得更重。"他说。她心想他或许跟诊所里的病人们都这么说:闲聊两句,开开玩笑,讲些空泛的话,藉此调剂正在进行的工作。

"没有其他人。"她说,心里想着那个银发、倾身靠近她车窗的男子。"一只猫吓到了我,车子打滑到路边,但是挡风玻璃……噢!"她叫了一声。他正帮她的伤口消毒。"噢! 戴维,好痛。"

"一会就不痛了。"他边说边把手放在她的肩头。过了一会,他屈膝跪到浴缸旁,伸手拉住她的脚。

她看着他挑出碎玻璃,他小心而冷静,沉醉在自己的思绪里。她知道他以同样娴熟的医术照顾每个患者。

"你对我太好了。"她轻声耳语,渴望藉此缩短两人之间的距离,而距离也是她自己造成的。

他摇摇头,停下手边的工作,抬头看着她。

"对你太好了。"他慢慢地重复,"诺拉,为什么?你为什么去我们的旧家?你为什么放不了手?"

"因为那是最后一步,"她马上接口,语调肯定又悲伤,她自己都吓了一跳,"我们最后就这样抛弃了她。"

他很快把头扭开。但在此之前,有那么短暂的一刻,他的脸上略过一阵紧张与愤怒,但他很快就压抑下来。

"我已经很努力了,你到底还要我怎样?我以为这个新家会带给我们快乐,诺拉,大部分人都会喜欢这栋房子。"

他的口气令她感到恐惧;她可能会失去他。她的脚和头一阵抽痛。想到自己造成的状况,她微微闭上双眼。她不想永远被困在这样沉寂的黑夜,而戴维更是遥不可及。

"好吧,"她说,"明天我会打电话给中介,我们接受对方的出价吧。"

她说话之时,一层薄雾笼罩上来,宛如凝结中的薄冰一样脆弱,形成了两人之间的隔阂;隔阂将越来越深、越来越强,最终变得灰暗而无法穿透。诺拉感觉得到,心里也很害怕。但此时此刻,她更怕隔阂如果四分五裂,他们之间不知会变成什么样。没错,他们应该往前看,继续过下去。这将是她送给戴维和保罗的礼物。

菲比将永远活在她心中。

戴维用条毛巾包住她的脚,然后跪坐在他的脚后跟上。

"我无法想象我们搬回那里。"他说,口气因她的让步而缓和多了。"但你如果真的想搬回去,我们还是可以卖掉这栋房子,搬回旧家。"

"不,"她说,"这里已经是我们的家。"

"但是你这么悲伤。"他说,"不要难过,诺拉,我没有忘记,我们的结婚周年、我们的女儿,我什么都没忘。"

"哦,戴维,"她说,"我把你的礼物留在车里了。"她想起相机,它的按钮与扳手是如此精密。记忆的守护者,盒子上白色的斜体字这么写着;她明白了这正是为什么她买下相机。这样一来,他就能捕捉每一个时刻;这样一来,他就永远不会忘记。

"没关系。"他边说边站起来。"等着,你在这里等着。"

他跑下楼。她又在浴缸边缘坐了一会,然后站起来,一跛一跛地走到保罗的房间。她脚下的深蓝色的地毯厚重而柔软。她在粉蓝色的墙面上漆上云朵,在婴儿床上方挂了活动的星星,保罗在飘扬的群星下熟睡,踢开了毛毯,两只小手伸到毯子外。她轻吻他,帮他盖上毯子,用手顺顺他柔软的头发,食指贴着他的手掌。他现在长得很大了,已经会走路,而且开始说话。那些保罗专心吃奶、戴维在家中摆满水仙花的夜晚,似乎是多年前的事了。那些夜晚到哪儿去了?她想起那个相机,也想起她走遍他们空荡荡的屋子,下定决心纪录下每个细节,防止时间的流逝。

"诺拉?"戴维走进房里,站在她后面。"闭上眼睛。"

一串冰凉在她的肌肤上闪闪发光。她低下头,看到一长串深绿色的宝石,镶在一条金链子上,贴着她的肌肤。刚好配你的戒指,他说,刚好配你的双眼。

"好漂亮。"她轻声说,触摸着温暖的澄金。"哦,戴维。"

然后,他把双手搭在她肩上。那一刻,她似乎又站在从磨坊流出的淙淙水声之间,快乐宛如黑夜般将她团团围住。别呼吸,她心想,别移动,但什么都停不下来。屋外,雨丝轻柔地飘落,种子在黑暗潮湿的泥土中蠢蠢欲动。保罗在睡梦中叹口气,挪了挪身子。明天,他会醒来,成长,改变。他们将日复一日地过日子,每天都离他们早夭的女儿更远。

一九六五年三月

水急促地淋下来，蒸气回旋，镜子和玻璃蒙上雾气，挡住了苍白的月亮。卡罗琳在狭小的紫色浴室里走来走去，紧抱着菲比。菲比的呼吸急速而短浅，小小的心脏跳得很快。好起来吧，我的小宝宝，卡罗琳轻声说，抚摸着她柔软的黑发。好起来，心爱的小女儿，好起来吧。疲倦的她停下来往外看看月亮，一抹月光横扫过山楂树枝头。菲比又开始咳嗽，小宝宝从胸腔深处猛咳，紧缩的喉头发出阵阵激烈的咳嗽声。她气喘嘘嘘，躺在卡罗琳怀中的身子越来越僵硬。这是典型的哮吼。卡罗琳拍拍菲比的背，小小的背部比她的手掌大不了多少。菲比咳嗽暂息时，她又开始走动，这样她才不会站着就睡着。今年不只一次，她醒来时发现自己还站着，而怀中的菲比居然奇迹般安全无事。

楼梯吱吱嘎嘎响，而后传来一阵脚步声。脚步声越来越近，紫色的门随即被推开，飘进一股冷空气。多罗走了进来，睡衣外面披着一件黑丝袍，灰发松松地垂绕在肩头。

"很糟吗？"她问，"听起来很糟糕，要不要我叫车？"

"我想不必。但请你把门带上，好吗？蒸气挺有帮助的。"

多罗把门带上，坐到浴缸边上。

"我们吵醒你了。"卡罗琳说，菲比靠着她的肩头浅浅地呼吸。"对不起。"

多罗耸耸肩。"你知道我的睡眠时间,天生我还在醒着看书。"

"什么有趣的书?"卡罗琳问。她用睡袍的袖口擦擦窗户。月光撒在楼下的花园中,闪烁着宛如草地上水珠的光泽。

"科学期刊,连我都觉得无聊透顶,想用来催眠呢。"

卡罗琳笑笑。多罗是物理学博士,在大学教书。她的父亲利奥·马奇曾是该系的系主任。利奥聪明过人,声名卓著,已经八十多岁,身体强健,却渐渐丧失记忆与理智。十一个月前,多罗雇了卡罗琳当他的看护。

这份工作实在是老天爷的礼物,她知道的。不到一年前,她开过皮特堡隧道,登上莫农加希拉河上方高耸的大桥,河谷的平原中冒起座座青绿的山丘,匹兹堡忽然在她面前大放光明,这么近,这么栩栩如生。城市的规模和秀美令她震慑,她深吸了一口气,减缓车速,生怕失去对车子的控制。

她在城边便宜的汽车旅馆里住了一个月,每天勾选征人启示,看着存款数额日渐萎缩。等到她来利奥家面试之时,原本的兴奋已转变为麻木的恐慌。她按电铃,站在前廊等候。鲜黄的水仙花在春天旺盛的草地上摇曳,隔壁有个穿着拼布家居袍的女人,扫去她家门前台阶上的煤灰。住在这栋房子里的人却懒得打扫。菲比的汽车座椅安放在堆积了好几天的尘土上,灰尘有如被染黑的雪,卡罗琳在上面留下了完整的脚印。

当高挑、纤细、身着合体灰色套装的多罗·马奇终于出来开门时,卡罗琳顾不上多罗瞄菲比时那种机警的眼神,径自搬起汽车座椅,走进屋内。她在一张不太稳固的椅子边缘坐下。暗红的天鹅绒椅垫已褪为粉红色,只有钉在布料上的大圆钉周围还是深红色。多罗·马奇在她对面的皮沙发上坐下,沙发皮面龟裂,其中一边还靠一块砖头支撑着。她点燃一支香烟,打量了卡罗琳好几分钟,蓝色的双眼尖锐而鲜活。她什么都没说,清清喉咙,吐了口烟。

"老实说，我没料到有个宝宝。"她说。

卡罗琳拿出履历表。"我已经当了十五年护士，很有经验。对于这份工作，我将会表现出高度的热忱。"

多罗·马奇用空着的手接过文件，仔细研究。

"没错，你确实经验丰富，但这上面没说你曾在哪里就职。你说得非常不明确。"

卡罗琳犹豫了一会。过去的三星期中，在十几次不同的面试中，她已尝试了十几种不同的答案，但全都没有结果。

"那是因为我逃跑了。"她说，几乎头晕目眩。"我离开了菲比的生父，所以才不能告诉你我从哪里来，也不能给你任何推荐信。正因如此，我到现在还没找到工作。我是个很好的护士，老实说，单凭你所提供的薪资，雇到我算是你好运。"

听到这话，多罗明快、惊讶地笑了。"你说话真直率！亲爱的，这份工作要求你住在这里。我为什么要冒险接纳一个百分之百的陌生人？"

"因为这里提供住宿，所以我马上可以开始。"卡罗琳坚称。她想到汽车旅馆那个壁纸剥落、天花板水渍斑斑的房间，更何况她也没钱再待一晚。"两星期，让我试两星期，然后你再决定。"

香烟在多罗·马奇手中已烧到尽头。她看看香烟，然后在烟灰缸里按灭。烟灰缸里香烟头已经堆到外面。

"但你打算怎么应付？"她考虑了一会，"你还带着一个宝宝。我爸爸没什么耐心，我跟你保证，他不会是好照料的病人。"

"一个礼拜，"卡罗琳回答，"一个礼拜之内，你若不喜欢我，我就离开。"

至今快一年了。多罗在蒸气迷蒙的浴室里站起来，绣着鲜丽热带鸟类的黑丝袍袖口已滑到肘部。"让我来照顾她吧，卡罗琳，你看起来累坏了。"

菲比的气喘已缓和下来，脸色也好多了；她的双颊泛着浅浅的粉红。卡罗琳将她递过去。怀里缺了她，忽然感到寒冷。

"利奥今天还好吗？"多罗问，"他有没有给你惹麻烦？"

卡罗琳过了一会才回答。她非常累。过去这一年竟然走了这么远，一刻不能停歇，原本平静的单身生活已经完全改变。不知怎么，她来到这个小小的紫色浴室里，成了菲比的母亲，当上一个才华横溢，头脑却渐渐不清楚的男人的看护，还交上了一个看来不太可能，却成了至交的好友。一年以前，她和这个名叫多罗·马奇的女人还是陌生人，两人若在街上擦身而过，说不定连看都不会多看对方一眼；现在她们的生活却因种种日常需求而紧密相连，两人也谨慎而百分之百地尊重彼此。

"他不肯吃东西，还说我把洗衣粉倒在土豆泥里，所以啰……在我看来，今天跟平常没什么两样。"

"你知道这不是人身攻击。"多罗轻声说，"他并非一直是这样。"

卡罗琳关掉水龙头，坐在紫色浴缸的边缘。

多罗对着雾气蒙蒙的窗户点点头，菲比的双手贴着她的丝袍，宛如星星一样洁白。"他们兴建那条公路之前，我们曾在山坡那边玩耍，你知道吗？白鹭鸶以前在树林里筑巢。有年春天，我妈妈种了水仙花，大概有好几百株吧。我爸爸以前每天坐火车从学校回来，六点钟到家，然后直接到那边采束花给她。你不可能认得他，"她说。"你不了解他。"

"我知道，"卡罗琳柔缓地说，"我理解。"

她们沉默了一会儿，水龙头滴着水，蒸气继续回旋。

"我想她睡着了。"多罗说，"她会好起来吧？"

"我想会的。"

"卡罗琳，她有什么毛病？"多罗的口气相当专注，话语决然而急切。"亲爱的，我对婴儿一无所知，但连我都感觉得出有些不对劲。菲比很漂亮,很讨人喜欢,但她有些不对劲,是不是?她都快一岁了,可现在才刚刚学着坐起来。"

窗户蒸气淋漓,卡罗琳望着窗外的明月,闭上了眼睛。菲比还是个小婴儿时,她的沉静似乎再好也不过,表示她安静而专注,卡罗琳几乎让自己相信她一切正常。但过了六个月之后,菲比虽然继续长大,但就她的年纪而言,她依然瘦小,依然迟钝地躺在卡罗琳怀中。菲比的目光会随着一串钥匙移动,有时舞动小手,但从来不曾伸手抓取钥匙。她也没有露出自己能坐起来的迹象。这时卡罗琳才利用休假带着菲比到图书馆。她坐在卡内基大学宽敞的图书馆里,宽长的橡木桌上堆满了书本和期刊。她仔细阅读,书中所谓的"个案"都被送到阴沉的疗养中心,生命比普通人短暂,未来毫无希望。每读一个字,她的胃就被穿了一个洞,感觉非常奇怪,身旁的菲比却在汽车座椅里动来动去,面带微笑,挥动着双手,咿咿呀呀,她是个小宝宝,不是个案。

"菲比患了唐氏症,"她强迫自己说,"没错,就是这个术语。"

"噢,卡罗琳,"多罗说,"我真抱歉,你因为这样才离开你先生,对不对?你曾说他不要她。哦,亲爱的,我真的好难过。"

"别这么说,"卡罗琳说,伸手把菲比抱回来,"她很漂亮。"

"啊,没错,她很漂亮,但是,卡罗琳,她将来会怎样?"

菲比在她怀里,感觉暖暖、重重的,一头柔软的黑发垂落在白皙的肌肤旁。意志坚强、保护欲强的卡罗琳摸摸她的脸庞,举止轻柔。

"我们每个人的将来又会怎样?我的意思是说,多罗,请老实告诉我,你想象过你的生命会是今天这样吗?"

多罗把头转开,脸上带着痛苦的表情。多年以前,她的未婚夫因为一个挑衅,从桥上跳到河里身亡。多罗一直悼念着他,始终未婚,也一直没有一个她曾渴望的孩子。

"不,"她终于说,"但这不一样。"

"为什么?为什么不一样?"

"卡罗琳,"多罗边说边摸摸她的手臂,"我们别再说了。你累了,我也累了。"

多罗走下楼,脚步声渐远。卡罗琳把菲比安顿在婴儿床里。在单调的街灯光线中,熟睡的菲比看起来跟其他孩子没两样,她的未来有如未经测量的大海,充满了无尽的机会。车辆飞速经过多罗童年玩耍的田野,头灯在墙上闪烁。卡罗琳想象白鹭鸶从沼泽地里飞出来,在黎明朦胧的金黄色日光中展翅飞翔。她将来会怎样?老实说,卡罗琳有时半夜躺在床上,满心忧虑地想着同样的问题。

在她自己的房间里,针织窗帘上投射出细致的黑影。这些窗帘是多罗的母亲多年前亲手挂上的。月光明亮到可以借光阅读。桌上有个信封,里面摆了三张菲比的照片,信封旁有张对折的信纸。卡罗琳展开信纸,读一读她先前写的信:

> 亲爱的亨利医生:
>
> 我写信来告诉你我们很好。菲比和我平安而快乐。我的工作不错,菲比除了有些呼吸系统的毛病之外,大致上是个健康的宝宝。随函附上几张照片。目前为止,上苍保佑,她的心脏没有任何问题。

这封信她好几个礼拜前就写了,应该寄出去。但每次想要投递,她就想到菲比的小手摸起来很柔软,一高兴就咿咿呀呀,然后就改变了心意。此时她又把信放到一边,躺了下来,不一会就昏沉沉地入睡了。她梦见候诊室里垂头丧气的植物,树叶在暖气中飘动。她马上醒来,心里有点不安,不确定自己身在何处。

这里,她摸摸冰凉的床单,告诉自己。我好端端地在这里。

＊　　　＊　　　＊

卡罗琳早晨醒来之时，满屋阳光，房间里充斥着小号的乐声。菲比从婴儿床伸出双手。音符仿佛是蝴蝶或萤火虫之类带着翅膀的小东西，没准能被她捉住。卡罗琳为她们两人打扮整齐，抱着菲比下楼。她在二楼稍作停顿，利奥·马奇安坐在他明亮的黄色办公室里，双手枕在脑后，瞪着天花板。除非利奥请她进去，否则卡罗琳不准进入办公室，所以她站在走道上看着他，但他没注意到她。这个老人头秃了一圈，光秃的周围有一圈灰发，他身上还穿着昨天的衣服，正专心聆听音响中传出的音乐。乐声振耳欲聋，房子也被震着颤动。

"你要吃早餐吗？"她大喊。

他挥挥手，意思是说他自己会处理。嗯。好吧。

卡罗琳再下一楼来到厨房，煮上咖啡，即使在这里还隐约听得见小号的声音。她把菲比放在高脚椅上，喂她吃苹果酱、炒蛋和农家自产的鲜乳酪。卡罗琳三次把汤匙交给她，三次都咔嗒一声掉在金属盘上。

"没关系。"卡罗琳大声说，但她心中顿时一片麻木。多罗的话萦绕耳际：她将来会怎样？别说未来，就说现在的状况吧，菲比已经七个月大了，应该抓得住一些小东西。

她收拾了厨房，走进饭厅整理刚从吊衣绳上收下来的衣服。衣服闻起来有风的味道。菲比仰躺在婴儿用的小围栏里，咿咿呀呀地敲打卡罗琳挂在她上面的铃铛和玩具。卡罗琳不时停下手边的工作，走过去调整一下这些鲜艳的玩具，希望菲比会受到五光十色的吸引而翻身。

半小时之后，音乐忽然停止，利奥的双脚出现在楼梯口，鞋带绑得整整齐齐，皮鞋擦得光可鉴人，长裤短了几英寸，裤管下面露出一截苍白、没穿袜子的脚踝。慢慢地，利奥整个人出现在面前，他身材高大,以前精瘦结实,现在皮肉却松垮垮地挂在瘦弱的身子上。

"喔,很好。"他边说边朝着干净的衣物点点头。"我们一直需要一个女佣。"

"你要吃早餐吗?"她问。

"我自己会弄。"

"好吧,请便。"

"午餐之前我就让你走人。"他从厨房里大喊。

"请便。"她又说一次。

锅子接连掉落了一地,老人家发出诅咒。卡罗琳想象他蹲下来把一堆乱七八糟的厨具推回碗柜里。她应该过去帮他,但是,不,让他自己来。刚开始的几星期,她一直不敢回嘴,利奥·马奇一喊,她就马上跑过去。后来多罗把她拉到一旁,喂,你不是用人,你遵照我的指示就好了,不必对他百依百顺。你表现得很好,这里也是你的家,多罗这么说。卡罗琳听了就知道她已通过试用期。

利奥走进来,端着一满盘炒蛋和果汁。

"别担心,"她还没开口,他就说,"我把那个该死的炉子关掉了。我这就把早餐端上楼,一个人安安静静地吃。"

"说话当心一点。"卡罗琳说。

他嘟囔一声表示回答,踱步上楼。她停下手边的工作,看着一只红雀驻足在窗外的紫丁香花丛中,然后翩然飞去。忽然之间,她几乎哭了起来。她在这里做什么?她受到什么驱使做出这个极端的决定,走上了这条不归路?最重要的是:菲比将来会怎样?

几分钟之后,楼上再度传来小号声,门口有人按了两次铃,卡罗琳从围栏里抱起菲比。

"她们来了。"她边说边用手腕擦擦眼睛。"练习的时间到了。"

桑德拉站在前廊。卡罗琳一开门,她就急着挤进来,一只手抱着蒂姆,另一只手拖着一个大布袋。她是个高大、骨架结实、意志坚强的金发女子，连招呼都没打就坐到地毯中，把叠叠圈玩具倒出来摆成一堆。

"对不起，我迟到了。"她说，"外面交通糟透了，你家离贯穿市区的大马路这么近，不会让你抓狂吗？我大概会被逼疯的。好了，你瞧我找到了什么？这些塑料的叠叠圈玩具真棒，还有各种不同颜色，蒂姆好喜欢。"

卡罗琳也坐到地上，桑德拉跟多罗一样，不太像是那种会跟卡罗琳成为朋友的人。以前的卡罗琳绝不会结识这种人。她们在一个阴冷的一月天在图书馆碰面。当时，专家们的分析和悲观的数据令卡罗琳不知所措，她绝望地用力合上书本。坐在离她两张桌子的桑德拉抬起头来。桑德拉桌上也堆了一堆书，那些书的书脊和封面看上去眼熟极了。噢，我太了解你的感受了。我气得想砸窗子。

然后她们聊了起来。刚开始有点小心，后来越聊越开心。桑德拉的儿子蒂姆快四岁了，也患有唐氏症。桑德拉先前并不知道。她注意到他发育得比另外三个孩子迟缓，但她以为迟缓就是迟缓，没什么其他原因。身为一个忙碌的母亲，她只能期望蒂姆终究会跟她其他孩子一样，即使多花点时间也无所谓。他到了两岁才学会走路；三岁才会自己上厕所。医生的诊断吓坏了她的家人们。医生建议最好把蒂姆送到疗养中心，这话让她气得开始采取行动。

卡罗琳专心倾听，心情随着每句话而大振。

她们离开图书馆，一起喝杯咖啡。卡罗琳永远忘不了那些时刻自己心中的激奋。那种感觉宛如从漫长、迟缓的梦中清醒过来。她们猜想，假设她们的孩子什么都能做，结果将会如何？孩子们或许做得比较慢，或许不会照着书本来，但如果她们干脆抛开那些僵硬的观点、曲线图和成长图表呢？如果她们抱着希望，但不设定时限呢？这样做有什么坏处？何不试试看？

对啊，何不试试看？她们开始在利奥家或是桑德拉的家里聚会。

桑德拉家里还有三个年纪较大，喧闹不休的男孩。她们购买书籍玩具，多方研究探听，再加上两人的经验：卡罗琳是个护士，桑德拉是个老师，而且是四个孩子的妈妈。很多时候她们只是凭着普通常识。如果菲比想学会翻身，她们就把一个颜色鲜艳的球放在她拿不到的地方；如果蒂姆想练习协调能力，她们就给他一把钝剪刀和彩纸，让他剪纸。虽然进度迟缓，有时难以察觉，但对卡罗琳而言，这些时刻已成为她唯一的希望。

"你今天看起来好累。"桑德拉说。

卡罗琳点点头。"菲比昨晚哮吼。老实说，我不知道她能支撑多久。蒂姆的耳朵还好吗？"

"我喜欢那位新医生。"桑德拉说着放松坐姿。她的手指修长结实。她朝着蒂姆微笑，递给他一个黄色的杯子。"他似乎颇有同情心，而不只是想打发我们。但诊断结果不太好，蒂姆丧失了一些听觉。可能因为如此，所以语言才发展得这么慢。来，甜心，"她边说、边拍拍他放下的杯子，"表演给卡罗琳小姐和菲比看看。"

蒂姆对此不感兴趣。地毯的绒毛引起了他的注意，双手一遍又一遍地抚摸，感到惊奇而愉快。但桑德拉坚持、沉着，毫不放弃，最后他终于捡起黄杯子，把它紧贴在脸颊边一会，然后放在地上，又动手把其他杯皿堆成一座塔。

接下来的两小时，两人跟孩子玩，边玩边聊。桑德拉对每一件事都相当主观，而且勇于表达己见。卡罗琳真喜欢坐在客厅里跟这个聪明、勇敢的女人交换身为人母的体己话。这些日子以来，卡罗琳经常渴望自己的母亲就在身边。她好希望能打电话请教母亲，或是过去坐坐，看看母亲抱着菲比。但母亲过世已将近十年。卡罗琳的成长过程中，她母亲可曾感受到这种感情与挫折？一定有的。卡罗琳对自己的童年忽然有了不同的领悟。母亲总是担心小儿麻痹症，虽然方式古怪，但那是母亲对她的爱。父亲辛勤工作，晚上仔细计算家里的财务状况，那也是爱。

　　她已失去了母亲，但她有桑德拉。她们共处的那几个早晨是她整个星期最快乐的时刻。她们分享彼此的生命经历和育儿经验。当蒂姆试着把其他杯皿摆起来，当菲比一直伸手想抓住一个闪亮的小球，最后终于不由自主地翻过身，她们看了也一起微笑。那天早上，卡罗琳依然担忧。她好几次把汽车钥匙在菲比面前晃动，钥匙在早晨的阳光中闪闪发亮，菲比张开小手，挥动着的手指宛如海星般伸展。在音乐与点点阳光中，她伸手想抓钥匙，但无论多么努力，她还是抓不住。

　　"下次吧，"桑德拉说，"等等看再说，她会抓住的。"

　　中午时分，卡罗琳帮他们把东西拿到车里，然后抱着菲比站在前廊。虽然已经疲惫，但心里相当快乐。桑德拉开着旅行车驶向街道，卡罗琳挥手道别。当她进屋时，利奥的唱片跳针，重复播放着三个小节。

　　难缠的老家伙，她心想，起身上楼，讨人厌的老傻瓜。

　　"你不能关小声一点吗？"她推开门，生气地说。但唱片在空荡荡的房里跳针，利奥不在房里。

　　菲比哭了起来。她体内仿佛有某种侦测紧张与不安的气压计。他一定趁卡罗琳帮桑德拉拿东西时，从后面溜了出去。喔，这一阵子即使有时把鞋子留在冰箱里，他还是精明的。他最喜欢这样耍她。他已经偷偷溜出去三次，其中一次还全身光溜溜。

　　卡罗琳冲下楼，匆匆套上一双多罗的平底鞋，鞋子比她的脚小一号，感觉冰冷。菲比有件外套搁在婴儿车里，她自己则连外套都没穿就跑出去。

　　天气变得阴沉，灰色的云朵低垂。她们走过车库到巷子里时，菲比抽噎啜泣，小手狂乱地舞动，我知道，卡罗琳低声耳语，摸摸她的头。我知道，甜心，我知道。她在融化的雪地上看到一个利奥的脚印，硕大的塑料鞋底印在雪地上。卡罗琳顿时松了一口气。这么看来,他朝着这个方向前进,而且穿了衣服。

唉,最起码穿了鞋子。

她走到下一条街的街尾,眼前是一百零五级台阶,直通寇欧宁牧场。有天晚上吃晚餐时,利奥的心情不错,主动告诉卡罗琳台阶的数目。此时他站在长长的水泥台阶底端,双手垂在身子两侧,白发横七竖八,看起来是如此困惑、如此失落、如此懊恼。卡罗琳顿时怒气全消。卡罗琳不喜欢利奥·马奇,他不是个讨人喜爱的家伙,但无论心中怀着什么怒气,她对他依然怀着一丝同情,感觉相当复杂。比方说目前这种时候,她了解他在世人眼中是什么德行。她看到的是一个衰老、健忘的老人,而不是那个过去曾是,现在也还属于利奥·马奇的天地。

他转身看到她。过了一会,他困惑的表情逐渐消失。

"你瞧我!"他大喊,"你瞧瞧,女人家,很了不起吧!"

台阶中间有一道结冰的水迹,利奥在某种精力和热情的驱使下,浑然不顾地上的冰,很快地朝着她跑上来。

"我想你从来没看过这副光景吧。"他说,气喘嘘嘘地跑到台阶顶端。

"没错,"卡罗琳说,"我确实没看过,我也希望以后不会再看到。"

利奥笑笑,粉红色的双唇映着苍白的脸颊,显得格外鲜明。

"我从你身边跑掉啰。"

"你没跑得太远。"

"但是我如果愿意,还是办得到的。下次吧。"

"下次穿上外套。"卡罗琳提醒他。

"下次,"他说,他们动身往回走,"我会消失在西非的廷巴克图。"

"请便。"卡罗琳说，心中忽然涌起一股厌烦。番红花在青绿的草地上绽放出紫与白的色泽，菲比哭得厉害。她很庆幸利奥跟在身旁，而且平安无事。感谢老天，她避免了一场灾祸。如果他走失或是受了伤，她绝对难咎其责，而这都是因为她整颗心全放在菲比身上。菲比已经试着伸手抓东西试了好几星期，但依然握不牢。

他们沉默地走了一会。

"你是个聪明的女人。"利奥说。

她停在红砖路上，深感诧异。

"什么？你说什么？"

他神志清楚地看着她，明亮的蓝色双眼跟多罗一样带着探询。

"我说你很聪明。在你之前，我女儿聘了八个护士，她们没有一个做超过一星期，我打赌你不知道吧。"

"是的，"卡罗琳说，"我不知道。"

＊　　＊　　＊

稍后，当卡罗琳清理厨房，把垃圾拿出去时，她想到利奥说的话。我是很聪明，她站在巷子里的垃圾桶旁边对自己说。空气潮湿，带着寒意，她的鼻息成了一朵朵小白云。聪明帮不了你找到丈夫，她想象母亲口气尖锐地回答。但即使如此，卡罗琳一想到利奥从来没跟她说过这种好话，母亲的话语依然没有减少她的快乐。

卡罗琳在寒冷的空气中多站了一会，庆幸四下一片安宁。山坡下的汽车一辆接着一辆交错晃动，她逐渐注意到巷底有个人影。一名高大的男子穿着深色牛仔裤和褐色夹克，身上的色彩是如此黯淡，整个人几乎成为深冬的一景。他的某种特质以及站着的模样，再加上他非常专注地朝着卡罗琳的方向观望，令卡罗琳感到不自在。她盖上垃圾桶的锡盖，双臂交叉在胸前。他朝着她走过来。这人身材高大,肩膀宽阔,而且走得很快。他的夹克根本不是褐色,而是淡淡的夹杂着一丝丝红色的粗呢布。他从口袋里掏出一顶亮红色的帽子,把它戴在头上。很奇怪地,这个举动让卡罗琳感到心安,但她却不知道为什么。

"嗨,"他大叫,"你的福特最近状况还好吗?"

她感到更疑惑,转身看看房子。深色的砖瓦矗立在灰白的天空下,没错,那是她的浴室。昨晚她就站在那里观看草坪上的月光;那是她的窗户,左边稍微打开,冰凉的春风飘进房内,吹动了蕾丝窗帘。当她转头回来,男子已经站在离她只有几英尺之处。她认得他。还想不出为什么之前,她心中就升起一股熟悉的感觉,也松了一口气。而后她觉得好奇怪,连自己都不敢相信。

"怎么可能……"她开口。

"这可不容易。"艾尔笑笑。他留了一道柔软的胡须,牙齿闪闪发光,深色的双眼温暖、满足而愉快。她记得他把熏肉盛在她盘中,也记得他倒车离开时从卡车的银色驾驶室里朝她挥手。"你这位女士还真难找。但你提过匹兹堡,我刚好每隔两星期就会经过这里,找寻你的下落成了我的嗜好。"他笑笑。"现在找到你了,这下我不知道将来怎么办啰。"

卡罗琳无法作答。看到他虽然开心,但也感到非常困惑。将近一年来,她不允许自己花太多时间回想或是沉溺于过去,但此时此刻,她的过去却鲜活而强烈地出现在眼前:清洁剂的味道。候诊室的阳光,还有那种忙了一天,回到安静整齐的公寓,为自己准备一顿简单的晚餐,坐下来与书本共度夜晚的感觉。她自愿放弃那些愉悦。在某种说不出的强烈渴望之下,她已经接受了这种改变。如今一颗心猛烈跳动,慌张地瞪着巷子,仿佛戴维·亨利也会忽然出现在她面前。她突然了解这就是为什么她从未寄出那些信。如果他或是诺拉想把菲比带回去,那她该如何是好?想到此,她心中顿时充满强烈的恐惧。

"你怎么做到的?"卡罗琳质问,"你怎么找得到我?为什么?"

艾尔有点吃惊,耸了耸肩。"我到列克星顿去找你,你家里空空荡荡,上了油漆。你那位邻居告诉我,你已经搬走三个礼拜了。我不喜欢神神秘秘,而且我一直想着你。"他停顿下来,仿佛考虑该不该继续说下去。"更何况,唉,管他的,卡罗琳,我喜欢你,而且我想你大概碰上了一些麻烦。所以才一走了之。那天你站在停车场里,看起来绝对像是碰上了麻烦,我想我说不定能帮帮忙,你说不定需要帮手。"

"我过得好得很。"她说,"说吧,你现在有什么打算?"

她其实不想这么说,这话听起来严厉而且不尽人情。艾尔沉默了好久才又开口。

"我大概想错了一些事情。"艾尔说,接着摇摇头。"我以为我们很投缘,我是说你和我。"

"我们确实投缘。"卡罗琳说,"我只是吓了一跳罢了。我以为我已经斩断了所有牵扯。"

他看着她,褐色的双眼迎上她的目光。

"我花了一整年才找到你。"他说,"你如果担心其他人追踪你的下落,请记得这一点。更何况我知道从哪里开始,运气也很好。我从我知道的汽车旅馆下手,探听他们有没有看到一个带着婴儿的女人。每次我都到不同的旅馆。上星期终于意外捡到便宜。你待过的那家旅馆,有个前台人员记得你。顺带一提,她下星期就退休了。"他举起大拇指和食指,将两指靠在一起。"就差这么一点点,我就永远找不到你了。"

卡罗琳点点头。她记得那位站在柜台后的女人,一头白发利落地梳成蜂窝头,珍珠耳环闪闪发光。她们家族经营那家旅馆已有五十年历史,暖气整晚轰轰响,墙壁总是一片潮湿,壁纸因此而剥落。

女人经常把钥匙推过柜台对她说，你永远不晓得下一个走进来的是谁。

艾尔朝着福特菲尔兰的粉蓝色引擎盖点点头。

"我一看到那个就知道找到了你。"他说，"你的宝宝还好吗？"

她想起那个空荡荡的停车场，灯光流泄到雪地上，缓缓消逝；他的手轻轻地、柔柔地摆在菲比小小的额头上。

"你要进来吗？"她听见自己问道。"我正想叫醒她。我帮你泡杯茶。"

卡罗琳带他走过狭窄的人行道，爬上后院的楼梯。她把他留在客厅里，自己上楼。她头晕眼花，脚步不稳，仿佛脚下的地球忽然在空中旋转，扭转了她的世界，不管再怎么努力，她都没办法稳住它。她帮菲比换尿布，泼点水在脸上，试图镇定下来。

艾尔坐在客厅的桌子旁，朝着窗外看。她下楼时，他转过脸来，大大地咧嘴一笑。他马上伸手抱过菲比，很高兴看到她长得这么大，这么漂亮。卡罗琳不禁欣喜。菲比高兴地大笑，黑色的卷发垂落到两颊边。艾尔把手伸到衬衫里取一块圆形的牌子，透明的塑料罩着"乡村大剧院"几个圆滑的青绿色字样，牌子是他在纳什维尔买的。 *跟我走吧*，很久很久，好几个月前，他曾对她说，口气带着玩笑，却又不完全是开玩笑。

这时他却在这里，踏遍了各地找寻她。

菲比发出小小的声响，伸手试着抓牌子。她的双手掠过艾尔的脖子、锁骨和暗色的粗呢衬衫。卡罗琳刚开始还没察觉到怎么回事，忽然间，事情就成了。艾尔的话音逐渐消退，夹杂着利奥在楼上的脚步声，以及外面车辆的噪音。自此之后，卡罗琳永远记得这些声音是幸运之声。

菲比伸手抓取牌子，不像今天早上一样在空中胡乱挥舞，反而靠着艾尔的胸膛，小小的手指抓了又抓，直到把牌子握在手中、合上手掌为止。她高兴地猛扯挂在链子上的牌子,弄得艾尔抬起手来摸摸被磨破的地方。

卡罗琳也摸摸自己的脖子,感到一阵燃烧般的狂喜。

噢,是啊,她心想,抓住它,我的甜心,抓住这个世界。

一九六五年五月

诺拉走在他前面,如同光线般移动,白色的棉布在树林间闪动;她在那儿,然后就不见了。戴维跟在后面,不时弯下腰捡石头:表面粗糙的水晶、嵌刻在页岩中的化石,有次还捡到一个箭头。他将每样东西在手里握一会,然后才收到口袋里。石头的重量、形状,以及贴在掌心那种冰冷的感觉都让他感到欣喜。小时候,他房间的架子上总是排满了石头。直到今天,即使胸前抱着保罗,相机摩擦着他的臀部,弯下腰的样子非常奇怪,他依然无法抗拒石头和它所代表的奥秘。

远在前方的诺拉停下来挥挥手,然后似乎直接走向一堆光滑的灰色石块,随即不见了踪影。其他几个人忽然陆续从同一堆灰色石块中走出来,每个人都戴着同样的蓝色棒球帽。戴维走近之后才发现那是一道石阶,直通高高在上的一座天然石桥,石桥刚好在视线之外。你最好小心走,一个女人边下楼梯边发出警告。你绝对想象不到石阶有多陡,而且很滑。她上气不接下气,停下来把手放在心口。

戴维注意到她一脸苍白,喘不过气来,于是停了下来。"这位女士?我是个医生,你还好吗?"

"心悸。"她说,然后挥挥空着的一只手。"我这辈子都有这个毛病。"

他抓起她肥厚的手腕,测量她的脉搏。脉搏急促但稳定,在他计算之时已逐渐减缓。心悸,大家提到心跳加速都随意使用这个名词,但他马上诊断出这个女人的问题并不严重,不像他的妹妹。妹妹连跑过房间都喘不过气来,头晕眼花,老是被迫坐着。心脏病,摩根城的医生摇着头说。他没有多做解释,也没必要说得详细,反正他也无计可施。多年之后就读于医学院时,戴维想起她的症状,于是熬夜阅读,自己做出了诊断:妹妹可能是大动脉变窄,或是心脏瓣膜异常。不管是哪种状况,琼行动缓慢,呼吸困难。随着岁月增长,她的状况越来越严重。去世之前的几个月,肤色甚至变成淡蓝。她很喜欢蝴蝶,也喜欢脸庞迎向阳光站着,闭上双眼,在他们母亲从镇上买来的椒盐饼干上涂上自制的果酱,好好享用。她总是轻声哼唱着自己编的曲调。她的发色很浅,几乎是白色,跟乳酪的颜色一样。她去世好几个月之后,他经常半夜醒过来,以为自己听到了她细微的声音,宛如松林中的微风在轻吟。

"你说你这辈子一直有这个症状?"他认真地问那个女人,同时放开她的手。

"嗯。一直是这样。"她说,"医生告诉我这不严重,只是烦人。"

"嗯,我想你没事。"他说,"但别太勉强自己。"

她谢谢他,摸摸保罗的头说,好好照顾这个小家伙噢。戴维点点头,然后继续前进,一边爬上湿滑的石阶,一边伸出空着的一只手保护保罗的头。能够帮助需要协助的人,他觉得很开心。帮人治病总是好事,但他似乎帮不了那些他最爱的人。保罗轻轻地在他胸前摇动,抓取他塞进口袋里的信封,卡罗琳·吉尔的来信。早上信才寄到他的办公室,他只很快地读了一遍。诺拉一进来,他就把信收起来,尽量掩饰心中的纷乱。我们很好,菲比和我,信中说。目前为止,她的心脏没有任何问题。

这时他轻柔地把保罗小小的指头抓到自己手中,他的儿子抬头看他,好奇地睁大眼睛。他心中顿时升起一股强烈的爱意。

"嗨，"戴维笑着说，"我爱你，小家伙，但别把这个吃下肚,好吗?"

保罗睁大双眼仔细打量，然后转头把脸颊靠在戴维胸前,散发出温暖。他戴着一顶绣着黄色小鸭子的白帽子。结婚纪念日的意外之后，他们过了一段安静、警觉的日子。诺拉亲手绣上了这些小鸭子。每多一只小鸭，戴维就安心一点。冲洗那卷新相机里的底片时,他深深体会了她的悲伤，以及留在她心中的空虚:旧家里空荡荡的房间、窗框的特写镜头、楼梯扶手的死寂黑影、歪斜破损的地砖,还有诺拉的脚印:那一连串杂乱无章、血迹斑斑的足迹。他把照片和底片全部丢掉，但它们的阴影依然萦绕在心头，他也担心永远挥之不去。毕竟他说了谎;他送走了他们的小女儿，此事似乎难免引发可怕的后果，而他也是咎由自取。但日子一天天过去，至今已经快三个月，诺拉似乎恢复了正常。她整理花园，在电话里跟朋友谈笑，或是伸出纤细优雅的手臂，把保罗从婴儿围栏里抱起来。

戴维看在眼里，对自己说她看起来很快乐。

此时，鸭子随着每一个步伐愉快地跳动。戴维走出狭窄的石阶，迎向峡谷之间的天然石桥时，小鸭捕捉了缕缕阳光。身穿粗纹棉布短裤和白色无袖上衣的诺拉站在桥中央，白色球鞋的鞋头多出了许多新刮痕。诺拉慢慢地、宛若优雅的舞者似的张开双臂，弓起背部闭上双眼，仿佛要将自己献给上天。

"诺拉!"他惊恐地大叫，"太危险了!"

保罗伸出小手推推戴维的胸膛，喔，他听到戴维说"危险"，也跟着呀呀学语。小宝宝知道这个词适用于电器插座、楼梯、椅子，现在则表示妈妈可能跌落到离脚下非常远的地面。

"这里好壮观!"诺拉大声回答，垂下双臂。她转过身，脚下的圆石随之跳动，滑过桥边。"过来看看!"

他小心翼翼地走到桥上，和她一起站在桥边。远远的下方，微小的人影在小径上慢慢移动。许久之前,湍急的河水曾流过小径,现在山丘遍布于水流丰沛的小溪之间,数百种不同的树影映着澄净的蓝天。他深深吸了一口气,抵抗着一波波晕眩感,甚至不敢看诺拉一眼。他想保护她,让她免受死别的痛苦;他不了解那种伤痛还是跟着她,宛如溪水一般持续不断,决定了生命的方向。他也没想到自己的悲伤会与晦暗的过去纠结在一起。每当他想到送走女儿的那一刻,眼中就看到妹妹的脸:她那苍白的发丝,她那认真的微笑。

"让我照张相。"他说,然后慢慢地一步步往后移动。"到桥中央去,那里光线比较好。"

"我一会就过去。"她说,双手搭在臀部,"这里真是太美了。"

"诺拉,"他说,"你真的让我很紧张。"

"哎,戴维,"她说,甩甩头,但连看都没看他一眼,"你为什么每时每刻都这么紧张?我很好。"

他没回答,察觉到自己肺部抽动,呼吸也极不规律。他拆开卡罗琳的来信时也有同样的感觉。信封上是他以前办公室的地址,她的字迹凌乱,地址被转递的邮票遮了一半。信封上的邮戳是俄亥俄州的托莱多。她附上三张菲比的照片,照片上的婴儿穿着粉红色的上衣。回信地址是个邮政信箱号码,不在托莱多,而在克里夫兰。克里夫兰,一个他从没去过的地方,却显然是卡罗琳·吉尔和他女儿居住的地方。

"我们离这里远一点吧。"他终于又开口,"让我帮你拍张照片。"

她点点头。但当他走到桥中央安全之处转过身时,诺拉依然站在桥边,双臂交叉,微笑地看着他。

"在这里帮我拍照,"她说,"把我拍得好像走在空中。"

戴维蹲下来,调整相机的旋钮。金黄色的岩石上冒出阵阵热气,保罗贴着他扭来扭去,开始吵闹。这些举动虽然没人注意到,也没被拍下来,但日后影像在洗照片的药水中现形,慢慢展现全貌之际,他会记得的。他将诺拉纳入镜头中。风在她的发际吹拂,她的肤色晒得很健康,他不禁想知道她到底对他隐藏了多少秘密。

春风和煦,微微飘着花香。他们走下山,经过洞穴入口、紫色杜鹃花丛以及山桂。诺拉带领他们偏离一般小径,穿过林木,循着一条小溪,一直走到一个艳阳高照的地方,她记得这里有很多野草莓。微风轻轻吹过长长的草地,野草莓低矮,离地面不远,暗绿色的叶子在阳光下闪烁着光芒,空气一片甜腻,小虫嗡嗡作响,天气很热。

他们摆出野餐:奶酪、小饼干和一串串葡萄。戴维坐在毯子上,打开婴儿车之时,他把保罗抱在胸前,懒懒地想起他的父亲。父亲矮胖强健,手艺极佳,他教戴维拿起斧头、挤牛奶,或是把钉子打进杉木块里的时候,粗短的手指总是握住戴维的手。他身上带着汗味、松脂以及煤矿深处的泥土味。他冬天在矿井工作。即使长大之后,工作日住在城里上高中,戴维也爱极了周末走路回家,见到父亲坐在前廊抽着烟斗。

喔,保罗说。一被解放出来,他立刻脱掉一只鞋子,专心地研究,然后几乎马上甩掉它,爬向毯子之外的青绿世界。戴维看着他拔起满满一手的野草,把草放进嘴里。草的口感怪怪的,他的小脸闪过一阵惊讶。戴维忽然很希望他父母还活着,跟他的儿子见个面。

"难吃,对不对?"他轻声说,伸手抹去保罗下巴上沾着野草的口水。诺拉在他身边走动,快速、高效地拿出餐具和餐巾。他依然转过脸,不想让她看到自己情绪激动。他从口袋里挑出一块水晶石,保罗抓过去摆在双手上,把它翻过来。

"他把那个东西放到嘴里怎么办?"诺拉问。她在他身旁坐定,距离近到他感觉得到她的体温。空气中弥漫着她的汗水和香皂味。

"应该不会吧。"他边说边把石头收回来,递给保罗一块小饼干。水晶石温暖而潮湿,他把它在石头上用力一敲,水晶石被敲得裂开,露出中央紫色的晶体。

"真漂亮。"诺拉喃喃地说，将它在手中翻转。

"远古的海洋，"戴维说，"海水被困在里面，历经几个世纪化为结晶。"

他们懒洋洋地吃东西，然后摘取成熟的草莓。草莓被阳光晒得发暖，香甜可口，保罗一把把地吃，草莓汁顺着手腕流下来。两只老鹰懒洋洋地在蓝天高处盘旋。迪迪，保罗举起一只胖胖的小手指着说。后来他睡着了，诺拉让他躺在草堆阴影下的毛毯上。

"这样真好，"诺拉说，靠着一块圆石坐好，"只有我们三人，坐在阳光下。"

她光着双脚，他把它们拉到手中，帮她按摩。肌肤之下隐藏着纤细的骨头。

"唉，"她闭上双眼说，"实在太舒服了，你会让我睡着的。"

"别睡。"他说，"告诉我你在想什么。"

"我不知道。我刚才想到那个牧羊场旁边的野地。布丽和我小时候曾到那里等爸爸，我们采了一大把蛇目菊和野胡萝卜，阳光感觉好像……好像一个拥抱。妈妈把花插在花瓶里，摆在家里各处。"

"那也很好。"戴维说，他放开她的一只脚，专心按摩另一只，用大拇指轻轻搓揉一道细白的疤痕，破碎的闪光灯泡留下了这道伤疤。"我喜欢想象你在那里的模样。"诺拉的肌肤很细腻。他想起他自己小时候的那些艳阳天，琼还没病得那么重，他们一家出去采集人参，人参相当脆弱，埋藏在光线黯淡的树林间。他的父母就是在采集人参时相识，他有他们的结婚照。他和诺拉结婚当天，诺拉把照片摆在一个精美的橡木相框中，当作礼物送给他。他母亲肤色洁净，一头卷曲的长发，细细的腰身，还带着浅浅、精明的微笑；他父亲一脸胡须，站在她身后，手里拿着帽子。他们结婚之后就离开法院，搬进他父亲盖在山腰的木屋。"我父母喜欢待在户外。"他加了一句，"我母亲在各处种满了花。小溪旁边有一丛天南星一直长到我家门口。"

110

"真遗憾我从未见过他们,他们一定非常以你为荣。"

"我不知道,或许吧。他们很高兴我的日子比较安适。"

"没错。"她轻声表示同意,睁开眼睛看看保罗。小家伙睡得很安详,点点光影落在他的脸上。"但说不定也有一点遗憾?如果保罗长大,搬到其他地方,我就会有点遗憾。"

"是的,"他点点头说,"他们感到骄傲,也有点遗憾。他们不喜欢城市,只到匹兹堡看过我一次。"他记得他们别扭地坐在他的单人宿舍里,每次火车汽铃一响,他母亲就吓一跳。那时琼已经去世。大家坐在他摇摇晃晃的书桌前啜饮淡淡的咖啡时,他记得他愤恨地想着,少了照顾琼这份责任,大伙都不晓得该如何是好。很久以来,她始终是全家人的生活重心。"他们只跟我待了一个晚上。我父亲去世之后,我母亲到密歇根跟我阿姨住。她不愿乘飞机,也没学会开车。在那之后,我只见过她一次。"

"听了真让人难过。"诺拉边说边揉掉她小腿上的一抹尘土。

"没错,"戴维说,"确实让人难过。"他想到琼。夏天,她的头发在阳光下是如此金黄。兄妹两人肩并肩蹲在一起,用木棍挖掘泥土时,空气中弥漫着她的气息:香皂、某种类似铜板的金属味,闻起来暖洋洋的。他好爱她,爱她那甜蜜的笑声;他也恨极了晴天时一回家就看到她躺在前廊的草铺上,母亲坐在瘦弱的女儿身旁,轻声哼唱,手里剥着玉米或是豆子,脸上充满关切。

戴维看着保罗。小宝宝在毯子上睡得很熟,小脸转到另一边,长发卷曲地靠着湿湿的脖子。他的小儿子,最起码他躲过了悲伤。保罗不会像自己一样,在成长的过程中承受失去妹妹的痛苦。他也不必因为妹妹照顾不了自己,所以被迫必须坚强独立。

这种想法以及那股强烈的怀恨吓了戴维一跳。当他把女儿交给卡罗琳·吉尔时,他说服自己这么做没错,最起码他有正当理由这么做。但或许他没有,或许在那个下雪的夜晚,他所保护的不是保罗,而是某个失落的自己。

"你好像在很遥远的地方。"诺拉观察道。

他动一动,靠近她一点,身子靠在圆石上。

"我父母对我有许多梦想,"他说,"但这些都比不上我的梦想。"

"听起来像我和我妈。"诺拉边说边抱住双膝,"她说她下个月要来看我,我跟你说了吗?她有张免费机票。"

"这样很好,不是吗?保罗够她忙的。"

诺拉笑笑。"是够她忙的,不是吗?她就是为了保罗才来。"

"诺拉,你有什么梦想?"他问,"你对保罗有什么梦想?"

诺拉没有马上回答。"我想我只要他快乐就好。"她终于说,"不管生活中哪一点让他快乐,我都希望他能够得到。我不在乎那是什么,只要他长大之后心地善良、诚实面对自己就好了。哦,而且像他老爸一样慷慨坚强。"

"不,"戴维不自在地说,"你不会想让他追随我的脚步。"

她专注地看了他一眼,有点惊讶。"为什么?"

他没有回答。犹豫了好一会之后,诺拉又开口了。

"怎么回事?"她问,没有咄咄逼人,但带着忧虑,好像试图拼凑出答案。"戴维,我们之间怎么了?"

他没有回答,挣扎着压抑一股突如其来的怒气。她为什么又要煽风点火?她为什么不能抛开过去,继续过日子?但她又开口了。

"自从保罗出生、菲比过世之后,我们就跟以前不同了。但你始终不愿谈起她。你似乎想要忘记她曾经存在这回事。"

"诺拉,你要我说什么?我们的生活当然不一样了。"

"别生气,戴维,那是一种策略,对不对?好吧,我不会再谈起她,但我不会让步,我说的是真的。"

他叹了一口气。

"别毁了这美好的一天,诺拉。"他终于说。

"我没有，"她边说边走开，躺在毯子上闭上双眼，"我对今天满意极了。"

他盯着她看了一会。阳光留连在她金色的发际，她的胸部随着呼吸轻柔地起伏。他想伸手探索她肋骨间细致优雅的曲线，肋骨宛如翅膀般延展。他想亲吻肋骨间每一个交接点。

"诺拉，"他说，"我不知道怎么办，我不晓得你要什么。"

"没错，"她说，"你不知道。"

"你可以告诉我。"

"我想我可以，说不定我会。他们以前很爱对方吗？"她忽然问道，眼睛依然闭着，声音虽然柔和冷静，但他察觉到升起一股新的紧张气氛，"你父亲和母亲？"

"我不知道，"他缓慢而仔细地说，同时试图判断她为什么问这个问题，"他们彼此相爱，但他经常不在家，就像我以前说的，他们过得很艰苦。"

"我父亲爱我母亲，程度超过她爱他。"诺拉说，戴维顿时感到不安。"他爱她，但他似乎不知道怎样用她觉得有意义的方式来表达。在她眼中，他只是个有点愚蠢的怪人。我成长的过程中，家里大半时间都静悄悄的……现在我们家里也很安静。"她补了一句。他想到那些宁静的夜晚，以及她低头专心绣鸭子的模样。

"安安静静的也不错吧。"他说。

"有时候吧。"

"其他时候呢？"

"我还想着她，戴维。"她说，侧过身来迎着他的注视，"我们的女儿，她会是什么模样？"

她轻声啜泣，用双手遮住脸。他看在眼里，却没有回答。过了一会，他伸手摸摸她的双臂，她拭去眼中的泪水。

"你呢？"她质问，口气变得尖锐，"你难道不想念她吗？"

"当然，"他真诚地说，"我无时无刻不在想着她。"

诺拉把手放在他的胸前，然后将沾了草莓汁的双唇贴上他的双唇。有如欲望般强烈的甜味紧贴着他的唇舌，他感到自己一直往下坠落。阳光晒在他的皮肤上，她的乳房像小鸟般在他手中弹动。她搜寻他衬衫上的纽扣，一只手扫过他藏在口袋里的信。

他抖落衬衫。但即使如此，即使当他再将她拥入怀中时，他依然想着：我爱你，我很爱你，而我却欺骗了你。就这样，他们之间的距离，即使仅有一毫米、一口气，也因而敞开加深，变成了深深的洞穴，而他正站在边缘。他抽身，退回阳光与阴影之中。头顶飘来片片云朵，随后又飘到别处。圆石被太阳晒得暖洋洋的，贴在他的背上感觉好热。

"怎么了？"她问，轻触他的胸膛。"噢，戴维，怎么回事？"

"没什么。"

"戴维，"她说，"喔，戴维，拜托。"

他犹豫了一会，几乎想忏悔地说出一切。但他不能。

"工作上的问题。有个患者，我没办法不想到那个病例。"

"别管了，"她说，"你的工作让我厌烦极了。"

老鹰随着上升气流展翅高飞，阳光温暖，所有事情都绕着圈圈打转，而且每次都绕回同一点。他必须告诉她；话语充斥在他的唇舌间。我爱你，我很爱你，而我却欺骗了你。

"我想要再生一个，戴维。"诺拉坐起来说，"保罗现在够大了，我准备好了。"

戴维吓得一时说不出话。

"保罗才一岁。"他终于说。

"那又怎样？大家都说一次解决尿布、哺乳等事情比较容易。"

"大家是谁？"

她叹了一口气。"我就知道你会反对。"

"我没有反对。"戴维小心翼翼地回答。

她没有回答。

"时机似乎不对,"他说,"仅此而已。"

"你就是说不。你嘴里说着不,还不愿承认。"

他沉默不语,想起诺拉刚才站在桥缘附近,也想到她那些毫无意义的照片,以及他口袋中的信。他最渴望的莫过于保持目前微妙、稳定的生活状态,凡事保持原状,不要发生改变,维系住两人之间脆弱的平衡。

"现在一切都好,"他温和地说,"为什么要破坏现状?"

"保罗呢?"她朝着他点点头,小宝宝仍在熟睡,安详地躺在毯子上。"他想念她。"

"他不可能记得。"戴维很快地回答。

"九个月,"诺拉说,"心连心地成长,他怎么可能不记得?总会有些记忆吧?"

"我们还没准备好,"戴维说,"我还没有。"

"这不是只关系到你,"诺拉说,"反正你几乎不在家。戴维,说不定是因为我还想念她。说真的,有时我觉得她离得好近,好像就在隔壁的房间里,而我却已经忘了她。我知道这话听上去疯狂,但我是说真的。"

他没有回答,但他完全了解她的意思。空气中弥漫着浓烈的草莓香。他母亲以前在户外的炉子上做果酱,果子煮成糖浆时,她搅动着冒出白沫的液体,用滚水烫一烫玻璃罐,然后把果酱装入罐中。果酱像珠宝似的站立在架子上。以前他和琼在深冬时品尝那些果酱,趁母亲不注意的时候偷舀一匙,然后躲到餐桌的油布下舔得干干净净。琼的死令母亲受到重大打击,戴维再也不相信自己能逃过厄运。虽然从统计的观点而言,他们再生个唐氏儿的机率极低,但还是有可能。凡事都有可能,他不能冒险。

"但诺拉，再生个宝宝也弥补不了什么，这不是个好理由。"

沉默了一会之后，她站起来，在短裤上擦擦手，生气地大步蹚过田野。

他的衬衫皱巴巴地落在身旁，信封的一角清晰可见。他没有伸手拿信，他没必要这么做。信写得简短，虽然他只瞄了照片一眼，但影像却清晰地留在脑海中，仿佛是他自己拍摄的。菲比的头发又黑又细，跟保罗的头发一样。她的双眼是褐色，胖胖的小拳头在空中挥动，仿佛想伸手抓住镜头之外的某样东西，卡罗琳说不定正在挥舞相机。他在追思会上看到她了，身影高大、孤独，穿着那件红外套。追思会结束之后，他直接去她家。他不确定自己有何意图，只知道必须见她一面。但那时，卡罗琳已经离去。她家看起来一点都没变：低矮的家具、单调的墙面，浴室的水龙头滴着水。但室内太寂静，而且架上没有东西，书桌抽屉和衣柜也空了，厨房中一缕黯淡的灯光照过白色与黑色的油地毡。戴维站着，倾听着自己焦虑的心跳。

此时他往后一躺，云朵飘过上方，光影交叠。他还没试着寻找卡罗琳。既然信封上没有确切的回信地址，他也想不出从何开始。一切由你掌握，他曾对她说。但他发现悲伤在各种奇怪的时刻浮上心头：独自待在他的新办公室，冲洗照片、看着空白的纸张中神秘地浮现出影像，或是躺在这块温暖的石头上，诺拉却伤心地愤愤离去。

他累了，感到自己正在沉沉入睡。昆虫在阳光下嗡嗡叫，蜜蜂让他有点紧张，口袋里的石头紧贴着他的腿。小时候，有些晚上他看父亲坐在前廊的摇椅上，白杨树闪闪发亮，在萤火虫的点点光芒中显得生气蓬勃。在一个那样的夜晚，父亲递给戴维一块光滑的石头。那是一个他在挖掘壕沟时所发现的箭头。两千多年的历史啰，他说。想想看，戴维，很久很久以前，石头也曾落到其他人的手里，但大伙头顶上都是同样这个月亮。

是有那么一个夜晚。其他时候，他们出去捉响尾蛇。从早到晚，他们穿过树林,手执开叉的棍子,肩上扛着布袋,一个金属盒在戴维的手里摇来摇去。

戴维总觉得在那些时候,时间似乎暂停,阳光永远高挂天际,干枯的树叶在他脚下移动,世界缩小到只有他、父亲和蛇;但世界也不断扩充,天空在他周围无尽展开。每走一步,天空都更高、更蓝。当他侦测到各色泥土和枯叶中有些动静时,一切都慢了下来。蛇开始爬行时背上的钻石形斑纹才会现形。父亲已经教他怎样静静走动,观察黄色的双眼和一吐一吐的舌头。蛇每脱一次皮,尾部的响环就变长一点。因此,只要根据响尾蛇在宁静树林中发出的声响,他们就可以判定蛇多老、多大,以及值多少钱。大蛇受到动物园、科学家或是舞蛇者的青睐,一条可以赚到五美金。

阳光穿过林木,森林地面上呈现出图案,风声飒飒作响。霎时之间,响环声大作,蛇头高高竖起。父亲伸出强壮结实的手臂,用力丢下开叉的棍子钉住蛇的颈部。蛇伸出毒牙,蛇身猛烈拍打潮湿的泥土,响环摇摆得狂乱而激愤。蛇的下巴大张,父亲用两根强健的指头紧紧地掐住下巴后方,把蛇捉起来。蛇身冰凉、黏腻,像鞭子一样扭曲。他把蛇塞进布袋里,猛力一拉,闭紧袋口,布袋随即有了生命,在地上扭来扭去。父亲把布袋轻轻放进金属盒里,盖上盖子。他们沉默地继续前进,心里盘算着蛇的价钱。夏天和深秋,他们有些时候用这种方式赚到二十五美金。这笔钱用来购买食物。当他们到摩根城看医生时,这笔钱也支付了医药费。

戴维!

诺拉的声音依稀传到他耳边。声音穿过遥远的往事与森林来到当下,听来紧急。

他用胳膊肘撑起身子,看到她站在田野遥远的一端,一片成熟的野草莓中。她看着地上某个东西发愣。他心中顿时升起一股恐惧。响尾蛇喜欢日照充足的木块,正如她脚边的那一块。它们在腐烂的木头中下蛋。他瞄了保罗一眼。保罗依然静静地在阴凉处沉睡，于是他起身奔跑，蓟冠花摩擦着他的脚踝，草莓在他足下轻轻爆裂，他已把手伸进牛仔裤口袋，握紧最大的一块石头。跑到看得见漆黑的蛇身时，他使尽全力对着它砸下石头。石头静静、慢慢地在空中翻转，呈抛物线落下，最后落在离蛇六英寸之处，爆裂开来，紫色的石心闪烁着鲜活的光芒。

"你到底在干么？"诺拉问。

此时他已走到她身旁，大口喘气地往下一看，那根本不是蛇，而是一根靠在干枯木块上的暗色棍子。

"我以为你在叫我。"他困惑地说。

"没错。"她指指一丛浅色的花朵，花朵刚好在一道阴影之后，"天南星，跟你母亲以前种的一样。戴维，你吓了我一跳。"

"我以为那是条响尾蛇。"他边说边指指那根棍子，再一次摇摇头试图挥除过去。"我想我在做梦吧，我以为你需要帮助。"

她一脸困惑。他摇摇脑袋扫除梦境，忽然觉得自己很愚蠢。棍子就是棍子，如此而已。今天似乎出奇平常，小鸟高声啼叫，树叶在树林间摆动。

"你为什么梦见蛇？"她问。

"我以前捕过蛇，"他说，"为了赚钱。"

"为了赚钱？"她疑惑地重复，"赚钱做什么？"

距离重回两人之间。过去是一条他无法跨越的鸿沟：赚钱来买东西吃，赚钱到镇上求医。她来自不同的世界，她永远不会了解的。

"捕蛇赚来的钱支付了我的学费。"他说。

她点点头，似乎打算问更多问题，但没开口。

"我们走吧。"她边说边揉揉肩膀，"带保罗回家吧。"

他们穿过田野往回走，收拾好东西。诺拉抱着保罗，他则拎着野餐篮。

＊　　　＊　　　＊

　　走着走着,他想起父亲站在医生办公室里,绿色的纸钞像树叶一样落在柜台上,每一张都让戴维想起那些蛇。蛇身猛烈摇晃的响环、无助地张成V型的嘴巴、他手指下的冰凉蛇皮、蛇身的重量。捕蛇赚钱。他还是个小男孩,只有八岁或九岁大,而那是他所能做的事。

　　那件事以及保护琼。留心你妹妹,他母亲从炉边抬起头来提醒他。喂鸡、清扫鸡舍、到园里除草,还有留心你妹妹。

　　戴维照办,但做得不是很好。他没让琼离开视线,但没有阻止她挖土,害她弄得满身泥土。她被石头绊了一跤,磨破了手肘,他却没有安慰她。他很爱她,但憎恨却深植于爱意之中,他分不开两者。她老是生病,不是因为心脏太虚弱,就是因为每个季节都患了感冒,结果令她气喘嘘嘘,呼吸困难。但当他从小径走路回家,书本在他背上的书包里晃动,琼总是等着他。她一看他的脸就知道他当天过得如何,也急着想听他述说一切。她的手指细瘦,她喜欢轻轻拍他,细细的长发在微风中飘动。

　　而后,有个周末他从学校回家,发现家里空荡荡,静悄悄,一条毛巾披在澡盆的一端,空中弥漫着寒气。他坐在前廊等候,又饿又冷。许久之后,几乎黄昏之时,他看见母亲双手交叉,从山坡上走下来。她走到台阶前才开口,抬起头来看着他说,戴维,你妹妹去世了,琼死了。母亲的头发紧紧地扎在后面,太阳穴旁的一条血脉跳动,双眼哭红了一圈。她穿着一件灰色的薄毛衣。她拉紧毛衣说,戴维,她走了。他站起来拥抱她,她崩溃了,哀声啜泣。他说,什么时候?她说,三天以前,星期二的时候。当时还早,我到外面取水,回来之后,家里一片沉寂。我马上就知道她走了,停止了呼吸。他搂着母亲,想不出再说什么。他感到痛苦根植于内心深处,除了痛苦只是麻木,想哭都哭不出来。他用毛毯裹住母亲肩膀，帮她泡了杯茶，走到屋外的母鸡旁边，找到她尚未捡拾的鸡蛋。他拾起鸡蛋，喂了鸡，挤了牛奶，做了平常该做的家务。但当他回到屋里时，家里依然阴暗，空气中依然弥漫着寂静，琼依然已经走了。

戴维，过了好一会之后，母亲从她站着的阴影处说，你去上学，学些可以济世救人的学问。这话令他憎恶。他想过自己想要的生活，不必背负这种失去亲人的伤痛和阴影。琼躺在地下，身上堆着尘土，而他却好端端地站在这里；他还活着，空气由肺部一进一出；心脏砰砰跳，他感觉得到。我会当个医生，他说。母亲没有回答，但过了一会之后，她点点头起身，又把身上的毛衣拉紧。戴维，你拿着《圣经》，跟我到那里一起说那些话。我要照着规矩，好好地说那些话。于是，他们一起走上山坡。走到那里时，天色已暗。他站在松树旁边。大风低鸣，他就着煤油灯一闪一闪的灯光念道：耶和华是我的牧者，我必不至缺乏。但我有所欠缺。说着这些话时，他心想，我有所欠缺。他母亲啜泣，他们沉默地走下山坡回家。他在家中写了封信给父亲，告知这个消息。星期一，他回镇上时寄了信。镇上人来人往，灯火通明。他站在柜台后方，将简单的白色信封投入邮柜，柜台因为长年使用而磨得很光滑。

*　　*　　*

他们终于走到车旁时，诺拉停下来检查一下肩膀。她的肩头被晒成了暗粉色。她戴着太阳镜，抬头看着他，他却解读不出她脸上的表情。

"你不必当个大英雄。"她说。她口气平淡老练，他听得出她一直思考着这番话，说不定刚才在心里演练过了。

"我没有试图当个英雄。"

"没有吗?"她望着别处。"我认为你有。"她说,"这也是我的错。长久以来,我一直希望被解救,这点我很清楚。但我不这么想了。你不必老想着保护我,我厌恶极了。"

然后她拿起婴儿汽车座椅,再次把头转开。在点点阳光中,保罗的手伸向她的头发。这些戴维都不知道,知道了也无法弥补,戴维因而一阵惊慌,几乎晕眩;他也感到愤怒,心中忽然涌起一股怒气。他气自己,但也气卡罗琳,他气她没有按他说的做,而把一个无法解决的状况变得更糟。诺拉侧身坐到前座,猛力关上车门。他在口袋中摸索着找钥匙,反倒摸出最后一块水晶石。大地塑成的石头灰亮而光滑,他握着石头,用手掌将它捂热,心里想着世间所蕴含的所有奥秘:层层岩石掩藏在地球的泥土与青草之下,石头黯淡呆板,中间却蕴藏着闪闪发亮的心。

The Memory Keeper's Daughter

一九七〇年

一九七○年五月

一

"他对蜜蜂过敏。"诺拉边对老师说边看着保罗跑过操场的新草。他爬到滑梯顶端，坐了一会，两只白色的短衣袖在风中拍打，然后滑下来，滑到底端时快乐的不得了。杜鹃花盛开，空气如同肌肤一样温暖，洋溢着昆虫与小鸟的鸣声。"他爸爸也是，严重得很。"

"别担心，"思罗克莫顿小姐回答。"我们会好好照顾他。"

年轻的思罗克莫顿小姐刚毕业，一头黑发，倔强而认真。她穿了一条长裙和坚固的平底鞋，视线从不离开在操场上玩的小朋友们。她似乎沉稳、能干、专注而且和善，但诺拉依然不完全信任她能善尽其职。

"他曾捡起一只蜜蜂，"诺拉毫不放松，"一只死蜜蜂；我的意思是说，只是一只躺在窗沿的蜜蜂，几秒钟之后他就肿得像个气球。"

"别担心，亨利太太。"思罗克莫顿小姐再次保证，口气有点不耐烦。她已经走到一旁帮一个眼睛进了沙的小女孩，清澈的声音有如钟铃般令人心安。

诺拉在明亮的春阳中逗留了一会，观看保罗。他正在玩捉迷藏，脸颊红彤彤的，两只手垂在身旁奔跑。他睡觉时也把手摆在两侧，像个婴儿。他一头黑发，但除此之外，大家都说他像诺拉。母子两人轮廓相似，皮肤白皙。没错，她确实在他身上看到自己的身影，戴维的身影也隐藏其中：保罗有他的下巴，耳朵的轮廓也一样。保罗喜欢站着，手臂交叉听老师讲话，这副模样也跟戴维如出一辙。但大部分时间，保罗就是保罗。他喜欢音乐，整天哼着自创的歌曲，虽然才六岁，但在学校已经担任独唱。他带着天真与自信迈步向前，诺拉看了大为惊叹。他甜美的歌声飘扬在礼堂中，宛如小溪中的流水一样清澈，充满了旋律。

此时他停下来蹲在另一个小男孩身旁。小男孩正用棍子拨弄一潭黑水中的树叶。他的右膝脱皮，绷带已脱落，阳光在他短短的黑发间闪烁。诺拉看着他认真而专注于手边的事。保罗，她的小儿子，活生生地存在于世上，光是这一点，就让诺拉难以自已。

"诺拉·亨利！我正想找你。"

她转头看到凯·马歇尔。凯穿着一条粉红长裤、嫩粉红的毛衣、金色的平底皮鞋，戴着一副闪闪发亮的金耳环。她推着一个古董柳编婴儿车，车里躺着她的新生宝宝，大女儿伊丽莎白走在她旁边。伊丽莎白比保罗晚生一个礼拜，出生之时天气忽然宛如初春，刚好在那场奇怪的突如其来的风雪之后。今天早上伊丽莎白穿着一件带有粉红圆点的亮白小洋装和白色的优质小皮鞋。她不耐烦地从凯身边溜开，跑向操场另一边的秋千。

"天气真好。"凯看着她跑开说，"诺拉，你还好吗？"

"我很好。"诺拉说，她压下摸摸头发的冲动，一心只想到自己穿了一件朴素的白衬衫和蓝裙子，也没有配戴任何首饰。不管何时何地，诺拉看到的凯·马歇尔总是这副模样：沉着、冷静，全身上下搭配得完美无瑕，小孩也打扮得漂漂亮亮，不吵不闹。诺拉总是想象自己是个跟凯一样的母亲，轻松自在地应付各种状况，天生冷静自持。诺拉敬仰她，但也忌妒她，有时她甚至想，如果她多像凯一点，沉着一点，多点安全感，说不定她的婚姻会有所改善，她和戴维说不定也会快乐一点。

"我很好。"她重复道，同时看着小女孩，宝宝睁大好奇的双眼盯着她。"安杰拉长得好大啰。"

诺拉一时冲动，俯下身抱起凯的二女儿。小宝宝跟她姐姐一样穿着粉嫩的小洋装，她在诺拉的怀中轻盈而温暖，伸出小手轻拍诺拉的脸颊，笑了起来。诺拉感到一阵欣喜。她想起保罗在这个年纪的感觉：他身上那股香皂和奶味，他那柔软的肌肤。她瞄瞄操场的另一端，他又开始跑着玩捉迷藏。现在他已经上学，也有了自己的生活，除非是生病，或是睡前要她念故事给他听，否则他再也不愿跟她窝在一起。真难想象他也曾这么小，也难想象他已经长成一个骑着红色三轮车，拿着棍子深深刺入水坑里，歌声如此优美的小男孩。

"她今天满十个月，"凯说，"你相信吗？"

"唉，"诺拉说，"时间过得好快。"

"你有没有去学校看看？"凯问，"你听说发生什么事了吗？"

诺拉点点头。"布丽昨晚打电话来。"那时她站着，一手拿着话筒，一手放在胸口，看着电视上模糊的画面：四个学生在肯特大学遭到枪杀。即使在列克星顿，这几个礼拜以来，气氛也愈来愈紧张。报上都是关于战争、示威和动乱的消息。世界动荡不安，面临着改变。

"真吓人。"凯说，但口气沉稳，听来带着责备，而非担心难过，好像她提到某人离婚时发出的口气。凯接过安杰拉，亲亲她的额头，轻轻地将她放回婴儿车里。

"我知道。"诺拉同意。她也用同一种口气，但对她而言，这种动乱似乎打动了她的心，反映出这些年来她心中的动荡。一时之间，她感到另一股强烈的妒意。凯过着单纯天真的生活，她没有受过失去亲人的打击，也深信生活就是如此安稳。菲比过世时，诺拉的世界就变了。她已失去菲比，每次一想到未来，总觉得她可能失去更多。因此，所有的喜悦之情都变成麻木的解脱感。戴维总让她放轻松一点，雇个人帮忙,别把自己逼得太紧等等,她的各项规划、安排和计划让戴维越来越气恼。但诺拉没办法闲着不做事,那会令她极度不安,于是她安排大小事情填满时间,心中总有股急切的感觉,好像她一松懈下来,即使只是一会儿,灾难就会接踵而至。近午时分这种感觉最厉害,她几乎总得喝一杯杜松子酒,有时是伏特加,藉此熬到下午。她喜欢那种如光线般扩散到全身的平静。她也小心地躲着戴维把酒藏起来。

"嗯,"凯说话了,"我想先跟你说一声,我们非常乐意参加你的派对,但会迟一点过去。你需要我带什么东西过去吗?"

"人来就好。"诺拉说,"一切都准备得差不多了。我只是必须回家摘除一个黄蜂窝。"

凯稍微睁大双眼。她出身于列克星顿的老式家族,套用她的话,家中雇了各种"下人":清理游泳池的人、扫地的人、除草的人和料理餐点的人。戴维总说列克星顿就像城市中的石灰石地基:层次分明,标示出每个人的阶层与归属。你位于哪个阶级早被注定。无疑,凯一定也雇了除虫的人。

"黄蜂窝?你好可怜啊!"

"没错,"诺拉说,"一窝黄蜂,它们的巢刚好吊在车库外面。"

看到凯惊讶的样子,即使只是稍微吃惊,诺拉也觉得高兴。她喜欢这个听来实在的任务,黄蜂、工具、拆卸黄蜂巢,诺拉希望这事会花上一早上的时间。不然的话,她说不定又会开车出去,车里摆着一个银色的小酒瓶,飞速前进。近来她经常这么做。她不到两小时就能开到俄亥俄河,还曾开到路易斯维尔,梅斯维尔、甚至辛辛那提。她把车停在岸边,下车,望着远处永不停息的河水。

学校铃声响了,孩子们鱼贯而入。诺拉搜寻黑发的保罗,看着他消失。"我真喜欢看到我们的孩子一起唱歌,"凯边说边抛给伊丽莎白一个飞吻。"保罗的声音真美,实在很有天赋。"

"他喜欢音乐，"诺拉回答，"一直很喜欢。"

这是真话。他三个月大时，有天她跟朋友讲话，他忽然开始咿咿呀呀，一连串音符流泄到屋里，好像光束中忽然冒出花朵。大伙马上悄然无声。

"其实我正想跟你商量这件事，诺拉。我下个月要举办一个募捐派对，派对的主题是灰姑娘。我最近一直想多找几个小仆人，后来我想到保罗。"

诺拉不由自主地感到一阵喜悦。自从布丽的结婚与离婚丑闻之后，她就放弃了希望，认定自己不可能受到这种邀请。

"小仆人？"她重复一次，仔细考虑这个提议。

"嗯，那是最棒的角色。"凯耳语似的说，"不只是小仆人，我还想请保罗表演，他会跟伊丽莎白一起合唱。"

"哦，原来如此。"诺拉说，这下她了解了。伊丽莎白的歌声虽然甜美，但很微弱，愉悦中带着一丝勉强，好像一月冒出来的花苞。若无保罗支持，她的声音不足以压过全场。

"他如果愿意参加，大家都会感激不尽。"

诺拉慢慢地点头，不但失望，也气自己居然在乎。但保罗的声音纯净、高昂，他会喜欢扮演小仆人的，况且最起码这个派对会像那些黄蜂一样，让她的日子多了个重心。

"好极了！"凯说，"啊，太好了。我希望你不介意，"她加了一句，"我自作主张帮他预订了一套燕尾服，我就知道你会答应！"她瞥了一眼手表，很有效率地准备离开。"真高兴见到你。"她边说边挥手，推着婴儿车走了。

操场空荡荡的。一张糖纸回旋飞过春天茂盛的草坪，掉落在火焰一般的粉红杜鹃花丛中。诺拉走过颜色鲜艳的秋千和滑梯到车子旁。河水奔腾，令人心情沉静。河流召唤着她。只要两小时，她就到了；飞速急驶，疾风飞扬，再加上河流的诱惑，几乎令人难以抗拒。上次学校放假时，她居然一口气开到路易斯维尔。保罗吓得静静地坐在后座。她的头发被风吹得乱七八糟，杜松子酒的后劲已逐渐消退。这就是河流，她说，她握着保罗的小手，母子两人站在一起看着混浊、奔腾的河水。好，我们这就去动物园，她宣布，仿佛从一开始就打算去动物园。

她离开学校，经过绿树成排的街道开车进城。她驶过银行和珠宝店，心中的渴求和天空一样宽广。行经"世界旅行社"时，她放慢车速。昨天她来过这里面试。先前她在报上看到广告，橱窗中绚丽的标志也吸引了她：闪闪发亮的海滩和房屋，鲜明的天空和色彩。走进去之前，她对这份工作兴趣不高，但面试时她忽然很想得到这份工作。她身穿印花亚麻衣服坐着，白色的皮包搁在大腿上，一心只想被录取。旅行社的老板叫做皮特·华伦，年届五十，秃顶。他拿着铅笔轻敲笔记板，开"肯塔基野猫篮球队"的玩笑。她看得出来他喜欢她，即使她是英语系毕业，而且没有经验。他今天应该会打电话给她。

有人在她后面按喇叭，诺拉加速。这条路贯穿市中心，而且和公路交接。当她接近大学时，交通越来越繁忙，街上挤满了人，她只能放慢车速，后来不得不停到路旁。她下车，把车留在那里，校园深处依稀传来阵阵声浪，节奏分明，高昂激动，吟唱声中充满了精力，仿佛树上开苞绽放的树芽。在这一刻，她的冲动与渴求似乎得到响应。她加入人潮，随着前进。

空气中弥漫着汗味和印度香油的气味，阳光照在她手臂上暖洋洋的。她想到仅在一英里之外的小学，校园平凡而井然有序；她想到凯·马歇尔不以为然的口气，但她还是继续往前走。肩膀、手臂和头发擦过她的身体，人潮开始慢了下来，围成一圈。ROTC大楼前面聚集了一群人。两个年轻人站在大楼台阶上，其中一人手执扩音器。诺拉也停了下来，等着看接下来有何发展。其中一位年轻人身穿西装外套，打着领带，高举美国国旗，星条旗在空中飘扬。她观看之时，另一个也穿戴整齐的年轻人站在台阶边缘举起拳头，刚开始火焰并不明显，只是一团闪闪发光的热气。然后火焰吞噬了星条旗，火光直上，紧逼着树叶以及清朗的蓝天。

诺拉看着一切宛如慢动作般地发生。一片动荡中，她看到布丽跟着大楼附近的人群移动，忙着散发传单，一头长发扎成马尾辫，紧贴着长袖白上衣甩来甩去。诺拉在布丽消失的一瞬间前，看见妹妹脸上的决然与兴奋之情，心想布丽真的好美。诺拉又感到一股火焰般的妒意，她真忌妒布丽的果断和豪放。诺拉奋力挤过人群。

她又看见她妹妹两次。布丽的金发一闪而过。她还看到布丽的侧面，最后她终于走到布丽面前。此时布丽已经站在路旁，跟一个满头红发的年轻人说话，他们讲得义愤填膺。当诺拉终于碰到她的手臂时，她转过身，一脸困惑，视而不见，呆呆地瞪了诺拉好一会才认出是姐姐。

"诺拉？"她说。她一只手搭在红发男子的胸前，姿态决然而亲密，诺拉看了心头一震。"这是我姐。"布丽解释，"诺拉，这是马克。"

他笑也没笑地点头，跟诺拉握握手，上下打量她。

"他们放火烧了国旗。"诺拉说，再度觉得自己穿错了衣服。先前在操场上她感到衣着不得体，现在亦然，只是现在的理由与先前完全不同。

马克微微眯起褐色的双眼，耸了耸肩。

"他们曾去越南打仗，"他说，"所以我想他们自有道理。"

"马克在越南失去了半只脚。"

诺拉发现自己往下瞥一眼马克的靴子，靴子高到他的脚踝。

"前半段，"他边说边轻拍右腿，"脚趾头和其他部分。"

"噢。"诺拉说，感到非常尴尬。

"马克，我能跟我姐说几句话吗？"布丽问。

他瞥一瞥骚动的人群。"我看不行，接下来轮到我演说。"

"没关系,我马上就回来。"布丽边说边拉着诺拉的手,把她拉到几英尺之外,匆匆躲在一排梓树下。

"你在这里干么?"她问。

"我也不知道。"诺拉说,"我看到人潮,觉得非得停下来不可,如此而已。"

布丽点点头,银耳环闪闪发光。"真令人惊讶,不是吗?这里最起码有五千人。我们本来只预期有几百人。这都是因为肯特大学。世界末日到了。"

什么末日?诺拉心想,树叶在她身旁飘动。此时彼处,思罗克莫顿小姐正在呼喊学生;皮特·华伦坐在亮闪闪的旅游海报下开票。阳光之下,成群的黄蜂在她的车库旁懒洋洋地飞舞。世界会在这样一天走到末路吗?

"那是你的男朋友吗?"她问,"你跟我提过的那一个?"

布丽点点头,脸上露出私密的微笑。

"哦,瞧瞧你!你谈恋爱啦。"

"我想是吧,"布丽轻声说,瞄了瞄马克,"我想我是。"

"嗯,我希望他对你很好。"诺拉说,语气像极了她母亲,自己听了都深感厌恶。但布丽快乐得什么也没说,只是笑笑。

"他对我不错。"她说,"对了,这个周末我可以带他去你的派对吗?"

"当然。"诺拉说,但心中一点也不确定。

"太好了,哦,诺拉,你得到那份你想要的工作了吗?"

梓树树叶像一颗颗轻柔的绿心在风中飘动,她们周围的人群嘈杂而晃动。

"我还不知道。"诺拉回答,心里想着那个格调高雅、色泽鲜丽的办公室。忽然间,她的抱负似乎显得微不足道。

"但面试进行得如何?"布丽逼问。

"嗯，进行得不错。我只是不确定想不想要那份工作。"

布丽把一簇头发塞到耳后，皱皱眉头。

"为什么不？诺拉，昨天你还说想要那份工作，听起来特别兴奋。戴维说了什么，对不对？他说你不能出去工作？"

诺拉气愤地摇摇头。"戴维根本不知道，布丽。那只是旅行社的一间小办公室，无聊、庸俗，你可不会愿意在那里闷死。"

"我不是你。"布丽不耐烦地指出，"你也不是我。老天爷啊，诺拉，你想要这份工作，因为工作很光鲜，而且你需要独立。"

没错，她想要这份工作，但她也感到心中怒火丛生：布丽可以在这里煽动革命，难道也能指派给她一个朝九晚五的生活吗？

"我只打字，不是出外旅游，我得花好多年才能争取到一趟免费旅游，布丽，这不见得是我所想要的生活。"

"推推吸尘器就是吗？"

诺拉想到狂风、俄亥俄河，奔腾的河水离此只有八英里。她紧闭着双唇，没有回答。

"你真让我受不了，诺拉，你为什么害怕改变？你为什么不能顺其自然，洒脱一些呢？"

"我是啊，"她说，"我就是在顺其自然啊。你不明白的。"

"你把头埋在沙里，我看到的就是这样。"

"你除了下一个可以交往的男人之外，什么也没看到。"

"好了，够了。"布丽向前走一步，马上被人潮淹没；前方闪过一抹色彩，随后消失无踪。

诺拉在梓树下站了一会，被一股不知名的愤怒气得发抖。她到底是怎么回事？她怎么可能基于南辕北辙的原因，一下子妒忌凯·马歇尔，一下子妒忌布丽？

她好不容易穿过人潮，走回车旁。经历了戏剧化的示威之后，市内的街道似乎平淡无奇，单调乏味，无聊至极。她已经花了太多时间，再过两小时就得去接保罗，这下没有足够的时间开到河边了。回家之后，诺拉在明亮的厨房里为自己调了一杯杜松子酒。玻璃杯在她手中牢固而冰凉，冰块闪烁着令人愉悦的光泽。她走到客厅，驻足在那张她站在天然石墙上的照片之前。当她想起那一天的健行与野餐时，她从未想过这一刻。她倒是记得世界在遥远的下方展开，阳光与微风拂过她的肌肤。让我帮你拍张照片，戴维大喊，口气相当坚持。她转身看到他屈膝、对焦、试图保存那个其实从未存在的时刻。相机确实是个好礼物，但她却感到后悔。戴维喜欢照相到了着迷的地步，已经在车库上面盖了一个暗房。

戴维。随着年岁消逝，他怎么会变得越来越熟悉，却又越来越难了解？他留了一对琥珀袖扣在相片下方的小柜上。诺拉拿起袖扣，把它们放在掌心，听着客厅里的时钟轻声滴答，琥珀在她手心中发暖，平滑得令人心安。她四处都找得到石头：堆放在戴维的口袋里，散置在衣柜上，塞在抽屉的信封里。有时她看见戴维和保罗在后院，两人低着头，似乎在观察某块石头。她看在眼里，心中总是充满带点忧虑的喜悦。这种时刻非常罕见。这些日子戴维很忙。停一停，诺拉想说，停一停，多花点时间陪保罗，你的儿子长得好快。

诺拉把袖扣放进口袋，端着酒杯走到屋外。她站在薄薄的蜂巢下，看着黄蜂绕着蜂巢飞舞，然后消失在巢内。偶尔有只黄蜂受到酒香的吸引，飞近她身旁。她边啜饮边观看，肌肉与细胞逐渐放松，仿佛吞咽下春日的温煦。她把酒喝光，把玻璃杯放在车道上，走进屋里找到园艺手套和帽子，绕过保罗的三轮车。三轮车现在已经太小，她应该把车子和婴儿衣物、旧玩具等东西一起打包。戴维不想再要小孩。现在保罗已经上学，她也放弃再和他争辩。虽然很难想象重新回到尿布、半夜两点起来喂奶的日子，但她经常渴望怀里再抱个宝宝。就像今天早上的安杰拉，那种暖暖、沉沉的甜蜜。凯真幸运，而她甚至不自觉。

诺拉拉拉手套,走回太阳下。她对黄蜂或蜜蜂一无所悉,只有八岁的时候被蜜蜂蜇了脚趾头,痛了一小时就没事了。当保罗捡起死蜜蜂,痛得大声哭喊时,她一点都不惊慌。她用冰块消肿,搂着他在长廊的摇椅上坐了很久。她以为一切应当没事,但他手部的红肿迅速扩张,脸愈来愈浮肿。她高声呼唤戴维,声音中充满惊恐。他马上知道出了什么事、该打什么针,不到一会保罗的呼吸就逐渐缓和。一切平安无事,戴维说;话是没错,但她依然害怕极了。如果当时戴维不在家怎么办?

她看了黄蜂几分钟,想着山丘上的示威者和这纷扰不定的世界。她遵循大家的期望行事,向来如此。她上大学,找到一份普通的工作,嫁了个好丈夫。但自从孩子们出生之后,诺拉再也想不透昔日的生活。保罗双臂大张,斜着身子滑下滑梯,菲比却不知何故透过死亡而存在,屡屡出现在她的梦中,时时刻刻站在看不见的边缘。失去女儿令她感到无助,于是她把日子排得满满当当,藉此抵抗这种无助。

此时她带着使命感研究手中的工具,打算自己对付这些黄蜂。

长柄锄刀在她手中沉甸甸的。她慢慢将它举起,猛力朝着蜂巢一挥,刀刃轻易地削过薄薄的蜂巢。开头这一击相当刺激,但当她拉回锄刀时,愤怒而决绝的黄蜂从破裂的巢中一拥而出,紧跟在她身后飞舞,其中一只蜇了她的手腕,另一只蜇了她的脸颊。她扔下锄刀跑进屋内,用力带上门,背靠着门站立,喘不过气来。

屋外黄蜂绕着圈子飞舞,在破损的蜂巢周围生气地嗡嗡叫。有些黄蜂停在窗沿上,轻轻挥动精致的翅膀。愤怒的黄蜂让她想到今早看到的那群学生,也让她想到她自己。她到厨房里再调一杯酒,用杜松子酒轻轻拍打脸颊和手腕。被黄蜂蜇到的伤口已经肿了起来。杜松子酒劲道强烈,令人愉悦,她感到全身充满暖意,轻松自在,而且活力充沛。离开家去接保罗之前,她还有一小时。

"好吧，你们这些该死的黄蜂，"她大声说，"你们等着瞧。"

柜子里的外套、鞋子和吸尘器上方有罐驱虫剂。钢青色的伊莱克斯吸尘器仍是全新。诺拉想到布丽将金发拨到脸颊旁说，推推吸尘器，那就是你想过的日子吗？

诺拉朝着门口走去，走到一半就心生一计。

黄蜂非常忙碌，已经开始重新筑巢。诺拉拿着伊莱克斯吸尘器再度走出户外，它们似乎没注意到她。吸尘器安坐在车道上，看来好像一只青色的小钢猪，感觉奇怪而不协调。诺拉重新戴上手套、帽子，套上夹克，还拿围巾包住脸。她把吸尘器插上插头，按下开关。吸尘器低声哼叫了一会儿，声音在空旷的室外出奇细微。然后她拿起吸嘴，勇敢地插入残余的蜂巢里。黄蜂嗡嗡叫，愤怒地四处乱飞。光看着它们，她的脸颊和手臂就感到刺痛。但黄蜂很快就在嘎嘎声中被吸了进去，宛如橡实在屋顶上弹跳。她拿着吸嘴朝向空中挥舞。好一个魔杖，吸进了所有愤怒的黄蜂，捣碎了精密的蜂巢。她很快就将黄蜂一网打尽。她让吸尘器继续运转，同时想办法盖住吸嘴。她不想让这些勤奋、专心一意的黄蜂逃出来。阳光是如此温暖，酒精让她感觉轻松。她把吸嘴塞到土里，吸尘器开始发出使用过度的声音。这时她注意到车子的排气管：对啊，吸嘴刚好塞得进去。她满意极了，心中充满成就感，她关掉吸尘器，走进屋内。

在浴室的澡缸中，阳光透过雾蒙蒙的窗户照了进来。她解开围巾，脱下帽子，打量镜中的自己：深绿色的双眼，一头金发，一张脸因忧虑而削瘦。她的头发塌了下来，全身是汗，脸颊上有道发炎的红肿，她轻咬嘴唇内侧，心想戴维眼中的她是什么模样？她究竟是谁？她一会儿试图融入凯·马歇尔的世界，一会儿想和布丽的朋友们一样，一会儿又疯狂地飙车到河边，在任何地方都没有归属感。戴维看到了哪一个她？或者，每天晚上睡在他身旁的是个完全不同的女子？她还是她自己，是啊，但又完全不像她眼中的自己，也不像他以前认识的她；而每晚戴维回家后，仔细把西装外套挂在椅子上，翻开晚报阅读时，她所看到的他，也不是当初嫁的那个男子。

她擦干双手，放些冰块在发肿的脸颊上。支离破碎、空荡荡的蜂巢悬挂在车库屋檐下，伊莱克斯吸尘器蹲放在车道上。与车子的排气管之间有条长长的褶状的吸管，宛如一条在阳光下闪闪发光的银白色脐带。她想象戴维回家看到黄蜂消失了，后院也布置好了，派对的每个细节都规划得完美无缺。她希望他会感到惊喜而满意。

她瞄了一眼手表，该去接保罗了。诺拉在后院的台阶上停下来，在皮包里胡乱摸索家里的钥匙。车道传来奇怪的声音，她抬头张望。那是某种嗡嗡声，她起先以为是黄蜂开始逃跑，但澄蓝的空中清朗而空荡。过了一会，嗡嗡声变成吱吱响，然后传来一股电线烧起来的臭气。诺拉慢慢想通了：原来声音来自伊莱克斯吸尘器。她赶紧跑下阶梯，双脚踩在柏油路面上，一只手伸向春日明朗的空中。这时吸尘器忽然爆炸，四分五裂，接也接不着。碎片飞过茂盛的草坪，撞上了篱笆，力道猛得撞坏了一根木条。蓝色的机器掉落在杜鹃花丛中，油油的污气冒出烟雾，好像受了伤的小动物在哀鸣。

诺拉伸着手直挺挺地站着，跟戴维的照片一样冻结在时光之中。她试图了解究竟发生了什么事。汽车的排气管被扯下来一片，她一看就明白了：汽油油烟堵在吸尘器依然发热的引擎中，引发吸尘器爆炸。诺拉想到保罗。这个对蜜蜂过敏，音色有如长笛的小男孩如果在家，说不定会受到牵连。

她观看之时，一只黄蜂从冒着烟的排气管中摇晃地飞出来，展翅飞去。

不知怎么，诺拉看了受不了。她费了功夫，想出巧计，虽然用尽全力，黄蜂却依然逃脱。她走过草坪，迅速、毫不犹豫地打开吸尘器，伸手探入烟雾之中，拉出满是尘土与黄蜂的滤纸纸袋。她把纸袋丢在地上，疯狂地用力践踏。纸袋沿着边缘裂开，一只黄蜂趁机飞出，她马上一脚踩上去。她为了保罗而搏斗，部份也是为了自己。你害怕改变，布丽对她说，你为什么不能顺其自然？但顺其自然做什么？诺拉思索了一整天，顺其自然做什么？曾有一度，她清楚得很：她是女儿、学生、长途电话的接线生，而她也从容而自信地扮演着这些角色；后来她成了未婚妻、年轻的妻子和母亲，而她却发现这些角色太过狭隘，根本无法包容她的体验。

即使纸袋里的黄蜂已经全被踩死，诺拉依然在一团纷乱中专注地疯狂着。在这世上，以及在她心中，有的事正逐渐成形，有的事也在产生变化。那天晚上，当校园中的 ROTC 大楼被烧成灰烬，温暖的春夜中绽放着明亮的火光，诺拉会梦见黄蜂和蜜蜂。朦胧的大黄蜂浮过茂盛的草丛；第二天她会换个新吸尘器，根本不把这件意外告诉戴维；她会取消那件为了凯·马歇尔募捐派对而预定的燕尾服，也将接下那份工作。是啊，光鲜、刺激，而且是属于她的生活。

这些都会发生，但目前她没想到这么多，只是不停地跺着双脚。纸袋慢慢变成一摊肮脏的翅膀和蜂刺。远处依稀传来示威群众的嘶吼，逐渐高涨的声浪飘过温暖的春日，传到她所站立之处。血液在她脉搏中跳动，那里发生的事，同样在这里发生；在她宁静的后院中，在她神秘的内心深处，感情已然迸裂。从某些方面而言，生命再也不可能回到原来的样子。

一只黄蜂在茂盛的杜鹃花丛旁嗡嗡叫，然后气恼地离开。诺拉跳开扁烂的纸袋，头昏脑胀地走过草地，搜寻她的钥匙。她坐上车，仿佛今天跟其他日子没什么两样似的，开车去接儿子。

二

爸爸？爸爸？

一听到保罗的声音还有他轻快地踏上车库楼梯的步伐，戴维随即从相纸前抬起头来，他刚把相纸放进底片显像剂里。

"等等，"他大喊，"一下子就好，保罗。"但他说话的同时，门被猛然推开，光线跟着溜进室内。

"该死的！"戴维看着纸张迅速变黑，影像在突然涌入的光线中消失无踪。"真该死，保罗，我不是跟你说了一万、一亿、一兆次，红灯亮着就不要进来吗？"

"对不起，爸爸，对不起。"

戴维深呼吸，镇定下来。保罗才六岁，站在门口的他，看起来好小。"没关系，保罗，进来吧。对不起，我不该大声吼你。"

他蹲下来伸出双臂，保罗投入他的怀中，把头靠在他的肩上。保罗新剪的头发贴着他的脖子，竖立的发丝感觉柔软又僵硬。保罗个头小，个性偏强，健康强壮。这个小男孩像水银一样四处流窜，安静、谨慎，而且急着取悦他人。戴维亲亲他的额头，后悔先前对他发脾气。他赞赏地摸摸儿子的肩胛骨，骨头细致而完美，宛如翅膀一样在层层肌肤下延展。

"好吧，什么事情这么重要？"他坐在自己脚后跟上问道，"什么事情重要到毁了我的照片？"

"爸爸，你看！"保罗说，"你看我找到了什么！"

他展开小小的拳头，掌心中躺着几块扁平的石头。小小的石头跟纽扣一般大小，中间有个小洞。

"太棒了，"戴维边说边拿起一块石头，"你在哪里找到这些石头的？"

"昨天我跟贾森到他爷爷的农场，那里有条小溪。你得小心一点，因为贾森去年夏天看到一条铜斑蛇。但现在变冷了，蛇不会跑出来，所以我们到溪边玩。我在溪边找到这些石头。"

"哇。"戴维摸摸这些化石，石头质轻细致，具有数千年历史，它们所保存的时光，显然远远超过任何相片。"这些化石以前是海百合的一部分，保罗，你知道吗？很久很久以前，肯塔基州大部分曾在海平面下。"

"真的吗？太酷了，岩石书里有照片吗？"

"或许吧，等我把这里整理好，我们马上查查看。我们还有时间吧？"他加了一句，踏出暗房看看外面。那是个美好的春日，空气轻暖，花园里外开满了茉萸。诺拉已经布置好桌子，桌面上盖着鲜艳的桌布。她还摆了盘子、混合果汁、椅子、餐巾和插了花的花瓶，五朔节花柱上面飘满了缎带，光鲜地矗立在后院中央一棵瘦长的白杨树旁，这也是由她亲自打点。戴维表示愿意帮忙，但她拒绝了。你别碍事，她对他说，这就是你能帮的大忙。于是他依言闪到一旁。

他踏回暗房。暗房内红光黯淡，弥漫着刺鼻的化学药剂味，清凉而隐密。

"妈妈正在化妆打扮，"保罗说，"我不该把衣服弄脏。"

"这还真难办到。"戴维一边评论，一边把装了定影液和显影剂的瓶子摆到保罗够不到的高架子上。"进屋去，好吗？我马上过去。我们一起查查那些海百合。"

保罗跑下楼梯。戴维瞥见儿子飞奔过草地，用力带上家里的纱门。他把托盘洗干净，把它们摆好晾干，然后从显影剂中取出胶卷，把胶卷收起来。暗房里安宁、清凉、安静，他在里面多待了几秒钟，然后去找保罗。屋外，桌布在微风中飘摇，盘上摆着纸编的五朔节花篮作为装饰，篮中插满了春天的花朵。昨天是五朔节，保罗带着类似的花篮到邻居家，把花篮挂在家家户户的门上，敲敲门，然后快步跑开，躲在一旁看着大家发现花篮。这是诺拉的点子，显示出她的巧思、精力、想象力。

她在厨房里，珊瑚色的丝质套装外面罩了件围裙，正在肉品拼盘上摆饰荷兰芹和小西红柿。

"一切都准备好了吗?"他问,"外面看起来好极了。我能帮什么忙吗?"

"换件衣服吧?"她建议,同时瞄了一眼时钟,用毛巾擦干双手。"先把拼盘放进楼下的冰箱,好吗?这个冰箱已经满了。谢谢。"

戴维接过拼盘,手中的玻璃盘冷冷的。"多费工夫,"他评论道,"为什么不请人帮你筹备这些派对呢?"

他只想提意见,但正走向门口的诺拉停了下来,皱起眉头。

"因为我喜欢。"她说,"规划、调理食物,我全都喜欢;因为我喜欢从什么都没有当中,制作出漂亮的东西。我有许多天赋,"她冷冷地加了一句,"不管你知不知道。"

"我不是那个意思。"戴维叹了口气。这些日子来,他们像两颗循着轨道,绕着同一个太阳运转的星球,不至于相撞,但也拉不近距离。"我只是说,为什么不雇些帮手呢?雇几个人来外包吧,我们负担得起。"

"这不是钱的问题。"她摇摇头说,然后走出去。

他把拼盘放好,走到楼上刮脸。保罗尾随在后,坐在澡缸边缘,后脚跟踢着瓷砖,滔滔不绝地说话。他喜欢贾森爷爷的农场。他在那里帮忙挤牛奶,贾森的爷爷让他喝些鲜奶。牛奶暖暖的,喝起来有青草的味道。

戴维用一支柔软的刷子把肥皂抹在脸上,享受聆听的乐趣。刮胡刀的刀锋平滑、工整地贴着肌肤移动,在天花板上反射出一闪一闪的光点。片刻之间,世界似乎停驻在半空中,静止不动:春天温暖的气息、肥皂的香味,以及他儿子兴奋的声音。

"我挤过牛奶。"戴维说。他擦干脸,伸手拿衬衫。"我以前能把牛奶直接挤到猫咪嘴里。"

"贾森的爷爷就是这么做的!我喜欢贾森,我真希望他是我兄弟。"

戴维系上领带，看着保罗在镜中的身影。寂静中却非全然无声：水槽的水龙头滴着水，时钟悄悄地滴答响，衣服轻声互相摩擦。此时，他想到女儿。每隔几个月，翻看办公室的信件时，他总看到卡罗琳弯曲的字迹。虽然前几封信寄自克里夫兰，但每个信封的邮戳都不相同。有时卡罗琳附上一个新的邮政信箱号码，代表着陌生大城市的某一处。她每附上邮政信箱号码，戴维就寄钱过去。他们向来不熟，但这些年来，她写给他的信却越来越私密。最近一封信说不定是从她日记里撕下来的，信的开头称他亲爱的戴维或仅仅是戴维，而后她的思绪奔腾而出，跃然纸上。有时他把信扔在一旁，不去拆阅，但最后总是从垃圾桶里把信捡回来，很快地读一遍。他把信件锁在暗房的档案柜里，这样一来，只有他知道信件在哪里，诺拉绝对不会发现。

多年之前，当他开始收到信时，戴维有次花了八小时开车到克里夫兰。他在市内走了三天，研读各处的电话簿，而且到各家医院打听。在邮政总局，他的指尖触摸 621 号信箱的黄铜小门，但局长不肯透露信箱租户的姓名或地址。好，我就站在这里等，戴维说。男人耸耸肩。请便，他说，但你最好带点吃的东西，这些邮箱可能好几个礼拜才有人来开。

最后他放弃，回到家中，让日子一天天地过去，让菲比就在没有他的环境下长大。每次寄钱过去，他都附上一张便条，请卡罗琳告诉他她住在哪里，但他没有逼问，也没有雇私家侦探找她。他觉得要不要出现是她的决定，其他人强迫不来；但他依然想找到她。他相信一旦找到她，他就能弥补过失，也能告诉诺拉实情。

对此，他坚信不移。他每天早上起床，走到医院；他动手术，检查X光片，回家，推着除草机除草，陪保罗玩。他的生活相当充实。即使如此，每隔几个月，毫无预警地，他总在卡罗琳·吉尔的注视中醒来。梦里她站在诊所走廊或是教堂后院里盯着他。他醒来，全身颤抖，披上衣服，走到书房或是暗房里，在里面写文章，或是帮底片洗个化学药水澡，看着影像凭空浮现。

"爸爸，你忘了查那些化石了。"保罗说，"你答应我的。"

"没错，"戴维说，调整一下领带，将自己拉回现实，"没错，儿子，我是答应过。"

他们一起下楼走到小客厅，在书桌上摊开那本熟悉的书。化石是海百合纲类动物，类属身体呈花朵状的海中小动物。纽扣般的石头曾是构成枝干的带板。戴维把头轻靠在保罗的背部，感觉儿子的肌肤特别温暖，特别生气勃勃，细致的脊椎骨正好在皮肤之下。

"我要拿给妈妈看。"保罗说。他抓起化石，飞奔过家里，从后门跑出去。戴维倒了一杯饮料站在窗边。几位宾客已经来了，分散在草地各处。男士们穿着深蓝色夹克，女士们则如同春天鲜艳的花朵一样身着粉红、鲜黄、及粉蓝。诺拉穿梭在众人之间，拥抱女士们，跟大家握握手，帮人引介。戴维刚认识她时，她非常安静、沉着、自制、谨慎，他怎么也想不到她会变成现在这个样子，大方自在地主办派对，每一个细节都规划周详。戴维看在眼里，心中充满了某种渴求。渴求什么呢？或许渴求他们曾经拥有的生活吧。诺拉似乎非常高兴，面带微笑地站在草地上。但戴维知道这种成就感是不够的，甚至持续不了一天。到了晚上，她就会接着计划下一件事。他若晚上醒来，顺着她的背部轻抚，想要吵醒她，她会喃喃两句，双手握住他的手，转过身去，从头到尾连醒都没醒。

此刻保罗正在荡秋千，飞向蓝天高处。他在海百合化石上穿了根绳，挂在脖子上。石头起起落落，贴着他小小的胸膛弹跳，有时猛然敲到秋千的铁链上。

"保罗，"诺拉大叫，声音清楚地从开着的纱门外传进来，"保罗，把那个东西从脖子上拿下来，太危险了。"

戴维拿着饮料走到外面，到草地上找诺拉。

143

"别这样，"他一边轻声说一边把手放在她的胳膊上，"那是他自己做的。"

"我知道，绳子是我给他的，但他可以等一会再戴。如果玩到一半跌倒，被绳子缠住，他会窒息的。"

她特别紧张。他把手垂了下来。

"那不太可能。"他说。他真希望能够抹去丧失亲人的伤痛，以及伤痛对他们造成的影响。"坏事不会发生在他头上的，诺拉。"

"你怎么知道？"

"戴维说的没错，诺拉。"

声音从后面传来，他转头看到布丽。她的狂野、热情与美丽如风一般扫过他们家。她穿了一件质料轻薄的春装，衣服似乎随着她的移动而飘扬。她跟一个年轻人手牵着手。年轻人比她矮，衣着整齐，一头红色短发，穿着凉鞋，领口敞开。

"我是认真的，布丽。他会被绳子缠住，可能窒息。"诺拉也扭过头，依然坚持。

"他在荡秋千。"布丽轻声告诉她。与此同时，保罗在蓝天下飞得好高，头往后仰，阳光照着他的脸庞。"你瞧瞧，他玩得多开心。别叫他下来，也别这么担心。戴维说得没错，不会出事的。"

诺拉勉强挤出微笑。"不会吗？世界可能走到末日，你昨天就这么说。"

"但那是昨天。"布丽说。她碰碰诺拉的手臂，她们对望，久久地注视对方。片刻之间，姐妹心灵相通，其他人都无法理解。戴维感到强烈的羡慕，忽然想起他的妹妹：他们兄妹俩藏在厨房桌子下，从油布的缝隙中往外偷看，笑得喘不过气来。他想起她的双眼、她温暖的手臂，和有她相伴的快乐。

"昨天发生了什么事？"戴维问，勉强将回忆推到一旁。但布丽没理他，继续跟诺拉说话。

"姐,对不起。"她说,"昨天有点乱了头绪,我说得太过分了。"

"我也很抱歉。"诺拉说,"很高兴你来参加派对。"

"昨天怎么了?布丽,你在起火现场吗?"戴维又一次问道。他和诺拉半夜在警笛声中醒来,空气中充斥着刺鼻的烟雾,夜空诡异地闪闪发光。他们走出户外,和邻居们站在漆黑、安静的草地上,露水浸湿了大伙的脚踝。校园中的 ROTC 大楼正遭大火吞噬。这些天来,炮弹落在湄公河沿岸的城镇,人们四处奔逃,怀里抱着他们垂死的孩子;示威愈演愈烈,空气中弥漫着紧张的气氛,虽然无影无形,却十分真实。此时此刻,在俄亥俄州河岸的另一端,四名学生已经身亡,但肯塔基州的列克星顿却没有人能想到这些情景:汽油弹、燃烧中的大楼、大批警察奔向街上,等等。

布丽转向他,长发甩过肩头,摇了摇头。"不,我不在那里,但是马克在。"她朝着身旁的年轻人微笑,把纤细的手臂滑到他的手臂下。"这位是马克·贝尔。"

"马克曾去越南参战。"诺拉加了一句,"他到这里示威反战。"

"哦,"戴维说,"一位煽动者。"

"我想他是个示威者。"诺拉一边更正一边隔着草坪挥手。"凯·马歇尔在那边。"她说,"对不起,我得失陪一下。"

"好吧,示威者。"戴维重复。他看着诺拉走开,微风轻扫过她丝质套装的衣袖。

"没错。"马克说,语气中带点刻意的自嘲,口音听来有点熟悉,低沉而有旋律感,令戴维想起他父亲的声音,"努力争取正义与公理。"

"昨晚的新闻报导提到过你。"戴维说,忽然记起此人,"你在发表演说。嗯,这场大火想必让你称心如意。"

马克耸耸肩。"我不称心如意,也不感到抱歉。事情发生了,仅此而已。我们还得继续努力。"

"戴维,你为什么这么不友善?"布丽问,一双绿色的大眼睛瞪着他。

"我没有不友善。"戴维说。其实话一出口,他就知道自己确实心怀敌意,他也察觉到自己讲话时将元音拉长。"我不过是问些问题,没有其他用意。你从哪里来?"他问马克。

"西弗吉尼亚州,艾尔金斯一带,你为什么问我这个问题?"

"我只是好奇。我以前有亲戚住在那里。"

"这点我倒不晓得,戴维。"布丽说,"我以为你是匹兹堡人。"

"我以前在艾尔金斯附近有亲人,"戴维重复,"很久以前。"

"是吗?"马克的眼光比较不具戒心,"他们在矿上工作吗?"

"有时候冬天会下矿。他们有个农场,日子过得很苦,但不像矿工那么辛苦。"

"他们的地还在吗?"

"还在。"戴维想到那栋他将近十五年没见过的房子。

"明智之举。我爸把家产卖了。五年之后,他在矿井里丧生时,我们无家可归,哪儿也去不了。"马克尖酸地笑笑,沉思了一会。"你回去过吗?"

"好久没回去了,你呢?"

"不,我没回去。越战之后,我利用退役军人优待法案到摩根城上大学。回去的感觉一定很奇怪,那种属于这里,却又不是真正归属的感觉,你明白我的意思吧?离开的时候,我没想过自己做了选择,但结果却是如此。"

戴维点点头。"我明白,"他说,"我明白你的意思。"

"好啦,"沉默了好一会儿之后,布丽开口,"现在你们两人不都在这里吗?我渴死了,"她加了一句,"马克?戴维?要喝点东西吗?"

"我跟你一起去。"马克边说边对戴维伸出手,"世界真小,不是吗?很高兴认识你。"

"戴维在我们每个人眼中都是个神秘人物。"布丽边说边拉着他走，"问问诺拉就知道啦。"

戴维看着他们加入欢快的人群。虽然仅是萍水相逢，但很奇怪，他却感到不安而脆弱，往事宛如大海般浮现。每天早晨，他在办公室门口小站片刻，审视自己洁净、单纯的世界：仪器排列得整整齐齐，检查台上摆着洁白的长袍。从表面看来，他已功成名就，但他却从未感到自己渴求的骄傲与自在。就这样啦，戴维离家前往匹兹堡那天，他父亲站在长途汽车站路边，边说边用力关上卡车车门，我想就这样啦。这大概是我们最后一次指望收到你的音信了。以后你不会有时间搭理我们这种人。戴维站在路旁，早秋的落叶飘落在身旁，心中升起一股深沉的绝望。因为即使在那时，他已经知道父亲说得没错：不管他有何企图，无论他多爱他们，他将随着他所追寻的人生远去。

"戴维，你还好吗？"凯·马歇尔问。她走过他身旁，手里捧着一瓶粉嫩的郁金香，每片花瓣都像肺页一般细致。"你看起来似乎在几百万英里之外。"

"啊，凯。"他说。她有点让他想到诺拉。在她精心装扮的外表之下，总是潜藏着某种孤寂。有次在另一个派对上，她喝多了，跟着他走到黑暗的走廊，双臂圈住他的脖子吻他，而他在惊讶中回吻。那是过去的事了。虽然他常想起她那冰冷的双唇出奇不意地贴在自己唇上，但每次看到她，戴维却怀疑他们是否真的曾经相吻。"凯，你看起来还是一样漂亮。"他对她举杯，她微笑，然后笑着走开。

他走进清凉的车库里，爬上楼梯，从柜子里拿出相机，装上一卷新胶卷。诺拉的声音盖过了众人。他想起早上伸手触摸她肌肤的感觉。她背部的曲线是那样平滑；他也想起她和布丽的默契，她们姐妹心性相通，远超过他们夫妻所能再度共享的亲密。我要啊，他心想，随手把相机挂在脖子上，我真想要啊。

他游走于宾客之间，微笑、握手、打招呼，聊着聊着就走开，用胶

147

卷捕捉派对的一情一景。他驻足于凯的郁金香之前，取个近景，心想花朵真的很像肺部细微的组织。若能将两者同时摄入镜头，并排呈现，一定非常有趣。他常想，从某个神秘的角度而言，人体就像一面镜子，完美地反映出世界。他一直想探索这个点子。此时，他想得出神，一心只有花朵，派对的各种声音全都消退；诺拉的手一碰到他的手臂，他不禁吓了一跳。

"把相机收起来。"她说，"拜托，戴维，这是个派对。"

"这些郁金香真漂亮。"他开口说，但解释不出心中的想法，也说不出这些景象为什么让他这么感动。

"这是个派对。"她又说了一遍，"你要么就是只顾拍照，错过了派对，要么就喝点东西，跟大家聊聊。"

"我已经喝了东西。"他挑明了说，"没有人在乎我拍几张照片，诺拉。"

"我在乎。这样很失礼。"

他们讲得很小声。整段交谈中，诺拉始终面带微笑。她神情镇定，冲客人点头，隔着草坪挥手，但戴维感觉得到她的紧张以及强加遏制的怒意。

"我花了很大功夫，"她说，"全部一手包办，也亲自准备了所有食物。我甚至解决了那群黄蜂。你为什么不能好好享受？"

"你什么时候拿下那个蜂巢的？"他问，抬头看看平坦、整齐的车库屋檐，试着找出一个安全的话题。

"昨天。"她让他看看她手腕上几道浅浅的红色伤疤，"你和保罗都过敏，我想确保一切没事。"

"派对很成功。"他说。冲动之下，他把她的手腕拉到唇边，轻吻她被黄蜂蜇过的地方。她看着他，双眼惊讶地眨动，依稀闪烁着喜悦的光芒。然后她把手抽回来。

"戴维，"她轻声说，"拜托，别在这里。现在不要这样。"

"嗨，爸爸，"保罗大喊。戴维四下观望，想要找出儿子在哪里。"妈妈，爸爸，我在这里，快看我！"

"他在朴树上。"诺拉说，她一边伸手遮住阳光，一边指着草坪的另一端，"你看看，他在那里，爬到一半了。他是怎么上树的？"

"我敢打赌一定是从秋千架爬上去。嗨！"戴维一边高喊，一边挥手回应。

"马上下来！"诺拉大叫，然后对戴维说，"他让我好紧张。"

"他是个小孩子。"戴维说，"小孩都会爬树，他不会有事的。"

"嗨，妈妈！爸爸！救命啊！"保罗大叫。但当他们抬头一看，他在哈哈大笑。

"记得他以前在超市也这样吗？"诺拉问，"那个时候他刚学会说话，在店里大叫救命啊？大家以为我绑架了他。"

"他在诊所也搞过同样的花招，"戴维说，"记得吗？"

他们同时大笑，戴维感到一阵喜悦浮上心头。

"把相机收起来吧。"她边说边把手搁上他的臂膀。

"好，"他说，"我会的。"

布丽漫步到五朔节花柱旁，拾起一条紫罗兰色的缎带。其他几个人看了大感兴趣，也加入她的行列。戴维走回车库，看着缎带在风中飘摇。忽然间，他听到一阵骚动，树叶四处飞扬，树枝断了，发出巨响。他看到布丽举起双手，高举到广阔的空中，手指间的缎带滑落下来。接下来一片沉默，过了好一会，诺拉才高声哭喊。戴维一转身，刚好看到保罗重重地摔到地上，背部稍微弹跳了一下，脖子上的项链摔断了，珍贵的化石散落在地上。戴维跑过去，推开人群，跪到他身旁。保罗黑色的双眼中充满恐惧，他紧抓住戴维的手，努力试着呼吸。

"没事，"戴维边说边摸摸保罗的额头，"你从树上摔下来，喘不过气罢了。放轻松，再深呼吸一次，很快就好了。"

"他没事吧？"诺拉问。身着珊瑚色套装的她马上跪到他身旁。"保罗，小甜心，你还好吧？"

保罗吓得喘不过气，拼命咳嗽，泪水在眼眶里打转。"我的胳膊好痛。"再度开口时，他说道。他脸色苍白，额头上细小的蓝色血管清晰可见。戴维看得出来他强忍着不哭。"我的胳膊真的好痛。"

"哪只胳膊？"戴维问，口气尽量缓和，"你能让我看看哪里痛吗？"

痛处在他的左臂。戴维轻轻举起手臂，支撑住手肘和手腕，保罗顿时痛得哭喊起来。

"戴维！"诺拉说，"胳膊断了吗？"

"嗯，我不太确定。"他镇定地说。但他几乎可以确定是骨折。他把保罗的胳膊轻放在自己胸前，然后伸出一只手拍拍诺拉的背安抚她。"保罗，我现在要抱你起来，把你抱到车上，然后我们去我的办公室，好吗？我让你看看X光仪器。"

他慢慢地、轻轻地抱起保罗。保罗在他怀中，感觉很轻盈。客人们让出一条路让他过去。他把保罗放在后座，从车厢里拿出一条毛毯，用毛毯裹住他的小儿子。

"我也去。"诺拉边说边侧身坐进前座，坐到他身旁。

"派对怎么办？"

"还有很多食物和酒，"她说，"他们只好自己找乐子了。"

他们在明亮的春日中驶向医院。诺拉不时拿保罗出生的那个晚上开他的玩笑，嘲弄他在空荡荡的街上开得那么慢，那么小心翼翼。但今天他还是没办法允许自己超速。他们经过 ROTC 大楼，大楼依然冒着黑烟，缕缕烟雾宛如黑色蕾丝般升起。附近的茱萸花团锦簇，紧贴在焦黑墙边的花瓣显得苍白而脆弱。

"唉，整个世界好像正在崩溃。真的有这种感觉。"诺拉轻声说。

"但不是现在，诺拉。"戴维从后视镜中瞄了保罗一眼。他很安静，没有发出怨言，但泪水已滑下苍白的脸颊。

在急诊室里，戴维利用自己的影响力加快了程序，赶紧安排照X光片。他帮保罗在床上坐好。诺拉在候诊室随手拿起一本书，他请诺拉念故事给保罗听，自己过去拿X光片。从技术人员手中接过X光片时，他发现自己双手在发抖，因此，他穿过走廊，走进自己的办公室。在这个美丽的星期六下午，走廊四下里出奇地安静。门在身后关上，戴维在黑暗中独自站了一会，试图镇定下来。他知道四面墙是浅海绿色，桌上散置着文件。他知道不锈钢和黄铜色的仪器排列在托盘上，摆在玻璃面的柜子下方。但他什么也看不见。他举起手，用手掌触摸鼻子。即使靠得这么近，他依然看不见自己的手掌，只感觉得到鼻息。

他摸索着找寻电灯的开关，一碰就大放光明。墙上嵌着一片面板，先是规律地闪闪发光，然后散发出一片白光，所有东西都染上一抹白色。灯光下是他上星期冲洗出来的底片。他拍了一系列人类的血管。照片按照次序，张张都在严密的灯光控制下拍摄，循序呈现出微妙的对比与改变。最令戴维兴奋的是自己所达到的精密度。这些影像看来起不像人体的一部分，而像是其他东西，比如说投射在地面上的光束、静静流动的河川，或是波浪奔腾的辽阔大海。

他的双手颤抖。他强迫自己深深吸了几口气，然后取下底片，夹上保罗的X光片。他儿子小小的骨头结实而细致，近乎诡异地呈现在眼前。戴维伸出指尖顺着光线下的影像游走。他儿子的骨头很美，虽然色泽灰暗，但出现在眼前的影像却似乎饱含光线。透明的影像在漆黑的办公室里浮动，有如树冠上的枝干一样强健而优美。

创伤相当单纯：尺骨和桡骨有些清楚的裂缝。这些骨头几乎平行伸展，在愈合的过程中，最危险的一点在于两块骨干可能长到一起。

他打开天花板上的灯，转身走向走廊，心想人体内蕴藏的世界真美。多年之前，在摩根城的一家鞋店里，当他父亲试穿一双工作靴,皱着眉头看标价时,戴维站在一架拍摄足部X光片的机器前。机器将他普通的脚趾变成某种诡异的影像,充满了神秘感。他看得出神,仔细研究那些原本是他脚趾和后脚跟的模糊长柱与圆点。

虽然多年之后才明白,但那确实是决定性的一刻。他领悟到有个无形、未知,甚至超乎他想象的世界。接下来的几星期,他观察鹿群奔跑,小鸟高飞,树叶飞扬,兔子忽然从地底下跳出来。他看得非常认真,试图找出其中隐藏的结构。他也仔细端详坐在前廊台阶上静静地剥豆子或玉米,双唇专注地张开的琼,因为她像他,但又不全然相似。两人的不同之处相当神秘。

他的妹妹,那个喜欢微风,阳光照在脸上就大笑,不怕蛇的小女孩,十二岁就去世了。到了今天,她只留下充满了爱的回忆;现在除了白骨之外,其他都没了。

他六岁的女儿游走于世间,他却不认得她。

他走回母子两人身边,诺拉搂着保罗。虽然保罗已经太重,坐在她大腿上不太舒服,但她仍让儿子坐在自己大腿上。保罗的头靠着她的肩膀,看起来有点不自在。他的手臂因为刚才的重击而轻微抽动。

"骨头断了吗?"她马上发问。

"没错,怕是断了。"戴维说,"来,过来看看。"

他把X光片放到光板上,指出几道暗色的裂缝。

大家说:"不可告人的秘密"。大家还说:"干旱"、"我和你有争端尚待解决"。但骨头有生命。它们成长,它们自行愈合,它们能将被折断的地方修补回来。

"我很担心那些蜜蜂。"诺拉边说边帮他把保罗移回检查台,"我是说那些黄蜂。我赶走了它们,现在却发生这种事。"

"这只是个意外。"戴维说。

"我知道,"她几乎流下眼泪,"问题就出在这里。"

戴维没有回答。他取出做模型的材料，专心上石膏。他已经很久没有给病人上过石膏。通常他接好骨头，其余则交由护士处理，而他发现上石膏有安定人心的功效。保罗的手臂细小，模型逐渐成形，洁白得有如漂白了的贝壳，明亮得有如一张白纸。几天之后，石膏模子会变成单调的灰色，上面布满孩子们灿烂的涂鸦。

"三个月，"戴维说，"三个月，你才可以卸下石膏。"

"差不多整整一个夏天。"诺拉说。

"少棒联盟怎么办？"保罗问，"游泳呢？"

"不能打棒球，"戴维说，"也不能游泳。很抱歉。"

"但贾森和我得参加少棒。"

"抱歉了。"戴维说，保罗难过得哭了起来。

"你说不会有事，"诺拉说，"但他却摔断了胳膊。他还可能摔断脖子或是背啊。"

戴维忽然感到疲惫。保罗令他心烦意乱，诺拉也让他生气。

"没错，这些都有可能，但都没发生，所以你别说了，好吗？诺拉，拜托你住嘴。"

保罗坐直专心聆听，也察觉到爸爸语气的转变与音调的转折。戴维不禁想，保罗对这天的记忆会是什么样的？他想象儿子迎向未知的将来，进入一个人们上街抗议，脖子上却挨了一颗子弹的世界，忽然他也和诺拉一样感到恐惧。她说得没错：任何事情都可能发生。他把手放在保罗头上，孩子新剪的短发刺着他的掌心。

"对不起，爸爸。"保罗说，声音极为细弱，"我不是故意弄坏你的相片。"

戴维困惑了一秒钟才想起几小时以前，暗房大亮之时，他对着保罗大吼，保罗害怕地站在门口，一只手搁在开关上，吓得不敢动。

"哦，不，不，我不是在气那件事，别担心。"他摸摸保罗的脸颊，"我不在乎那些照片。早上我只是累了，好吗？"

保罗伸出手指沿着石膏比划。

"我不想吓坏了你，"戴维说，"我没有生气。"

"我可以听一下听诊器吗？"

"当然可以。"戴维把听诊器黑色的圆耳塞塞进保罗耳中，然后蹲下来，把冰冷的金属听筒摆在自己胸前。

他从眼角瞥见诺拉看着他们。此时的她已远离五光十色的派对，好像紧握一块黑石头似的拥着她心中的悲伤。他很想安慰她，却想不出该说什么。他真希望他有某种可以看穿人心的X光机器，好让他一睹自己和诺拉的内心。

"我真希望你开心一点，"他轻声说，"真希望我能多做一点。"

"别担心，"她说，"不必为我担心。"

"不必吗？"戴维深深吸了一口气，好让保罗听见空气急速涌入。

"没错。我昨天找到了一份工作。"

"一份工作？"

"是的，一份不错的工作。"她随即一五一十地告诉他：那是一家旅行社，早上上班，刚好赶回家接保罗下课。她说话之时，戴维觉得她似乎正从他身边飞走。"我这一阵子快疯了。"诺拉补充了一句，口气之激烈令他吃惊，"我时间太多，闲得发慌，不知道该做什么。有份工作比较好。"

"好吧。"他说，"没关系，你如果这么想做事，那就接下这份差事吧。"他挠挠保罗的痒，伸手拿过他的耳镜。"来，"他说，"检查一下我的耳朵，看我有没有把小鸟留在里面。"

保罗开怀大笑，冰冷的金属贴上戴维的耳垂。

"我知道你不喜欢这个主意。"诺拉说。

"这话是什么意思？我刚才不是让你接下这份差事吗？"

"我说的是你的语气，你自己听了就知道。"

"你指望我怎样？"他说。为了保罗，他尽量保持语气平缓。"我很难不把这件事看成某种责难。"

"你如果认为此事跟你有关，才会这么想。"她说，"戴维，这是你无法了解的。这件事跟你没关系，而是关系个人自由，关系着我拥有自己的生活。我希望你了解这一点。"

"自由？"他说。她最近又跟她妹妹聊上了，他可以用性命担保。"诺拉，你以为每个人都自由自在？你觉得我自由吗？"

接下来两人好久都没说话。保罗打破沉默时，他不禁感到庆幸。

"没有小鸟，爸爸。只有长颈鹿。"

"真的吗？有几只？"

"六只。"

"六只！天啊！最好检查一下另一只耳朵。"

"说不定我会讨厌这份工作，"诺拉说，"但最起码我能知道。"

"耳道里有大象。"戴维边说边取回耳镜。"我们最好马上回家。"他强迫自己露出笑容，蹲下来抱起上了石膏的保罗。他感觉到小儿子的重量，环绕在他脖子上的光裸手臂暖呼呼的。他不禁猜想，六年前他若做出不同的决定，他们的生活将会如何？那年大雪纷飞，他站在一片沉寂之中，孤单一人；在那决定性的一刻，他改变了一切。戴维，卡罗琳·吉尔在最近的一封信中写道，我交了个男朋友，他人非常好。菲比也很好，她喜欢捉蝴蝶和唱歌。

"我很高兴你找到一份工作。"他们在走廊上等电梯时，他对诺拉说，"我不是想找麻烦，但我不相信这事跟我无关。"

她叹了一口气。"不，"她说，"你不会愿意相信的，是吗？"

"这话是什么意思？"

"你把自己看成宇宙的中心。"诺拉说，"你静止不动，所有东西都绕着你转。"

他们拿起随身物品，走进电梯。户外依然风和日丽，午后的阳光澄净而明亮。等他们回到家时，宾客已经散尽，只有布丽和马克留下来,把一盘盘食物端进屋里。五朔节花柱的缎带在微风中飘扬。戴维的相机在桌上,保罗的化石整齐地堆在相机旁。戴维停了下来,仔细端详椅子散置在各处的草坪。曾经,整个世界都隐藏在浅浅的海洋下。戴维抱着保罗进屋上楼,帮儿子倒了杯水,给他一片他喜欢的橘子口味的阿司匹林,跟他一起坐在床上,握着他的手。这手好小,好温暖,充满了生气。戴维想起那些饱含光线、呈现出保罗骨头影像的X光片,心中依然充满惊奇。在这些罕见的时刻,世界似乎和谐而一致,凡事都被纳入一个稍纵即逝的影像之中,而这正是他渴望用相机捕捉的时刻。这个留住了美、希望与动作的时光备份,仿佛某种银色诗篇,恰如人体是一首由血液和骨肉所写成的诗篇。

　　"念个故事给我听,爸爸。"保罗说。因此戴维在床上坐定,把保罗抱到怀里,一页页地翻《好奇的乔治》。书中的乔治摔断了一条腿住进医院。楼下,诺拉游走于各个房间,清理善后。纱门猛然开了又关,关了又开。他想象她穿过纱门,身穿套装,迎向她的新工作以及一个将他排除在外的新生活。时值午后,满室金色的阳光。他翻着书页,抱着保罗,感觉到儿子的体温和规律的呼吸。微风掀起窗帘。屋外,茱萸有如明亮的云朵,紧贴着篱笆的黑木板。戴维暂停念故事,看着白色的花瓣飘摇坠落。这幅美景令他又愉快,却又让他心烦。他试着不去注意到,从这个距离看来,朵朵花瓣有如白雪。

一九七〇年六月

　　"嗯，菲比的头发的确跟你一样。"多罗评论道。

　　卡罗琳摸摸颈背，暗自思量。她们在匹兹堡东边一座旧仓库里，仓库已被改建为一个教育方式前卫的幼儿园。光线透过长窗流泄而入，在木板地上洒落出点点光影。菲比站在一个大木箱前，拿着铲子挖扁豆，然后把豆子倒在罐子里。阳光突显了她小辫子的金棕色发丝。六岁的她身材矮胖，膝盖微凹，笑脸迎人，一双黑褐色、杏仁状的眼睛微微上斜，双手细小。今天早晨她穿了一件粉白相间的条纹衣服。衣服是她自己挑选、自己穿上的，只是穿反了。她还穿了一件粉红色的毛衣。先前为了这件毛衣，她还在家里大闹了一场。她的脾气确实跟你一模一样，利奥以前经常喃喃地说。老人家去世已经将近一年了，卡罗琳听了这话总是感到吃惊，倒不是因为他认为血缘关系根本不存在，而是因为有人居然说她是个有脾气的女人。

　　"你认为如此吗？"她边跟多罗说边用手指顺顺耳后的头发。"你觉得她的头发跟我的很像？"

　　"噢，没错，当然是的。"

　　菲比正把双手深深插进光滑的扁豆，跟她身旁的小男孩一起大笑。她抓起一把豆子，让它们从指间滑落，男孩则伸出一个黄色的塑料杯接取。

　　对这所幼儿园的其他小朋友而言，菲比只是菲比：一个喜欢蓝色、冰棒、转圈圈的朋友；在这里，没有人注意到她的不同。刚开始的几星期，卡罗琳忧虑地观察，为了她听过太多次的各种评论而深感不安。在游乐场、超市，以及医生办公室里，人们总说，真可怜啊！唉，你的状况简直是我最害怕的噩梦。还有一次，有人甚至说，最起码她活不了太久，也算万幸了。不管是出自无心、无知，还是残酷，这些年来，这些评论已在卡罗琳心中磨出一道赤裸裸的伤口。但这所幼儿园的老师年轻、充满热情，父母们也有样学样：菲比或许必须多花点精力，进步得比较慢，但她跟其他孩子一样学得会。

男孩丢下铲子，跑进走廊，扁豆随之散落在地上。菲比跟着奔跑，小辫子飞扬，朝着有黑板和盆栽的绿色教室跑去。

"这个地方对她真有帮助。"多罗说。

卡罗琳点点头。"我真希望教育委员会能看到她在这里的模样。"

"你的论据很充分，还有一位好律师，不会有问题的。"

卡罗琳瞄了一眼手表。她和桑德拉的友谊已经演变成一股政治势力。"欢乐唐氏症协会"已有五百多名会员。今天会员们将要求委员会把他们的小孩纳入一般公立学校。他们颇有胜算，但卡罗琳依然非常紧张。好多事情都有赖这个决定。

一个孩子飞奔过多罗身旁，几乎摔倒。她轻轻扶住他的肩膀。多罗的头发现在已经全白，与她黑色的双眼和光滑的橄榄色肌肤形成强烈对比，她每天早上游泳，而且开始学打高尔夫。近来卡罗琳常逮到她偷偷微笑，仿佛心中有个秘密。

"真高兴你今天过来帮我照顾菲比。"卡罗琳边说边拉拉外套。

多罗挥挥手。"别客气。说实在的，我情愿来这里，也不愿为了我爸爸的著作跟系里争吵。"她的声音很疲倦，但脸上闪过一丝微笑。

"多罗，可能我没搞清状况。我猜你谈恋爱啦。"

多罗只是微微一笑。"好个大胆的推测。"她说，"提到谈恋爱，我想艾尔今天下午会来吧?今天毕竟是星期五。"

梧桐树间闪烁的光影宛如流动的清水,令人心旷神怡。没错,今天是星期五,但卡罗琳整星期都没有艾尔的消息。通常他会从哥伦布、亚特兰大,甚至芝加哥打电话给她。今年他跟她求了两次婚,每次她都几乎答应,但每次却依然拒绝。上次他来访时,两人吵了一架。你对我总是保持距离,他抱怨说,然后愤怒地离去,连再见都没说。

"艾尔和我只是很要好的朋友。事情不是那么单纯。"

"别说傻话了,"多罗说,"事情单纯得很。"

这么说来,这就是爱情了,卡罗琳心想。她亲亲菲比柔软的脸颊,开着利奥的旧别克离开。黑色的别克车型庞大,坐起来感觉好像坐船。利奥过世的前一年,身体越来越虚弱,几乎整天坐在窗边的扶手椅上,大腿上搁着一本书,望着街上发呆。有天卡罗琳听到他猛然跌下来,一头灰发直直竖起,呈现出奇怪的角度,皮肤和双唇极度苍白。她还没碰到他身子就知道他走了。她取下他的眼镜,把指尖放在他的眼睑上,替他合上双眼。他们移走他的遗体之后,她坐在他的椅子上,试图想象他怎么过日子:树枝在窗外静悄悄地晃动,她自己和菲比的脚步声在他头顶的天花板发出规律的声响。"哦,利奥,"她对着空旷的屋子大喊,"我好抱歉你这么寂寞。"

他的葬礼挤满了物理学教授和栀子花,宁静而隆重。葬礼之后,卡罗琳主动提出要离开,但多罗毫不理会。我已经习惯你了,我习惯有你陪我。不,你留下来。我们过一天算一天吧。

卡罗琳开车横穿城市,她已爱上这个个性十足、五光十色、美得耀眼的大城市。市内有着高耸的大楼、华丽的桥梁和隐藏于青绿的山丘之间的小区。她在狭窄的街上找到一个停车位,走进大楼。长年的煤烟熏黑了大楼的石块。她走过天花板高耸、地上铺着精美马赛克瓷砖的大厅,爬上两层楼梯。木门上了黑漆,门上嵌着一片毛玻

159

璃,生锈的黄铜号码标示着:304 B。她深深吸了口气。从学校的口试之后,她就没有这么紧张过。她推门而入,室内简陋陈旧,让她相当惊讶。巨大的橡木桌刮痕累累,窗户乌黑,让人觉得室外似乎沉寂晦涩。桑德拉已和"欢乐唐氏症协会"的六位家长坐在一起,卡罗琳心中升起一股暖意。她和桑德拉在超市或公交车上碰到这些人,大家刚开始零零散散地参加聚会,后来话传开了,人们开始打电话来询问。他们的律师罗恩·斯通坐在桑德拉旁边,桑德拉一头金发紧紧地扎在脑后,面色苍白而严肃。卡罗琳在她旁边空椅上坐下。

"你看起来很累。"她小声说。

桑德拉点点头。"蒂姆感冒了。唉,偏偏是今天。我母亲得从麦基斯波特过来照顾他。"

卡罗琳还没回答,门便再度被推开,教育委员会的人鱼贯而入,个个神情轻松,彼此握手、打招呼、开玩笑。大家坐定之后,会议正式开始,罗恩·斯通站起来,清清喉咙。

"每个孩子都有权接受教育。"他开始发言,言词听来很熟悉。他所呈现的证据清晰而精确:孩子们进展稳定而持续,最后都会达到学习目标。尽管如此,卡罗琳看着她眼前的委员们无动于衷,面无表情。她想到菲比昨晚坐在桌前,一只手抓着铅笔,练习写自己的姓名。她写了满满的一张纸,字迹颤抖,虽然有时写反了,但她还是写了出来。委员会的成员们翻翻文件,清清喉咙。罗恩·斯通稍作暂停时,有个一头黑色卷发的年轻人开口了。

"斯通先生,你的热忱令人赞赏。委员会重视你所说的每件事,也谢谢家长们的承诺与奉献。但这些孩子是智障儿,这就是最根本的问题。他们的成就或许令人刮目相看,但毕竟是在一个受到保护的环境中达成,需要老师们给予额外的甚至毫无间断的关注。这似乎是非常重要的一点。"

卡罗琳迎上桑德拉的目光,这些话也很耳熟。

"智障是个轻蔑的用语。"罗恩·斯通平静地回答,"没错,大家都知道这些孩子反应迟缓,但他们并不愚笨。在场的每个人,没有一个知道他们能够达到什么成就。就成长与发展而言,这些孩子跟所有孩子完全相同。我们必须提供一个没有设限的教育环境,他们才能发挥到极致。我们只求公平。"

"公平,没错。但我们没有资源。"另一位头发稀疏灰白的瘦小男子说,"为了公平,我们必须全部接纳他们。目前的体系无法招架这一大群智障者。请大家看看。"

他发给大家一份报告的副本,然后做起成本效益分析。卡罗琳深深吸了一口气。发脾气势必无济于事。一只苍蝇嗡嗡飞过,被夹在老旧的玻璃窗沿之间。卡罗琳又想到菲比。这个善良、性情不定的小女孩能找到遗失的东西,能数到五十,能自己穿衣服,还能背诵字母。她或许得花点时间把话说清楚,但一眼就看得出卡罗琳的心情。

有限,众人说,一下子涌向学校,拖累了资源和聪明孩子。

卡罗琳忽然感到绝望。这些男人从未见过菲比,他们只把她看成一个跟正常孩子不一样,讲话迟缓,学习缓慢的孩子。她怎样才能向他们展现她那漂亮的女儿?菲比坐在客厅地毯上堆积木,柔软的头发垂绕在耳际,一脸专注而决然;菲比把四十五转唱片放在卡罗琳买给她的小唱盘上,陶醉在音乐之中,在平滑的橡木地板上翩然起舞;卡罗琳陷入沉思、心神不宁,或是想杂事想得出神时,菲比柔软的小手忽然放在她膝上。妈妈,你还好吗?她会这么说,或是仅说我爱你;菲比在夜色中骑在艾尔的肩膀上;菲比给她所遇见的每个人一个大拥抱;菲比大发脾气,顽固叛逆得要命;菲比今天早上自己穿上衣服,神情显得特别骄傲。她能让他们看到这一切吗?

台面上的讨论转向数字与程序,现状是不可能改变的。卡罗琳颤抖地站起来,她过世的母亲要是看见了想必会惊讶地用手捂住嘴。卡罗琳也不太相信生活改变了她。她已经变成怎样一个人?但这时再也不能回头,没错,一大群智障者!她双手紧贴着桌面,耐心等待。男人们一个个停止发言,室内渐渐安静下来。

"这跟数字无关,"卡罗琳说,"而是关于孩子们。我有个六岁大的女儿,没错,她需要多一点时间学习,但她学会了其他孩子会做的事:爬行、走路、说话、上洗手间、自己穿衣。她今天早上就自己穿上衣服。我看到的是一个想要学习,碰到每个人都高高兴兴的小女孩,但我也看到在场的男士们似乎忘了在这个国家,政府保证不管孩子的能力如何,每个小孩都有受教育的机会。"

一时之间,众人沉默不语。高高的窗户在微风中轻声晃动,油漆似乎开始起泡,从粉白的墙上剥落。

黑发男子的语调柔和。

"我非常同情你的处境,我们都深表同情。但你女儿还有其他这些孩子怎么可能掌握学校的一般课程?到那时她又会怎样看待自己?换作是我,我宁愿让她学习一些有用的、实际的技术。"

"她才六岁,"卡罗琳说,"她还没准备好学习任何技术。"

罗恩·斯通一直专心观察两人的交谈,这下他开口说话了。

"事实上,"他说,"这都不是讨论的重点。"他打开公文包,取出一大叠文件。"这不只是道德或是执行程序的问题,而是法律。这是一份由在座父母和其他五百位家长签名的请愿书,同时附上一份代表这些家庭而提出的团体诉讼,诉请允许他们的孩子到匹兹堡的公立学校上学。"

"这是民权法,"灰发男子从文件中抬起头来说,"这里不适用。"

"请仔细阅读这些文件,"罗恩·斯通边说边扣上公文包,"我们会保持联络。"

大楼外的旧石阶上,大伙急着说话。罗恩感到满意,抱持着谨慎的乐观态度,但其他人情绪高昂,纷纷拥抱卡罗琳,谢谢她的发言。她微笑着回抱大家,一方面感到精疲力尽,一方面被这些人深切的热情所感动。桑德拉当然是其中一位,她依然每星期过来喝咖啡。柯琳跟她的女儿一起募集了请愿书上的签名。还有高大爽朗的卡尔,他唯一的儿子因为唐氏症引发的心脏病而早逝。他让出自家的地毯仓库,给大伙做办公室。四年前,除了桑德拉之外,这些人她一个也不认识,但经过多次深夜的聚会、痛苦的挣扎、小小的成就,再加上大家心中满怀的希望,这些人成了她的好友。

刚才的发言依然令她情绪激动。她开车去幼儿园,菲比从一圈小朋友中跳起来跑向卡罗琳,抱住她的膝盖。卡罗琳闻到牛奶和巧克力的味道,菲比的洋装上还有一块泥土,头发像柔软的云朵一样垂在卡罗琳手边。卡罗琳跟多罗简述了事情始末,智障、拖累等丑恶的字眼仍萦绕在脑际。多罗上课快迟到了,她摸摸卡罗琳的胳膊说,我们今晚再多聊聊。

回家的路上很美。树上的叶子和盛开的紫丁香如同泡沫和火焰一般在山坡上飘摇。昨晚下过雨,天空澄净而湛蓝,卡罗琳把车停在巷子里。艾尔还没来,她感到有点失望。她和菲比一起走在梧桐树摇摆不定的阴影下,穿过一群嗡嗡声刺耳的蜜蜂。卡罗琳坐在前廊的台阶上,打开收音机。菲比在柔软的草地上转起圈子。她伸出双臂,头往后仰,小脸迎向阳光。

卡罗琳看着她,依然在努力摆脱早上的紧张与怒气。事情不是没有希望,但经过这些年力图改变世人的想法,卡罗琳已经学会了保持谨慎。

菲比跑过来,用双手拢着卡罗琳的耳朵,悄悄跟她说个秘密。卡罗琳没听清楚,只感到她兴奋地上气不接下气。菲比说完又跑向阳光,穿着一身嫩粉红的洋装快速地转圈。阳光在她的黑发上蒙上琥珀色的光影,卡罗琳想起诊所强光下的诺拉·亨利。一时之间,忧虑与疑惑刺痛了她的心。

菲比停止转圈,双臂大张保持平衡。然后她大喊一声,奔向草坪的另一端，冲上台阶。艾尔站在台阶上，一手握着送给菲比的包装鲜艳的包裹，另一只手拿着一把紫丁香，卡罗琳知道这是送给她的。

她心情一振。这些年来，他缓慢、坚持、锲而不舍地追求她。一星期接着一星期来到她门前，送上一束鲜花或是其他令人高兴的礼物。他快乐的神情是如此真诚，她根本不忍心拒绝他。但她没让自己陷进去，她不相信爱情会来得如此突然，也不相信一个偶遇的男子会爱上她。此时她站在原地，心中突然充满喜悦。她好怕在这种时候，他将离她而去！

"天气真好。"他边说边蹲下去抱抱菲比，菲比双臂绕住他的脖子表示欢迎。包裹里是个薄薄的捕蝶网，网上有个弯曲的木柄把手。菲比马上握住把手，朝着一丛深蓝色的绣球花飞奔而去。"会议进行得如何？"

她跟他说事情的始末，他边听边摇头。

"唉，不是每个人都适合上学。"他说，"我就不太喜欢。但菲比是个乖孩子，他们不能把她摒弃在门外。"

"我只希望她在世上有个立足之地。"卡罗琳说，她忽然明白她所怀疑的并不是艾尔对她的爱，而是他有多爱菲比。

"亲爱的，她已经有了立足之地，这里就是她的家。但是，我想你做得没错。你努力为她争取，这样做是对的。"

"我希望你这个礼拜过得比我好。"她说。她注意到他的黑眼圈。

"噢，还不是老样子。"他说。他在她身旁的台阶上坐下，捡起一根树枝，动手剥起树皮。远处除草机嗡嗡作响，菲比的收音机播放着"Love, Love, Me, Do"。"我这礼拜开了两千三百九十八英里，创下了纪录，连我自己以前都没跑这么远。"

他会再问一次，卡罗琳心想。现在正是时候。他劳碌奔波，已有安定下来的准备，而他将再度开口。她看着他的双手熟练、迅速地剥树皮，心中波涛汹涌。这次她会说好。但艾尔没说话，两人沉默了很

164

久。最后她终于感受到压力，不得不打破僵局。

"这个礼物真好。"她说，朝着草坪的另一端点点头。菲比正在青绿的草坪上跑来跑去，捕蝶网在空中画出明亮的半圆形。

"一个住在佐治亚州的人亲手做的。"艾尔说，"他人很好，帮他的孙子们做了一大堆。我们在超市聊了起来。他收集短波收音机，还邀我过去看看。我们聊了一整晚，你瞧，这就是四处流浪的好处。哦，对了，"他接着把手伸进长裤口袋，掏出一个白色信封，"我帮你从亚特兰大领了一封信。"

卡罗琳一言不发地接过信封。信封内将是几张折叠得平平整整，夹在一张普通白纸里的二十元美钞。艾尔从克里夫兰、孟菲斯、亚特兰大、阿克伦等他常跑的城市，帮她领取这些信。她只说这些钱是菲比的父亲寄给女儿的。艾尔听了没说什么，但卡罗琳的感受比较复杂。有时她梦见自己走过诺拉·亨利的屋子，从架子和衣柜里拿东西，高兴地装满了一整袋，直到撞见诺拉·亨利站在窗边，一脸冷漠与无尽的悲伤。她惊醒，全身颤抖，起来帮自己泡杯茶，端坐在黑暗中。收到钱之后，她把钱存到银行里，直到下一信封寄到才又想起这回事。这样已经持续了五年，她已存了将近七千美金。

菲比依然跑着追逐蝴蝶、小鸟和光点。收音机传送出一个个跳动的音符，艾尔把玩着旋钮。

"这里有些不错的音乐，匹兹堡好就好在这里。我过夜的一些小镇只听得到流行排行榜，过了一阵子之后，实在乏味。"他开始跟着爵士歌谣"重新再来"哼唱。

"我爸妈曾跟着这首歌跳舞。"卡罗琳说。说着说着，她似乎坐在童年老家的台阶上，没人注意到她。她悄悄地看着母亲穿着连衣裙，在门口欢迎客人。"我很多年没想过这些事了。以前星期六晚上，我爸妈偶尔把客厅的地毯收起来，邀请其他夫妻到家里一起跳舞。"

"我们有时也该出去跳跳舞。"艾尔说，"卡罗琳，你喜欢跳舞吧?"

卡罗琳感到心情一变,升起某种兴奋之情。她说不出为什么,或许是因为早上开会的怒气已经消逝,或许是因为身旁艾尔温暖的臂膀。微风轻拂着白杨树,树叶在风中露出银白色的底面。

"那还等什么呢?"她问,站起来伸出手。

他感到困惑,一下子愣住了。但他马上跟着站起来,把手放在她肩上,两人在草坪上随着微弱的乐声起舞——急驶而过的车声成了背景音乐。阳光在她的发际跳动,她脚上只穿着袜子,足下的青草轻柔温暖。他们移动得非常自然,扭腰、旋转。开完会之后,挥之不去的紧张情绪随着每个舞步逐渐消散。艾尔微笑着拉紧她,阳光照在她的脖子上。

哦,他又拉着她绕圈,她心想,我会答应的。

日光、菲比飘荡在空中的笑声,还有艾尔双手透过她背部衣料传递的温暖,着实令人快乐。他们在草地上翩然起舞,随着音乐旋转,在乐声中融为一体。急驶的车声有如大海一样抚慰人心。有种别的声音隐约作响,越过音乐的阵阵旋律,穿过明亮的晴日。卡罗琳刚开始没注意到,后来艾尔把她转了一圈,她才停了下来。菲比跪在绣球花丛旁边柔软温暖的草地上,举起一只手,哭得说不出话来。卡罗琳跑过去跪在草地上,仔细研究菲比手掌中那个急速肿胀的圆点。

"你被蜜蜂蜇了一下,"她说。"唔,甜心,很痛,对不对?"

她把脸贴向菲比温暖的头发。菲比的皮肤好柔软,胸部高低起伏,胸腔里的一颗心规律地跳动。这事你无法衡量,无法量化,甚至无法解释:菲比就是菲比,你再怎样也没办法把她归类,你也不能自以为明白生命是什么,或是它将呈现何种风貌。

"哦,小宝贝,没事,没事。"她边说边顺顺菲比的头发。

但菲比的啜泣却变成急喘,好像她小时候的哮吼。她的手掌肿了起来,手背和手指也发肿。卡罗琳很快站起来,高声呼叫艾尔,但一颗心却逐渐僵硬。

"赶快！"她大叫，声音大得出奇。"噢，艾尔，她过敏。"

她抱起菲比。菲比在她怀里感觉沉重；她犹豫了一下，不知如何是好，因为她的钥匙在厨房料理台子上的皮包里。她抱着菲比，不知道该怎样开门。这时菲比喘得更厉害，艾尔赶忙接过菲比，跑到车旁。卡罗琳不知道自己是怎样拿到钥匙和皮包的。她飞速前进，驶过大街小巷。等到他们抵达医院之时，菲比的呼吸已经非常微弱，几乎喘不过气来。

他们把车留在医院入口，卡罗琳拦住她看到的第一个护士。

"她有过敏反应，我们必须马上看医生。"

护士年纪较大，身材有点壮硕，一头灰发梳成内卷。艾尔非常轻柔地将菲比放在轮床上，护士领着大伙穿过几扇铁门。菲比已经呼吸困难，双唇微微变蓝，卡罗琳也呼吸急促，心里害怕得紧紧揪成一团。护士一把将菲比的头发推到颈后，用手指测量菲比颈间的脉搏。卡罗琳看到她注视着菲比的表情，正如很久之前那个下雪的夜晚，亨利医生注视着菲比的神情；她看着护士研究菲比杏仁形状的双眼和紧握着网子的小手。先前追逐蝴蝶时，菲比把网握得好紧。护士也看到菲比的眼睛微微上斜。卡罗琳依然缺乏心理准备。

"你确定吗？"护士抬头直视着她的双眼说，"你真的确定要我去请医生吗？"

卡罗琳呆站在原地。她想起水煮蔬菜的味道、她开车带着菲比离开的那一天，还有教育委员会那些男人们无动于衷的表情。霎时之间，她的恐惧忽然转变成强烈、穿心的愤怒。她举起手想打那个一脸漠然、没有感情的护士一巴掌，但艾尔捉住了她的手腕。

"去请大夫，"他对护士说，"现在就去。"

他伸出手臂揽住卡罗琳，再也不放手。护士离开，医生出现，菲比呼吸逐渐缓和，脸颊重新浮现色彩。直到此时，他才松手，然后他们一起走到候诊室,手牵着手坐在橘色的塑料椅子上。护士忙着跑来跑去,扩音器中传出各种声响,小宝宝们发出哭声。

"她差点没命。"卡罗琳说,内心的冷静崩溃了,身子开始颤抖。

"但她没死。"艾尔坚定地说。

艾尔的大手透着暖意,让人感到安心。这些年来,他始终很有耐心,一而再、再而三地回来。他说他看到值得珍惜的东西就知道把握,还说他会等待。但这次他离开了两个星期,而非一个星期,中途也没有打电话过来。虽然他和往常一样送花给她,但他已经六个月没有求婚了。他可能开着大卡车离去,从此之后再也不回来,再也不给她一个机会说"我愿意"。

她拉起他的手,亲吻他强壮的掌心。长了茧的手掌感觉很粗糙,布满了岁月的刻痕。他惊讶地转过头来,一脸困惑,好像刚才被蜜蜂蜇到的是他自己。

"卡罗琳,"他的语调听上去很正式,"有件事我想对你说。"

"我知道。"她把他的手放在她心口,把它握紧,"哎,艾尔,我一直在犯傻。我当然愿意嫁给你。"她说。

一九七七年

一九七七年七月

"像这样吗？"诺拉问。

她躺在沙滩上，臀部下闪闪发光的细沙滑动。她每深呼吸一次，沙子就从她身下滑走。阳光很强，好像发烫的金属盘贴着她的肌肤。她在这里已经待了一个多小时，摆姿势，然后重新摆姿势 (re-post-ing)。"repose"①这词想来讽刺，因为这正是她最渴望，却做不到的事情。毕竟这是她的假期，她去年游轮之旅的销售业绩高居肯塔基州之冠，赢得到阿鲁巴度假两星期的酬赏。因而此刻她直挺挺地躺在这里，沙子黏在她汗水淋漓的手臂和脖子上，整个人被夹在阳光与沙滩之间。

为了分散注意力，她一直盯着保罗。保罗正沿着海岸跑步，成了地平线上的小小一点。十三岁的他，今年像小树一样忽然长高了。他身材高瘦，有点别扭，每天早上都出去跑步，仿佛能够借此逃避他的生活。

波浪轻打着沙滩，潮来潮往，海水逐渐上涨。正午强烈的日光很快就会改变，戴维想要拍摄的照片也就拍不成，必须等到明天。一簇发丝缠绕在诺拉唇际，但她强迫自己静止不动。

"好。"戴维说，他放低相机，很快地连续拍了几张照片，"哦，不

① re-post，意为"重新摆姿势"，若换成 repose，意思则是"休息"。

171

错。好极了，真的太棒了。"

"我好热。"她说。

"再过几分钟就好，我们快拍完了。"此时他屈膝跪下，贴在沙滩上的大腿非常苍白。他工作得相当认真，而且花很多时间在暗房里，把相片夹在一道道横跨暗房的绳子上晒干。"想想大海、水中的浪花、沙间的波涛，诺拉，你是其中的一部分。你在照片里会看得到，我会让你看到的。"

她笔直地躺在阳光下看着他拍照，心里想着他们新婚之初，两人手牵手，在春夜中出去散个长步。空气中混杂着忍冬花和风信子的气味。年轻时的她，走在柔和沉静的夕阳中，心里有着什么梦想呢?肯定不是现在这种日子。过去五年里，诺拉已对旅游业很熟悉。她将办公室管理得井然有序，也逐渐开始上手带团。她累积了固定的客源，也学会了销售。她把精美的手册推过桌面，兴高采烈地仔细描述每个她梦想一游的景点。她变成了危机处理专家，擅长处理发生在紧要关头的各种事件，诸如行李遗失、找不到护照、突发感染上肠炎等等。去年当皮特·华伦决定退休时，她深深地吸了一口气，顶下了旅行社。现在这栋低矮的砖房以及柜子里一盒盒空白的机票全都是她的。她过得忙碌而有成就感，每晚却回到一个静悄悄的家。

"我还是不明白。"她说，戴维终于拍完了，她站起来拍掉腿上和手臂上的沙，甩掉头发上的沙子。"你若希望我消失在地平线中，何必拍我?"

"这跟认知有关。"戴维边说边从摄影器材中抬起头来。他的头发乱七八糟，两颊和前臂被正午的阳光晒得发红。在不远的一方，保罗已经掉头往回跑，越跑越近。"也是一种期待。在这张照片里，人们会看到沙滩和起伏的沙丘，然后会察觉到某些有点奇怪的景象。在你的曲线中，他们会看到某种熟悉的身影。或许他们会读读标题，再看一次，寻找先前没发现的女人，这时他们就会看到你。"

他语气热切,海风吹动着他的黑发。这话让她很难过,因为他谈到摄影的语气,宛如他以前谈到医学以及他们的婚姻,言词和语调令她想起失落的过去,让她心中充满渴望。你和戴维谈大事还是小事?布丽曾问她。诺拉这才惊讶地发现他们谈的多半是家庭杂事、保罗的时间表等等,虽然不得不谈,但总是语带敷衍。

阳光照在她的头发上闪闪发亮,耀眼的细沙落在她细嫩的大腿之间。戴维专注地收起相机。诺拉曾希望这个梦幻假期能拉近他们的距离,让两人重温曾经共享的亲密。正因如此,她才逼着自己花这么多小时躺在艳阳下,保持静止的姿态,让戴维照了一卷又一卷的底片。但他们在这里已经待了三天,一切却跟在家里没什么不同。他们每天早上在沉默中喝咖啡。戴维总是找得到事情做:不是忙着拍照,就是钓鱼。他晚上阅读,躺在吊床上晃来晃去,诺拉散步、打盹、无精打采地闲逛,或是到镇上五光十色、要价奇高的观光商店买东西,保罗则弹吉他、跑步。

诺拉遮住双眼,低下头看看起伏的金黄色沙滩。人影逐渐接近,已经看得出来人的模样,但她看到的却不是保罗。跑步过来的男子高大、精瘦,大概三十五或四十岁。他穿条裤沿有一圈白色小点的蓝色尼龙短裤,没穿上衣,晒得黝黑的肩膀周围发红,看来似乎会痛。男人逐渐接近他们时放慢脚步,而后停了下来,双手插在臀部上,大口喘气。

"好棒的相机,"他说,然后直直地盯着诺拉,补了一句,"画面也很有趣。"他的头已经开始秃了,深褐色的双眼充满热情。她转过头,感觉到他炽热的目光。此时戴维开口说话:海浪和沙丘,沙子和肌肤,同时呈现两种冲突的影像。

她凝视沙滩远方。没错,另一位跑步者就在那里,那个几乎看不清楚的人影才是她儿子。阳光太强了。数秒之间,她感到晕眩,光线如同银白小鱼似的滑过浪花边缘,在她眼睑内闪动。霍华德;她想知

173

道他打哪里来，从哪里取了一个像这样的名字。这会儿他和戴维热切地讨论起光圈和滤光镜。

"这么说来，你是这个系列的灵感源泉啰？"他边说边转身把诺拉纳入谈话。

"我想是吧。"她边说边拍去手腕上的沙子。"阳光有点伤皮肤。"她加了一句，忽然注意到这套新泳装让自己近乎赤裸。海风吹拂，飘过她的发丝。

"不，你的皮肤很美。"霍华德说。戴维的双眼大张。他看着她的模样，仿佛从未见过她似的。诺拉顿时升起一股胜利感。瞧见了没？她真想说，我有一身漂亮的皮肤。但在霍华德热情的注视下，她没有开口。

"你应该看看戴维的其他作品。"诺拉说，她指指棕榈树之间的低矮小屋，九重葛从门廊的棚架上倾泻而下。"他带了他的作品集。"她的话语构成一道墙，但也是个邀请。

"我乐意之至。"霍华德说，然后转过头面向戴维，"我对你的摄影研究很有兴趣。"

"是吗，"戴维说，"过来一起吃午餐吧。"

但霍华德一点钟必须到镇上开会。

"保罗来了。"诺拉说。他沿着海边跑得飞快，拼命冲过最后一百码，双臂和大腿在阳光下闪烁着光芒，微微冒着热气。我的儿子啊，诺拉心想，世界顿时豁然开朗。有时只要他一出现，她就兴起这样的感觉。"我们的儿子，"她对霍华德说，"他也喜欢跑步。"

"他体能很好。"霍华德评论道。保罗开始减缓速度。一跑到他们身旁，他就弯下腰，双手放在膝盖上，慢条斯理地深呼吸。

"速度也快。"戴维瞄了一眼手表说。别这样，诺拉心想。戴维似乎看不出保罗不喜欢父亲对他的规划。戴维一提到他的前途，他就反感。别说了。但戴维继续说，"我真不想看到他浪费才华。你看看他的身高，想想他在球场上会有什么表现，他却一点也不在乎篮球。"

保罗抬头看看，一脸轻蔑。诺拉心中升起一股熟悉的怒气。戴维为什么不明白他越逼保罗打篮球，保罗就越抗拒?他若想让保罗打篮球，就该反其道而行，禁止保罗上球场。

"我喜欢跑步。"保罗站起来说。

"谁会怪你喜欢跑步呢?"霍华德边说边伸手过去握手，"尤其是你跑得这么棒。"

保罗跟他握握手，脸高兴地涨红了。你的皮肤很美，他几分钟前才对她说。诺拉不知道那时自己是否也同样让人一眼就看透。

"过来吃晚餐吧。"她一时冲动地建议。霍华德对保罗的友善引发了她的兴致。她又饿又渴，而且被太阳晒得有点头重脚轻。"既然你不能跟我们一起吃午餐，那么过来吃晚饭吧，当然请带着太太一起来。"她补了一句，"一家人都来吧，我们升把火，在沙滩上弄点东西吃。"

霍华德皱皱眉头，遥望闪亮的水面。他拍拍双手，把手掌放在脑后，伸了伸懒腰。"很遗憾，"他说，"这儿只有我一个人，有点像是隐居。我正跟我太太办离婚。"

"真替你难过。"诺拉说，但她心中却无难过之意。

"还是来吧。"戴维说，"诺拉是派对专家，我可以给你看看我正在进行的其他作品。这一系列都和认知有关，就叫作'转化'吧。"

"啊，转化，"霍华德说，"我完全赞同。好，我很乐意过去吃晚餐。"

戴维和霍华德聊了几分钟。与此同时，保罗则沿着大海慢慢走，降低体温。霍华德随后告辞。几分钟之后，诺拉站在厨房里切小黄瓜准备午餐。她看到霍华德走向沙滩远远的一端。窗帘在微风中飘动，他的身影忽隐忽现。她想起他肩膀上晒黑的印记、穿透人心的目光，以及他的声音。保罗正在冲澡,水急速地流过水管;戴维在客厅里整理照片,纸张轻柔地沙沙作响。这些年来,他仿佛着了迷,总是透过相机的镜头观看世界,观看她。他们早夭的女儿仍然盘旋在两人之间,他们的生活始终绕着不存在的她打转。诺拉有时甚至怀疑,是否因为失去了她,所以两人依然守在一起。她把小黄瓜片放进色拉盘中,开始削胡萝卜。霍华德成了远处的小针点,随后消失。他有双大手,她记得,掌心和指甲映着晒黑的肌肤,显得苍白。皮肤很美,他说,而且他的双眼始终不曾离开她的注视。

午餐之后,戴维在吊床上打盹,诺拉在窗边的床上躺了下来。海风徐徐,她感到生气盎然。不知道为什么,微风似乎让她和细沙、大海产生了感应。霍华德只是个普通人,几乎骨瘦如柴,而且开始谢顶了,但他却有股神秘的吸引力。说不定只是因为她内心深处的寂寞与渴望吧。她想到布丽会对此表示称许,不禁莞尔一笑。

嗯,有何不可?她会说。说真的,诺拉,有何不可?

我是个结了婚的女人,诺拉回答,转身望向窗外耀眼、流动的细沙,急切地等着妹妹驳斥她。

诺拉,拜托,你这辈子只活一次,为什么不找点乐子呢?

诺拉站起来,轻轻走过陈旧的木板地,帮自己调了一杯加了酸橙片的金汤尼。她坐在前廊的吊椅上,在微风中慵懒地看着戴维打瞌睡。这些日子来,她已经猜不透他的心。保罗弹着吉他,音符在沉静的空中飘扬。她想象他盘腿坐在狭小的床上,低头望着他喜爱的阿尔曼萨吉他。吉他是去年戴维送他的生日礼物。这把精美的乐器有着黑檀木的指板,背面和侧边是花梨木,还有黄铜色的旋钮。戴维确实试着拉近和保罗的距离。没错,他在运动方面逼得太紧,但他也找时间带保罗钓鱼或是到森林远足,父子两人不停地采集石头。他花了很多时间研究这把吉他,然后从纽约的一家公司订购。当保罗一脸崇敬地从盒子里取出吉他时,他脸上洋溢着欣喜。此时她看着戴维在前廊的另一端熟睡，脸颊的肌肉微微抽动。戴维，她轻轻叫了一声，但他没听到她的呼唤；戴维，她稍微提高音量，他依然一动不动。

　　四点钟，她迷迷糊糊地打起精神，挑了一件有腰身的印花背心裙，两边肩膀上绑着细带。她套上围裙，开始准备晚餐。食物简单却精致：牡蛎浓汤和香脆的小饼干、粒粒澄黄的玉米、新鲜的生菜色拉，再加上她早上在市场买的小龙虾。龙虾还在装着海水的桶里。她在狭小的厨房里走来走去，整洁的棉裙轻轻贴着她的大腿和臀部移动。她试着变通，把做蛋糕的烤盘当作烤锅，用牛至叶替代马郁兰做色拉酱。她将双手浸到冷水中。清洗生菜，保罗和戴维在屋外的烤肉架下升火。烤肉架已经锈了一半，小洞上贴着锡箔纸。褪色的桌上摆着纸盘，酒倒进红色的塑料杯里。他们坐着剥龙虾，奶油顺着手掌流下。

　　她先听到声音才看见他。那是另一种声音，比戴维低沉一点，鼻音重一点，带着漠然的北方口音，宛如冷冽的空气夹带着冬日的气息，随着每个音节飘进屋里。诺拉用厨房毛巾擦干双手，走到门口。

　　三个大男人聚在离前廊不远的沙滩上。她很惊讶自己已把保罗视为大男人，不过他站起来已经和戴维齐高，差不多长大、独立了。很难相信这副躯体曾是她的一部分。烤肉架散发出烟雾与树脂的气味，煤炭的热气直上云霄，保罗光着上身，双手插在裤兜里，简短而不自然地回答对方提出的问题。他们没在看她：她的先生和儿子；他们注视着火光和大海。此时的海洋宛如不透明的玻璃般平滑。倒是坐在两人对面的霍华德，抬起下巴对着她微笑。

　　在其他两人转头、霍华德把酒瓶放到她手中之前，有一刻，他们的目光相遇；只有对他俩而言，那一刻才显得真实，其后却再也说不出那究竟是什么。仿佛是种默契，需要未来的诠释。但那一刻是真实的：他黝黑的双眸，他和她在愉悦中展露欢颜，世界像冲浪似的在他们周围轰然碰撞。

戴维转身微笑,那一刻顿时像一道门似的猛然关上。

"是白葡萄酒。"霍华德边说边把酒瓶递给她。诺拉忽然发现霍华德平凡极了。他的鬓角留到脸颊的一半,显得特别愚蠢。先前那一刻所蕴藏的意义顿时消失无踪。难道是她的想象吗?"可以吧?"

"好极了。"她说,"我们今晚吃龙虾。"没错,这话平淡无奇。那个震撼心弦的时刻已被抛在脑后,现在她是个客气的女主人,她娴熟地扮演着她的角色,就和穿着裙子走路一样自在。霍华德是她的客人。她帮他搬了一张椅子,送上一杯酒。当她端着摆了杜松子酒、奎宁水和冰桶的托盘再度出现之时,阳光已经移到海水的边缘,云朵在空中翻腾,呈现出粉红和桃红的色彩。

他们在前廊吃饭,黑夜很快降临。戴维点燃栏杆扶手上整齐排列的蜡烛。远方,潮水已经涌起,波涛暗暗地拍打着沙滩。在闪烁的烛光中,霍华德的声音起起落落。他讲到他制作了一个"暗箱",是个桃花心木的箱子,除了一个小孔之外,密封而不透光。小针孔把世间的影像投射到镜子上。这个仪器是相机的前身,有些画家把它当作画具,在作品中呈现出令人惊讶的细节。荷兰画家维梅尔是其中之一,霍华德也正在研究。

诺拉聆听着,在黑夜中有点醉意。他提到的影像令她非常惊讶:整个世界投射在一道漆黑的内墙上,小小的身影困在光影之内,但依然动来动去。她在戴维的实验作品中则相当不同。相机似乎把她固定在某个地点、某段时间,让她保持静态。她在黑暗中啜着酒,顿时明了这正是问题所在:不知道从何时开始,她和戴维的关系被卡住了,如今他们绕着彼此旋转,被困在不同的轨道之内。过了一会,话题变了,霍华德谈到他在越南的那段日子。他曾帮军方拍摄照片,纪录战事。"说真的,很多时候都相当无聊,"当保罗表示仰慕时,他说,"很多时候只是坐在船上,顺着湄公河上上下下。但那是一条非常特别的河流,也是个相当特殊的地方。"

晚餐之后,保罗回他的房间。几分钟之后,吉他的音符伴随着浪涛声流淌出来。他原本不想加入这趟旅游,这让他放弃了一星期的音乐营,而且度假回家,过了几天之后,他有一场重要的演奏会。但戴维坚持让他来。他不把保罗在音乐上的野心当成一回事。他认为把音乐作为嗜好未尝不可,但不能当成事业。但保罗非常喜欢吉他,决心去念朱丽亚音乐学院。戴维工作得这样勤奋,就为了让全家过得安适,但每次提到这个话题,他就大为紧张。此刻保罗的乐声飘扬在空中,急促、优美,但也带着一点犀利,仿佛刀尖刺入了肌肤。

话题从光学仪器转移到哈得孙河谷奇妙的光线,还有法国南部。霍华德住在哈得孙河谷,也喜欢造访法国南部。他谈起狭窄的道路,薄薄的尘土随风飘扬,还有美得令人窒息的向日葵田。她身旁的他几乎仅仅是身影,只听到声音,但不知道为什么,他的话语像保罗的音乐一样穿透她的心,同时在体内与体外飘荡。戴维为大家添了些酒,改变了话题,然后他们起身,走进灯火通明的客厅。戴维从作品集中抽出一套黑白照片,两人随后热烈地讨论光线的特性。

诺拉在一旁闲晃。他们正在讨论的照片都是她:她的臀部、她的肌肤、她的双手、她的头发;但她却被排除在讨论之外:她只是个物体,而不是主题。她走进列克星顿的办公室时,偶尔会看见一张无名却异常熟悉的照片,照片呈现出她部分身体曲线,或是她跟戴维的共游之地。但原始的意义已被去除、转化,她肌肤的影像也已成为一个抽象概念。她当戴维的模特儿,试图藉此化解两人之间渐生的距离,这该归咎于他吗?还是她的错呢?其实都无所谓。此时她看着戴维全神贯注地解释他的想法,她明白他其实没有看见她,他已经很多年都视而不见。

她忽然怒从心生,气得全身颤抖。她转身离开房间。自从"黄蜂事件"之后,她就很少喝酒,但现在她走进厨房,为自己在红塑料杯里倒满了酒。她周围都是肮脏的锅和凝结的奶油,龙虾火红的外壳有如死蝉的表壳。花了这么多功夫,就为了短暂的快乐!戴维通常负责清洗碗盘,但今晚诺拉在腰间系上围裙,在水槽里注满水,把剩下的牡蛎浓汤收到冰箱里。客厅里的两个人继续畅谈,声音如大海般起伏。她究竟在想些什么?穿上这条棉裙,陶醉于霍华德的声音之中?她是诺拉·亨利,戴维的妻子、保罗的母亲,而且儿子已经快要成年。眯着眼睛在浴室的强光下,她已看出自己有几簇灰发,虽然她确定其他人看不出来,但这依然是事实。霍华德过来跟戴维讨论摄影,没错,事情就是这么单纯。

她走到户外,把垃圾拿到垃圾场。贴在她光脚上的沙子有点冰冷,空气和她的肌肤一样温暖。诺拉走到大海边,凝视闪烁着白光的繁星。她身后的纱门开了又关,戴维和霍华德走了出来,踏过细沙与黑暗而来。

"谢谢你收拾。"戴维说,他的手短暂地停留在她背上。她全身紧绷,努力让自己不要挪开。"对不起,我没有帮忙,我想我们聊上瘾了。霍华德有些不错的点子。"

"说真的,你的手臂真令我着迷。"霍华德说的是戴维拍摄的数百张照片。他拾起一片浮木,猛力一掷。他们听到水声四溅,波涛吞噬了木块,将它卷入大海之中。

他们身后的屋子像个灯笼,投射出明亮的光圈。但他们三人站在黑暗中,周围暗得诺拉几乎看不到戴维或是霍华德的脸。她也几乎看不清自己的双手。黑夜中只有朦胧的黑影和声音,话题东南西北,绕着技巧和程序打转。诺拉觉得好想尖叫,她把一只光脚摆在另一只后面,打算转身离开,这时忽然有只手轻轻拂过她的大腿。她止步,大吃一惊,静静等待。不一会,霍华德的手指悄悄移上她的裙边,一只手探进她的口袋,一股神秘的暖意忽然贴上她的肌肤。

诺拉屏住气息,戴维继续谈论他的照片。她依然穿着围裙,而且四周非常暗。过了一会之后,她微微动了一下,霍华德摊开手贴着薄薄的衣料和她平坦的胃部。

"嗯,这话没错,"霍华德说,声音低沉而柔缓,"你若使用滤光镜,难免得牺牲清晰度,但效果绝对值得。"

诺拉慢慢、慢慢地吐了一口气,心想不知道霍华德是否感觉得到自己血脉的奔流。他的手指散发出温暖,她心中充满渴求,涨得让她心痛。海浪升起,缓缓退落,再次升起。诺拉站得笔直,听着她自己急促的呼吸声。

"你瞧,有了暗箱之助,你的研究又迈进了一步。"霍华德说,"暗箱表达出的世界实在不寻常。我希望你过来看看,你会吧?"他问。

"我明天要带保罗去海钓,"戴维说,"或许后天吧。"

"我想我要进去了。"诺拉轻声说。

"诺拉觉得无聊。"戴维说。

"谁能怪她呢?"霍华德说,他的手压着她的腹部,有力而敏捷,宛如翅膀的拍击。然后他把手悄悄从她口袋中抽出。"你要是愿意,明天早上过来吧。"他说,"我正在用暗箱画几张图。"

诺拉点点头,没有说话,想象一道强光贯穿黑暗,在墙上投射出神奇的影像。

他过了几分钟之后离去,几乎马上消失在黑暗中。

"我喜欢这个家伙。"稍后他们走进屋里,戴维说。此时厨房已经一尘不染,她梦幻般的下午已无影无踪。

诺拉站在窗边遥望黑暗的沙滩,听着浪涛声,双手摆在棉裙口袋的深处。

"是的,"她表示同意,"我也喜欢。"

*　　*　　*

第二天早晨,戴维和保罗天还没亮就起床,开车到海边赶搭捕鱼船。他们准备出门时,诺拉躺在黑暗中,干净的棉质床单贴着她的肌肤,感觉真柔软。她听到父子两人笨手笨脚地在客厅走动,以免发出噪音。先是脚步声,然后车子引擎隆隆作响,后来慢慢地恢复安静,仅听到海浪声。天空和海洋交接之处出现光芒,她仍懒洋洋地躺在床上。稍后她洗个澡,穿衣打扮,帮自己泡杯咖啡。她吃了半颗葡萄柚,洗洗盘子,收拾整齐,走出门外。她穿着短裤和一件印着火烈鸟图案的青绿色上衣,把白色的球鞋绑在一起,拿在手上晃来晃去。她洗了头,海风吹干了她的头发,发丝缠绕着她的脸庞。

霍华德的小屋在一英里外的沙滩上,跟她的小屋几乎一模一样。他坐在前廊,对着一个黑色的木盒弯下腰。他穿着白色的短裤和一件橘色花格衬衫,衬衫的纽扣没扣。他跟她一样赤着脚,她逐渐走近的时候,他站了起来。

"喝点咖啡吧?"他大叫,"我一直看着你从沙滩上走过来。"

"不,谢谢。"她说。

"你确定?爱尔兰咖啡噢,带点劲道。你知道我的意思吧。"

"过一会再说吧。"她走上台阶,伸手抚过光滑的桃花心木盒。"这就是暗箱?"

"没错。"他说,"来,过来看看。"

她坐在椅子上,椅子依然留有他的体温。她从小孔中看出去,世界呈现在眼前:绵延的沙滩,成排的岩石,一只蜗牛在地平线上慢慢地挪动,松树一般茂盛的木麻黄在风中飘摇,一切都变得微小、逼真。景物纳入了框架之中,虽然被包围起来,却生动鲜活,而非静止不动。随后诺拉眨眨眼抬头一望,发现周遭也起了改变:花朵活灵活现,椅子上的条纹明亮耀眼,一对情侣踏着海水的边迹散步,一切都栩栩如生,令人惊叹,远超过了她的理解。

"唔,"她边说边再次往盒子里看。"太神奇了,周围变得特别精确,特别鲜明,我甚至看得见微风在树间吹拂。"

霍华德笑笑。"很奇妙,不是吗?我就知道你会喜欢。"

她想到保罗还是小宝宝时,躺在摇篮里,盯着某些普通的新玩具,嘴巴噘成完美的O型。她再度低头观赏箱内的世界,然后抬头看看世界的转变。从黑暗框架中获释的世界,连光线都特别闪亮,生气蓬勃。"太美了,"她轻声说,"美得让我几乎受不了。"

"我知道。"霍华德说,"来吧,你可以成为其中一部分,让我帮你画张像。"

她起身走向炽热的沙滩,光芒刺目;她转身站在霍华德面前。他俯身到小孔上方,她看着他的手在素描簿上移动。她的头发发烫,阳光像只热气腾腾的大手。她想起昨天也摆姿势,前天也是,她就这么站着,是个主题,也是个物体。她摆出姿态,诱发或保存了一些不存在的时刻,但却隐藏了内心真正的思绪。她已经这样站了多少次?

现在她依然这么站着:一名女子,被缩小成完美的迷你雏型,每个面相都被光线投射到镜上。海风温暖而湿热,在她发间飘动,霍华德为她画素描,把她的身影定形于纸上,细长的手指和修剪得端整的指甲快速地移动。她想起她帮戴维摆姿势拍照时,沙子在她臀部下滑动;她也想起戴维和霍华德是怎么谈论她。在戴维和霍华德眼中,她不是屋里那个活生生的女子,而是一个影像、一个形体。思及至此,她忽然觉得脆弱。她仿佛不是那个事业有成、自给自足、带团往返中国的女强人,而是个说不定会被下一阵风吹走的女子。然后她又想起霍华德那只温暖、探进她的口袋和肌肤的手。此时,那只手正帮她素描。

她把手伸到腰际,抓住上衣的边缘。缓慢,但毫不犹豫地,她从头上脱下上衣,让它落在沙滩上。在前廊上,霍华德停止了作画,但没有抬起头。他的双臂和肩膀的肌肉已经停止移动。诺拉拉下短裤拉链,短裤顺着臀部滑下,她一脚跨了出来。目前为止没什么不寻常,她只是穿着那件已经摆了多次姿势的泳装。接下来她把手伸到背后，解开泳装上半部的纽扣，再把下半部从臀部褪下，顺着大腿脱下来，一脚把它踢开。她站着，感觉阳光和海风在肌肤上游移。

霍华德慢慢地从暗箱抬起头来，瞪着双眼。

那短暂的一刻有如噩梦，感觉好像做梦做到一半，她正在买东西或是走在拥挤的公园里，赫然发现自己忘了穿衣服，感到又羞耻又慌张。她伸手去捡衣服。

"不，不。"霍华德轻声说。她停了下来，站直身子。"你真美。"他随即起身，动作轻缓而谨慎，仿佛她是只小鸟，他会把她吓得飞走。但诺拉站得笔直，刻意呈现躯体中的自我。她觉得自己仿佛是沙子做的，沙子遇上了火，即将被转化，被抚平，被激起点点光芒。霍华德走到沙滩上，他的脚陷入温暖的沙里。这趟路似乎走了好久。终于走到她身边时，他停下来，盯着她，却碰也没碰她。海风吹拂着她的头发。他推开她唇边的一绺发丝，非常轻柔地把它塞到她耳后。

"我永远无法捕捉你现在的模样，"他说，"我永远捕捉不了。"

诺拉笑笑，把手贴在他胸前，感觉薄棉的触感，他温暖的肌肤，以及层层肌肉与骨头。胸骨，她记得这个名词。她以前为了多了解戴维和他的工作，曾经研究过骨头。胸骨柄和胸骨体，形状像一把剑；真肋与假肋，连为一体的干线。

他的双手轻轻地托住她的脸颊，她任凭自己的手垂下来；他们一语不发，一起走向小屋。她把她的衣物留在沙滩上，不在乎谁都可能看见它们。前廊的木板在她脚下轻轻动摇，覆盖在暗箱上的布块已被扔在一旁。她满意地看到霍华德已素描了沙滩、地平线、散乱的岩石和树木，一切都是完美的复制。他也素描了她的头发，但只是一团形状不定的柔和云朵。画纸上她所站立之处一片空白，她的衣服像树叶般落下，而他抬起头来，看着她站在那里。

仅此一次，她让时光停驻。

刚从明亮的沙滩进屋，屋内显得阴暗。世界被框在窗户里，正如在暗箱的镜头中一样，看来耀眼、生动，令她热泪盈眶。她坐在床沿。躺下吧，他边说边从头上脱下衬衫，我只想看你一会儿。她躺下，他站着俯瞰她，目光在她肌肤上游走。跟我待在一起，他说，然后在她的惊讶中跪了下来，把头靠在她的小腹上。他没有刮脸，脸颊贴在她平坦的胃部，感觉刺刺的。她一呼吸就感觉到他的重量，他的气息游走于她的肌肤各处。她把手伸下去，双手拂过他日渐稀疏的头发，把他拉上来亲吻她。

日后让她吃惊的不是她做了这些事，或是以后的发展，而是她在霍华德的床上做了。床在窗户下方，窗户大开，而且没有窗帘，有如暗箱中的一景。戴维不在，他带着保罗出海钓鱼，但是任何人都可能经过，看到他们。

但她没有停下来，当时没有，后来也没有。跟他在一起好像发了烧，身不由己。她似乎敞开大门为自己招来种种机会，迎接她所认为的自由。很奇怪，她发现有了秘密之后，她似乎比较能够忍受她和戴维的疏离了。她一再回去找霍华德。即使戴维注意到她经常出去散步，而且走得很远，她还是去找霍华德；即使她懒洋洋地躺在床上，霍华德在帮他俩调酒，她从地上拾起他的短裤，发现一封信里夹着张照片，照片上是他微笑的妻子和三个小儿子，信里写着我妈好多了，我们都想你，爱你，下星期见，她还是去找霍华德。

这事发生在下午，阳光在浮动的海水上光芒耀目，沙子上散发出热气，天花板上的电风扇在阴暗的屋里咔嗒咔嗒响。她拿着照片，遥望远方想象中的风景和明亮的光芒。在现实生活中，这张照片肯定经过迅速、准确的剪裁，但此时此刻，她毫无感觉。诺拉悄悄把照片放回去，让他的短裤掉回地上。在这里，这些都没关系，只有梦想和令人发烧的光芒才重要。接下来的十天，她与他相会。

一九七七年八月

一

戴维跑上台阶，踏进学校安静的大厅，停下来喘口气，弄清楚方向。保罗的音乐会他来迟了，而且迟到多时。他原本打算早点离开医院，但正要离开时，救护车就送来一对上了年纪的夫妻：先生从梯子上跌下来，摔到太太身上，他的脚和她的手臂都摔断了，腿部需要上石膏和打钢钉。戴维打电话给诺拉，她的声音几乎掩藏不住怒气。他听了也气得不在乎，甚至有点高兴惹恼了她，毕竟她结婚时就知道他的工作性质。两人在电话里都不说话，沉默了好一会儿他才挂断。

水磨石地带点淡粉红色泽，沿着走廊有一排深蓝色的置物柜。戴维站着聆听，一时之间只听到自己的呼吸声。然后爆出一阵掌声，他跟随掌声顺着大厅走到礼堂高大的双道木门前。他拉开一道门，踏入门内，让双眼适应一下光线。礼堂里挤满了人，如海水般的黑压压的人头朝着灯火通明的舞台延伸而下。他浏览人群，寻找诺拉。一位年轻女子递给他节目单，这时一个穿着低腰牛仔裤的男孩走上舞台，拿着萨克斯管坐下，她指指节目单往下数第五个名字。戴维感激地深深吸了一口气，紧张的心情稍稍缓解。保罗是第七个表演者，他刚好及时赶上。

萨克斯管乐手开始吹奏，乐声热情激昂。男孩吹错了一个音符，

186

尖锐的声音令戴维打骨子里起了寒颤。他再次浏览观众,看到诺拉坐在靠近前排中央,旁边有个空位。这么看来,她曾想到他,最起码帮他留了位子。他先前不确定她会,他再也无法确定任何事情。唉,他确定心中有股怒气,也确定自己出于罪恶感,所以只字未提在阿鲁巴的事情。这些事情虽然造成了两人的距离,但他完全看不透诺拉的心,也猜不透她的动机。

萨克斯管乐手在一记响亮的音符中结束表演,站起来鞠躬。趁着众人鼓掌时,戴维辛苦地走下灯光昏暗的阶梯,笨拙地挤过那些已经坐下的观众,坐到诺拉旁边的位子上。

"戴维,"她说,移了移她的衣服,"看来你还是赶上了。"

"那是紧急手术,诺拉。"他说。

"噢,我了解,我已经习惯了。我只关心保罗。"

"我也关心保罗,"戴维说,"所以我才来。"

"是啊,的确没错。"她的语调尖锐而清脆,"你确实关心的啊。"

他感觉到她散发出一波波怒气。她一头金色短发式样完美,穿着一套奶白与金黄的天然丝绸套装,这是她第一次到新加坡的时候买的。随着业务发展,她越来越频繁地旅行,带团到平淡无奇和充满异国情调的地方。戴维刚开始跟着去了几次,那时旅行团的规模较小,行程也比较单纯。大伙游览猛犸洞窟国家公园,或是到密西西比河乘船。每次他都对诺拉的转变感到惊讶,旅行团的人跟她说他们的担心或在乎的事情,诸如牛肉不够熟、木屋太小、空调太冷、床太小等等,她仔细聆听,每次危机中都保持冷静。她点点头,拍拍旅客的肩膀,伸手拿起电话。她依然美丽,但美貌中已出现了棱角。她工作表现杰出,不只一位染了蓝色头发的女人曾把他拉到一旁,言辞恳切地告诉他他是多么幸运。

他曾想,这些女人若发现她的衣物堆成一团扔在沙滩上,不知道作何感想?

"你没有权生我的气,诺拉。"他轻声说。她身上带股清淡的橘子味,下巴紧绷。台上,一位穿着蓝色西装的年轻人在钢琴前坐下,伸缩一下手指,不一会就开始专注地演奏,乐声轻快流畅。"完全没有。"戴维说。

"我没生气,我只是为保罗紧张。生气的是你。"

"不,是你。"他说,"你从阿鲁巴回来就是这样。"

"你自己瞧瞧镜子吧。"她轻声回嘴,"你看起来像是吞了一只吊在天花板上的蜥蜴。"

这时有只手落在他的肩膀上,他转头看到一个胖女人坐在她先生旁边,两人身旁坐了一长排小孩。

"对不起,"她说,"你是保罗·亨利的父亲吗?嗯,台上弹钢琴的是我的儿子杜克。你们若不介意,我们真的想听他演奏。"

戴维迎上诺拉的目光,两人暂时心有同感,她甚至比他还不好意思。

他坐定聆听。这个名叫杜克的年轻人是保罗的朋友,弹钢琴时专注而有点害羞,但他弹得非常好,技巧纯熟,充满热情。戴维看着他的双手在琴键上移动,心想杜克和保罗骑脚踏车在附近安静的街道上溜达时,两人不知道谈些什么?这两个男孩有什么梦想?保罗会告诉朋友哪些他绝不跟爸爸说的事?

诺拉的衣服扔在白色的沙滩上,堆成鲜艳的一团,海风吹起她那件色彩鲜艳的上衣的一角。虽然戴维怀疑保罗也看到了,但他们永远不会讨论这件事。那天早上,他们起个大早去钓鱼,在旭日尚未东升的黑暗中开车到海岸边,沿途经过一些小村庄。他和保罗都不健谈。但在清晨两人惯例地收放钓竿之时,他总感到父子间有股默契。而戴维也期待这个跟儿子相处的机会。儿子长得很快,对他已经是一团谜。但海钓之旅被取消了。船上的马达坏了,船主正等着新零件。他们失望地在港口徘徊了一阵子,喝了瓶橘子汽水,看着朝阳从明镜般的海面上升起,然后开车回小屋。

那天早上光线极佳。戴维虽然失望,但也急着回去照相。他半夜忽然有个新点子。霍华德提到一个地方,他若到那里再拍张照片,就可以将整个系列连贯起来。霍华德是个好人,而且感觉敏锐。戴维整晚想着他们的谈话,暗自感到兴奋。他几乎没睡。现在他只想回家,再拍一卷诺拉在沙滩上的照片。但他们发现小屋安静、清凉、空无一人,只有满室阳光和阵阵波涛声。诺拉把一盘橘子留在桌子中央,她的咖啡杯洗得干干净净,整齐地放在水槽里晾干。诺拉?他大叫,然后又喊了一次,诺拉?但她没回答。我要出去跑步,保罗说,明亮的门口只看到他的影子。戴维点点头,留意一下你妈妈在哪里,他说。

戴维独自待在小屋里,把装了橘子的盘子移到料理台上,然后把他的照片排列在桌上。照片在微风中飘扬,他不得不拿小酒杯压住。诺拉抱怨他变得太迷摄影,不然他为什么把作品集带来度假?或许她说得没错,但其他方面她就错了。他没有借着相机来逃避世界。有时他看着显影剂中逐渐出现影像,瞥见她的手臂以及她臀部的曲线,整个人仍然因为深深爱着她而安静下来。保罗回来时,他还在整理编排照片,房门轰地一声关上。

"这么快就回来了?"戴维抬起头说。

"累了,"保罗说,"我累了。"他直接穿过餐厅,消失在他房里。

"保罗?"戴维说,他走到房间门口,转动一下把手,门锁住了。

"我只是累了,"保罗说,"没事。"

戴维等了几分钟。保罗最近非常情绪化,戴维似乎动辄得咎,跟保罗谈到未来尤其糟糕。保罗的前途无量,他在音乐和运动方面极具潜力,种种机会对他敞开了大门。戴维经常想到他自己的一生以及他必须做出的困难抉择。但如果保罗了解自己的潜力,他的付出就有了代价。不知怎么,他心中总有个挥之不去的恐惧。他怕自己让儿子失望,也担心保罗会虚掷天赋。他再轻轻地敲门,但保罗没有回应。

戴维终于叹了一口气，走回厨房。他欣赏一下料理台上的那盘橘子，端详水果的线条和漆黑的木头。然后，在一股无法解释的冲动下，他走出屋外，沿着沙滩散步。走了至少一英里之后，他远远地瞥见诺拉鲜艳的上衣在风中飘扬。他走过去，发现散布在沙滩上的是她的衣服，而且被扔在肯定是霍华德的小屋前。戴维驻足于刺眼的艳阳下，满心疑惑，他们下水游泳了吗？他看了海面一眼，但没看到他们。他继续往前走，直到小屋的窗户里飘出诺拉熟悉的笑声，笑声低沉而充满韵律。他也听到霍华德的笑声，回应着诺拉的笑语。这下他明白了，痛苦袭上心头，有如他足下的热沙一样火热、滚烫。

霍华德，这个头发稀疏，穿着凉鞋，昨晚站在客厅。针对摄影提出各种好点子的家伙。

跟霍华德？她怎能这样？

但话又说回来，跟谁都一样；他等这一刻已经等了很多年。

沙子滚烫地贴着戴维双脚，阳光刺目。在那个下雪的夜晚，当他把他们的女儿交给卡罗琳·吉尔，他就确信此事会引发后果。此时，他心中充满了昔日那种感觉。日子继续过下去，生活充实而丰富。从任何看得见的层面而言，他都算得上成功。但有时手术做到一半、开车进城或快要入睡时，他的心里会突然充满罪恶感。他把他们的女儿送走了，这个秘密阻隔在家人之间，影响了一家人的生活。他知道，他看得到，他们之间已经升起有如一道石墙般的藩篱。他看着诺拉和保罗伸手敲击，但母子两人却不明白是怎么回事，只知道他们和戴维之间有段看不到、越不过的距离。

杜克·麦迪逊以华丽的颤音结束表演，站起来鞠躬。诺拉用力鼓掌，转头看看坐在后面的那家人。

"他弹得真好。"她说，"杜克很有天赋。"

台上随即一空，掌声渐渐停下来。一分钟过去了，又过了一分钟，观众开始窃窃私语。

"他在哪里？"戴维边问边低头看他的节目单。"保罗在哪里？"

"别担心，他在这里。"诺拉说。她拉起他的手，让他略感惊讶。她的手贴着他的手心，感觉冰凉。他心中突然浮起一阵无法解释的慰藉，在那一刻，一切似乎跟从前一样，他们之间完全没有距离。"他很快就会上台。"

就在她说话之时，周围一阵骚动，保罗随即走到台上。戴维仔细端详儿子：他身材高瘦，穿着一件干净的白衬衫，袖口卷起来，脸庞微红，略带别扭地对着观众微笑。戴维忽然深感震惊，保罗怎么几乎变成了大人，站在漆黑的礼堂，自信而从容地面对满屋子观众？戴维从未梦想自己办得到，忽然觉得很紧张。如果保罗在这些人面前出了错，那该怎么办？保罗俯身面向吉他。他感觉到诺拉依然握着他的手。保罗试了几个音符，然后开始弹奏。

节目单上说这是塞戈维亚的两首作品："练习曲"和"无光练习曲"。两曲的音符优美精准，听来非常熟悉。戴维已经听保罗弹奏这两首曲子上千次。在阿鲁巴的假期中，他的房间从早到晚飘出这些曲子，时快时慢，音节与音符一而再、再而三地重复。此时保罗修长的指头娴熟、信心十足地滑过琴弦，音符飘荡在空中。戴维早已熟悉规律的乐声，他却觉得好像第一次听到这两首曲子，或许这也是他第一次看到保罗弹奏吉他。那个蹒跚学步、脱下鞋子试探他们的小宝宝，那个爬到树上、双脱手骑单车的男孩到哪里去了？不知何时，那个甜蜜的小恶魔变成了这个年轻人。戴维的心跳得好强好快，霎时之间，他几乎怀疑自己心脏病发作了。虽然他才四十六岁，心脏病发作的机率很低，但依然有可能。

戴维慢慢松懈下来，在黑暗中闭上双眼，让保罗的音乐一波波飘过心头。他想到琼，站在前廊上唱歌，声音清澈甜美；音乐是银铃般的语言，她生来就会唱，正如保罗。他心中升起一股失落感，众多回忆猛然袭上心头:琼的声音,保罗砰地一声关上身后的大门,诺拉的衣服散落在沙滩上,他刚出生的小女儿被送到卡罗琳·吉尔等候的双手中。

太多太多了,戴维几乎啜泣。他睁开双眼,暗自从头到尾念诵化学元素表:氢、氦、锂……这样一来,他的紧张与忧虑才不会化为泪水。这个方法在手术室里总能帮他集中精神,此时也奏效,他把思绪全都抛到脑后:琼、音乐,以及他对他儿子那股强烈的爱。保罗的手指在吉他上停了下来,戴维从诺拉手中抽回他的手,猛烈地鼓掌。

"你没事吧?"她问,双眼凝视着他,"戴维,你还好吗?"

他点点头,依然不太信任自己,也不太敢说话。

"他不错,"他终于开口,大声地说,"他很不错。"

"是的。"她点点头,"这就是为什么他想进朱丽亚音乐学院。"她还在鼓掌,保罗朝他们的方向望过来,她给他一个飞吻。"他若进得去,不是很好吗?他还有几年可以练习,而且如果他尽全力……谁晓得呢?"

保罗一鞠躬,带着吉他下台,掌声高昂地震天响。

"尽全力?"戴维重复,"如果进不去呢?"

"如果进得去呢?"

"我不知道,"戴维轻缓说,"我只是认为他还年轻,不该放弃其他机会。"

"他非常有天赋,戴维,你也听了他的演奏。如果这就是个大好机会呢?"

"但他才十三岁。"

"没错,而且他热爱音乐。他说弹吉他的时候,整个人都活了起来。"

"但是……那种生活充满各种变数,他能靠这个吃饭吗?"

诺拉一脸严肃地摇摇头。"我不知道,但那句谚语怎么说来着?

'做你所爱之事,财源自然滚滚而来。'别断绝了他的梦想。"

"我不会,"戴维说。"我只是担心。我希望他生活过得稳当顺利,但不管他多么杰出,进朱丽亚的机率很小,我不希望他受到打击。"

诺拉开口想说话,但一位穿着深红色衣服的女孩带着小提琴走上台。礼堂内变得安静无声,于是他们把注意力转回台上。

戴维欣赏那个年轻女孩和其后众人的演出,但保罗的音乐依然回荡在耳际。音乐会结束之后,他和诺拉走向大厅,每走几步就停下来跟人握手,听大家赞美他们的儿子。当他们终于接近保罗时,诺拉推开人群上前抱住他,保罗不好意思地拍拍她的肩膀。戴维迎上他的注视,咧嘴一笑,出乎他意料,保罗也咧嘴一笑。在这样寻常的时刻,戴维再度说服自己相信一切都会OK。但几秒钟之后,保罗似乎恢复了原样,他从诺拉怀中抽身,倒退了几步。

"你真不错。"戴维说。他上前拥抱保罗,注意到儿子肩膀一阵紧绷。这孩子一惯如此:客套而漠然。"儿子啊,你真是太棒了。"

"谢谢,我有点紧张。"

"看不出来。"

"一点也看不出来,"诺拉说,"你在台上表现得好极了。"

保罗轻轻摇晃垂放在身体两侧的双手,仿佛在发泄剩余的精力。

"马克·米勒邀请我跟他在音乐节一起演出,很棒吧?"

马克·米勒是戴维的吉他老师,声誉极佳,一阵喜悦再度涌上戴维心头。

"没错,真是太棒了。"诺拉笑着说,"真的,简直是酷毙了。"

她抬头看到保罗一脸苦恼。

"怎么了?"她问,"怎么回事?"

保罗动了动,把双手插进口袋,环顾挤满了人的大厅。"嗯,我不知道,我只是……妈,你听起来有点可笑,我的意思是,你毕竟不是小姑娘了,好吗?”

诺拉满脸通红,戴维看得出她高兴中带点痛楚,心里不禁一阵刺痛。她不知道他和保罗为什么生气,也不知道他多年前的决定,导致了自己把衣服丢在沙滩上随风飘荡。

“你不能对你妈这样说话,”他与生气的保罗较量,“马上跟你妈妈道歉。”

保罗耸耸肩,“好吧,当然,没问题,对不起啦。”

“口气诚恳一点。”

“戴维,”诺拉的手搭上他的手臂,“别把事情看得那么严重,我们只是太兴奋了,仅此而已。我们回家庆祝吧,刚才我想到邀请几个人,布丽说她会来,还有马歇尔一家,丽兹长笛吹得不错,不是吗?说不定杜克的父母也会来。保罗,你觉得如何?我跟他们不是很熟,说不定他们愿意参加?”

“不。”保罗说,这时他已显得疏离,越过诺拉望着拥挤的门厅。

“真的吗?你不想邀请杜克的家人?”

“我不想邀请任何人,”保罗说,“我只想回家。”

他们在原地站了一会。人声沸腾的屋中,他们好像一座沉默的孤岛。

“好吧,”戴维终于说,“我们回家吧。”

回到家,屋里一片漆黑。保罗直接上楼,他们听到他走向浴室,然后走回房间;他们听到他的房门轻轻关上,锁上门锁。

“我不明白,”诺拉说,她已脱下鞋子,穿着丝袜站在厨房中间,看起来瘦小而脆弱,“他在台上表现得那么好,看起来很快乐,然后怎么了?我真的不明白。”她叹了口气,“青少年啊,我最好上去跟他谈谈。”

“不,”他说,“让我去。”

他没开灯,爬上楼梯。走到保罗的房门口时,他在黑暗中站了好

194

一会儿。他记起儿子的双手娴熟精准地在琴弦上移动,让宽阔的礼堂盈满乐声。多年之前,他做错了事,不该把女儿交给卡罗琳·吉尔;他做出了错误的决定,因此现在才站在这里,在漆黑的夜晚中站在保罗的门口。他敲门,但保罗没有响应,他再敲一次,依然没有反应。于是他走到书架旁,找出存放在那里的细钉子,把钉子插进门把的小孔,门把一声轻响,他转了一下,房门随即打开。他看到房里空荡荡的,倒也不惊讶;他打开电灯,微风吹过洁白的窗帘,把它掀到天花板。

"他不见了。"他告诉诺拉。诺拉仍在厨房里,交叉双臂地站着,等着茶壶的水烧开。

"不见了?"

"他从窗户跑出去了,很可能爬树下去。"

她双手紧捂着脸。

"你知道他去哪里了吗?"

她摇摇头,茶壶发出哨声。她没有马上关掉炉火,哨声轻细而持续地充斥屋中。

"我不知道,大概跟杜克在一起吧。"

戴维穿过厨房,把茶壶从炉子上挪开。

"我确信他没事。"

诺拉点点头,然后又摇头。

"不,"她说,"问题就出在这里,我真的不知道他是不是没事。"

她拿起电话,杜克的母亲给她一个地址,在那里有个音乐会后的派对。诺拉伸手拿钥匙。

"不,"戴维说,"我去,我觉得他现在不想跟你说话。"

"他也不想跟你说话。"她大怒。

即使她这么说,但他看得出她心知肚明。在那一刻,某件事情赤裸裸地呈现在他们面前,立足于两人之间:她离开小屋,一走就是好几个钟头；她的谎言、借口，以及在沙滩上的衣物。但他也说了谎。她慢慢地点点头，他真担心她可能说些或做些什么，来永远地改变他们的世界。他一心只想停驻在此时此地，让时间不要向前。

"怪我，"他说，"这都是我的错。"

他晃晃钥匙，走入屋外清凉的春夜。时值满月，月亮散发出粉亮的光泽，圆满而美好地低垂在天际。戴维驶过寂静的街区，双眼仍不停地凝视着明月。街道两旁的人家殷实而富足，他小时候连想都没想过会住在这种地方；他知道世间充满了危险，甚至残酷，保罗却不知情；他拼命奋斗才有今日的成就，保罗却只将之视为理所当然。

戴维在离派对一条街的地方看到保罗。他双手插在口袋里沿着人行道向前走，肩膀有点下垂。路边停满了车，没地方把车停下来，所以戴维放慢车速，轻按了一下喇叭。保罗抬起头来。这一霎那，戴维真怕他会跑掉。

"上车。"戴维说，保罗照办。

戴维开车前进，两人都没讲话。月亮投下美丽的光芒，戴维感觉到保罗坐在他身边，也感觉到儿子轻缓地呼吸，双手僵直地搁在大腿上，凝视着车窗外一个个宁静的草坪。

"你今晚真的很不错，令我印象深刻。"

"谢谢。"

他们在沉默中开过两条街。

"你妈妈说你想进朱丽亚音乐学院。"

"或许吧。"

"你很不错。"戴维说，"你在很多方面都不错。保罗，你一生中还有很多机会，也可以选择不同的方向，你什么都办得到。"

"我喜欢音乐，"保罗说，"音乐让我觉得充满活力。我不指望你了解这种感觉。"

"我了解，"戴维说，"但充满活力和养活自己是两回事。"

"没错,确实如此。"

"你从来没有缺过任何东西,所以才用这种口气说话。"戴维说,"这是一种你无法了解的奢侈与特权。"

这时他们快到家了,但戴维掉头朝着相反方向行驶,他想跟保罗待在车里,开车驶过月光下的世界。在车里,无论两人的谈话多么牵强别扭,最起码有机会继续下去。

"你和妈,"保罗忽然蹦出一句,好像已经憋在心里很久了,"你们究竟是怎么回事?你们过得好像什么都不重要,一点也不快乐,好像只是过日子,日子过得怎样都无所谓。你甚至不在乎那个叫霍华德的家伙。"

原来他真的知道。

"我当然在乎,"戴维说,"但事情相当复杂,保罗。我现在不想跟你谈,以后也不会对你解释。很多事情你不了解。"

保罗没说话。戴维在交通灯下停了下来,街上没有其他车辆,他们沉默地坐着,等待信号灯改变。

"这么说吧,"戴维终于开口,"你不必担心你妈和我,这不是你的责任。你的责任是在世界上找到立足点,善用你的才能。而且你不能都为了自己,你必须有所回馈,这就是我为什么帮人看病。"

"我喜欢音乐。"保罗轻声说。"弹吉他时,我觉得我好像……好像做出一些回馈。"

"你确实做了回馈,这点完全正确。但保罗,如果你发现了宇宙中另一个元素呢?如果你发现了如何治疗一种罕见而可怕的疾病呢?"

"那是你的梦想,"保罗说,"不是我的。"

戴维一语不发,心里明白那些确实曾是他的梦想;他曾心怀整顿世界的理想,梦想着改变它、塑造它,但如今他在盈满月光的夜晚,跟他快要成年的儿子开车同行,生活的每一层面似乎远远超过他的掌控。

"没错，"他说，"那些是我的梦想。"

"假设我能成为下一个塞戈维亚呢？"保罗问，"想想看，爸，如果我有能力做到，而却不试试看？"

戴维没有回答。他又开到家附近的街道，这次他朝着家的方向前进。他们驶进车道，车道和街道的交接处不平，车子稍微颠簸了一下，然后停在与主屋不相连的车库前。戴维熄火，他们沉默地坐了几秒钟。

"我不是不在乎。"戴维说，"来，我给你看样东西。"

他带着保罗走入月光下，爬上屋外的楼梯，来到车库上方的暗房。保罗站在紧闭的门口，双臂交叉，明显地不耐烦。同时，戴维准备冲洗照片，倒出化学药剂，把底片摆在放大机下，然后叫保罗过来。

"看看这个。"他说，"你觉得如何？"

犹豫了一秒钟之后，保罗走过来看了看。"一棵树吗？"他说，"它看起来像是树的轮廓。"

"很好，"戴维说，"现在再看一次。我在开刀的时候拍了这张照片，保罗。我站在手术台上方的露台，用远射镜头拍的。你看得出其他是什么吗？"

"我不知道……一颗心脏吗？"

"没错，一颗心脏。这不是很神奇吗？我正在拍摄认知系列，让人体的各部位看起来像是其他东西。有时我觉得活生生的人体涵盖了整个世界。我在乎的就是那种神秘、奥妙的认知。因此，我了解你对音乐的感受。"

戴维让光源透过放大机，然后把相纸放进显影剂中。在黑暗与寂静中，他强烈地感觉到保罗站在他身旁。

"摄影讲的其实是秘密。"戴维说。过了几分钟之后，他用一把钳子取出相纸，把它放进安定剂中。"我们都有秘密，而且不会透露秘密。”

“音乐不像这样，”保罗说，戴维听得出儿子语调中的排斥。他抬起头，但在幽暗的红光中，他读不出保罗的表情，“音乐就像你碰了世界的脉搏。音乐无处不在。当你接触到它，你会觉得所有事情之间都有了牵连。”

说完他就转身走出暗房。

“保罗！”戴维大喊，但儿子已经气冲冲地大步踏下屋外的阶梯。戴维跑出去站在窗边，看着儿子穿过月光，跑上屋后的楼梯，消失在屋里。一会之后，保罗房间的灯光亮起，塞戈维亚精准的音符随即清晰而优美地飘扬在空中。

戴维思索着他们的对话，考虑是否该追过去。他想跟保罗沟通，让他们了解彼此，但他的善意却很快就变成争执与漠然。他转身回到暗房。幽暗的红光令人心安，他想想他对保罗说的话：世界由各种不为人所知的事情和秘密所构成，层层骨架也绝无机会得见天日。他确实试图追寻整体性，比方说郁金香和肺部、血管和树木、血肉与土地之间的关联，这些或许会透露出他能理解的模式，但它们还没有。再过几分钟，他会走进屋里，倒杯水；他会上楼，发现诺拉已经睡了，而他将站着凝视她，静静地看着这个他永远无法真正了解的神秘女子。弓起身子，蜷绕着她的秘密。

戴维走到小冰箱旁。冰箱里储存着化学药剂和底片，信封藏在冰箱最后面，前面摆着好几个瓶子。信封内装满了二十美元新钞，张张坚韧而冰凉。他点数拿出十张、二十张，然后把信封放回瓶子后面收起来。纸钞工整地摆在桌面上。

他通常用一张白纸包住纸钞，把钱寄出去。但今晚，保罗的怒气回荡在室内，吉他声飘扬在空中。戴维坐下来写了一封信。他振笔疾书，字句倾泄而出，写下他对过去的懊悔以及他对菲比的期望。这个他自己的骨肉，这个他送走了的女孩，她究竟是谁？当年他没指望她会活这么久,或是会过着卡罗琳写信告诉他的生活。他想到他的儿子,一个人孤零零地坐在台上,所到之处都带着一股孤寂。菲比也是如此吗?布丽和诺拉虽然各方面都南辕北辙,却亲密地心意相通。菲比和保罗若跟诺拉和布丽一样一起长大,他们兄妹不知道会怎样。如果琼没死,他又会怎样?*我想见见菲比*,他写道,*我想让她认识她哥哥,也想让他认识她*。然后他用信纸包住钱,读也没读就连信带钱放入信封内,写上地址,封上封口,贴上邮票。他明天就把信寄出去。

月光从窗户流泄而入,落在挂照片的墙上。保罗已经停止弹奏,戴维凝视着月亮。此时月亮已升得较高,但在黑暗中依然格外明亮。那天他在沙滩上做了决定:他让诺拉的衣物留在沙滩上,让她的笑声飘荡在阳光之中,他则走回小屋,继续整理照片。一小时之后,当她走进屋里时,他提都没提到霍华德。他保持沉默,因为他自己的秘密更晦暗,更不欲人知,因为他相信是他的秘密造成了她的欺瞒。

他回到暗房,搜寻最近的一卷底片。那晚的派对上,他趁大家不注意时拍了一些照片:诺拉端着一盘玻璃杯,保罗举起杯子站在烤肉架旁,还有好几张大伙在前廊的照片。每个人看起来都轻松愉快。他要的是最后一张。找到之后,他把灯光打在相纸上。显影剂中慢慢浮现出影像。一小格一小格地逐渐现形,原本空白之处呈现出某个影像,对戴维而言,这种经验总是异常神秘。他看着影像现形,诺拉和霍华德站在前廊,笑着举起酒杯干杯,看来无邪却又充满感情。但在那一刻,她已下了决心。戴维从显影剂中取出相纸,但没把它放进安定剂,反而走进挂着照片的房间,手里拿着湿淋淋的相片站在月光中。他看着他的家,屋里已一片漆黑;保罗和诺拉在屋里,各自心怀梦想,循着各自的轨道移动。他多年前所造成的严重伤害,不断地影响着两人的生活。

他又回到暗房,把显示出那一刻的照片挂起来晾干。照片没有冲洗完毕,尚未定影,影像不会持久。接下来的几小时内,光线会在曝过光的相纸上起作用。这张诺拉与霍华德一同欢笑的照片会慢慢变暗,一两天之内,照片将完全漆黑。

二

他们走在铁轨上,杜克·麦迪逊双手插在从 Goodwill特价商店买的皮夹克口袋里。保罗踢着石头,石头尖锐地划过铁轨。远处传来火车的汽笛声,两个男孩在沉默中不约而同地踏上铁轨边缘,双脚踩在西行的铁轨上,保持身体平衡。火车开了好长一段时间才接近,他们脚下的铁轨猛烈震动,原本斑点大小的车头越来越大,越来越显眼。驾驶员猛拉汽笛。保罗看看杜克,杜克的双眼因为刺激与危险而炯炯发光。火车越来越近,疯狂的汽笛声响彻附近街道,直达远方。保罗也感到体内逐渐升起一股兴奋之情,猛烈地几乎令人难以承受。火车高处的灯光和技师已出现在眼前,汽笛声再次响起,发出警告,火车逐渐接近,引擎引发的风扫平了野草。他等着,看了杜克一眼,杜克站在他旁边的铁轨上。火车急驶,快要撞上他们了,但他们依然等了又等。保罗以为他们或许不会跳开,但最后还是跳了。他倒在野草中,疾行的火车离他的脸只有一英尺。一时之间,他只看到列车长一脸苍白而吃惊,然后车辆驶过铁轨。火车黑亮黑亮地驶向远方,连风都随之消散。

一英尺之外的杜克坐起来,仰脸面向乌云密布的天空。

“他妈的,”他说,“好刺激!”

两个男孩拍掉身上的野草,走向杜克家。他家是铁道旁边一栋长盒状小屋。保罗在这附近出生,离杜克家只有几条街。虽然他妈妈有时开车载他过来看看有个小亭子的公园以及公园对面他出生的那栋房子,但她不喜欢他来这里或是杜克家。管他呢,反正她从来都不在家。再说只要他做完功课,割了院子的草,练一小时钢琴,他爱做什么就做什么。

她看不到就不会受到伤害,她不知道的事情也一样。

"他真的气坏了,"杜克说,"火车上的那个家伙。"

"没错,"保罗说,"他确实气得要命。"

他喜欢咒骂两句,也喜欢热风吹在脸上的感觉。热风平息了他心中无法张扬的怒气。虽然只是暂时平息,但依然让他快活。在阿鲁巴的那天早上,他无忧无虑地出去慢跑,海水轻轻打过他的脚,弄湿了沙子,令人愉悦。他很高兴和爸爸的海钓之旅被取消了。爸爸喜欢钓鱼,沉默地坐在船上或是港边,一坐就是好几小时。他一再地抛掷钓竿,偶尔会钓到鱼。激起一阵兴奋。保罗小时候也喜欢钓鱼,他喜欢的倒不是钓鱼的种种程序,而是有机会跟爸爸在一起。但长大之后,钓鱼却越来越像个义务,好像爸爸想不出其他事情可做,所以才计划一起去钓鱼。或许爸爸希望借此拉近父子感情,保罗猜测爸爸说不定在某些亲子教育的书里读到这一点。一次度假时,他学到了生命的真相。那时他跟爸爸坐在明尼苏达州一个小湖的小船里,他哪也去不了,只能听爸爸描述传宗接代的细节,眼见爸爸晒红了的脸庞愈来愈红。最近爸爸最喜欢讨论保罗的未来。保罗觉得那些点子跟眼前这片平静无波的海水一样,平淡无奇。

他高兴地在沙滩上跑步,心情相当轻松。刚开始他想都没想那堆衣服。衣服被扔在一栋小屋前,一件一件相隔老远地散置在木麻黄树下。他有节律地大步跑过那堆衣服,肌肉如同音乐的韵律支持他一路跑到岩石点。他停下来,绕圈走了一会,然后放缓速度往回跑。衣服的位置变了,衬衫的衣袖在海风中飘荡,亮粉红色的火烈鸟映着青绿色的布料翩然舞动。他放慢脚步。任何人都可能有这种衬衫,他妈妈就有一件。他们在镇上的观光商店曾嘲笑这件衣服,她饶有趣味地举起它,把它当个笑话买了下来。

好吧，或许附近有上百、上千件同样的衬衫，但他依然弯腰拾起它。一件泳衣从衣袖里掉出来，这件上面有小颗粒的肉色泳衣绝对是妈妈的。保罗站得笔直，无法移动，仿佛偷东西被逮到，仿佛相机一闪，镜头盯上了他。他丢下衬衫，但依然无法动弹。最后他大步跑回他们的小屋，仿佛寻求一个避难所。他站在门口，试图镇定下来。爸爸已把那盘橘子移到料理台上，正在大木桌上整理照片。怎么回事?爸爸边问边抬头看看，但保罗不能说。他走到自己房间，用力关上房门，头抬也没抬，甚至当爸爸来敲门时，他也没有抬头。

他妈妈两小时之后回来，低声哼着歌，火烈鸟图案的衬衫整齐地塞在短裤里。"我想在午餐前去游个泳，"她说，仿佛一切都没发生过，"谁要跟我一起去?"他摇摇头，事情就这么告一段落。那个原本是他的，现在也成了她的秘密，从此像一副面纱一样阻隔在两人之间。

他爸爸也有秘密，在办公室或暗房里有他自己的生活。保罗本来以为这没什么不寻常，所有家庭都一样。直到他交上杜克这个朋友，他才知道并不如此。有天下午他在音乐室碰到这个钢琴弹得很好的男孩。麦迪逊一家并不富有，铁道离他家太近，每次火车经过，房子和窗子就跟着嘎嘎响。杜克的母亲一辈子从没乘过飞机，保罗觉得他应该同情;他的爸妈就会。她有五个孩子，丈夫在通用电器下的一家工厂上班，收入向来不丰。但杜克的父亲喜欢跟儿子们打球。他每天下午六点，值班之后就回家。即使他不比保罗的爸爸话多，但他大多时间都在家。当他不在家时，家里人也知道上哪里找他。

"嗯，你想干嘛?"杜克问他。

"不知道。"保罗说，"你呢?"金属铁轨依然嗡嗡响，保罗心想火车的终点站不知道是哪里，车上不知道有没有人看到他站在铁道边缘。他刚才站得很近，伸手就能摸到行进间的火车。风刮过他的发际，刺痛了他的双眼。车上若有人看到他，不知道作何感想?火车车窗外飞驰而过的影像,就像一系列静止的照片:一棵树,是的;一块岩石,是的;一朵云彩,是的;每个影像皆不相同。还有个男孩,也就是他自己,仰着头大笑,然后就不见了。一丛灌木,一排电线,一闪而过的道路。

"我们可以打打篮球。"

"没兴趣。"

他们沿着铁道走,走过罗斯蒙特花园高耸的草丛。杜克停了下来,在皮夹克口袋里翻找东西,他的眼睛是绿色的,微微带点蓝,正如这个世界。保罗心想,若从月亮上观看地球,看到的就如同杜克的双眼。

"你瞧,"杜克说,"我上礼拜从我表哥丹尼那里拿的。"

那是一个小塑料包,里面装满了干枯的绿色叶渣。

"这是什么?"保罗问,"一把干枯的野草?"话一出口,他就明白了,随即尴尬得满脸通红,因为自己是个愚笨的书呆子而难为情。

杜克笑起来,笑声在沉寂中格外响亮,叶渣沙沙作响。

"没错,这就是'野草'。你抽过大麻吗?"

保罗摇摇头,吃惊得不知如何是好。

"不会上瘾的,不必害怕。我试过两次了。我跟你说啊,感觉好极了。"

天空依然灰暗,风在树叶间飘荡,远方传来另一辆火车的汽笛声。

"我不怕。"保罗说。

"当然,没什么好害怕的。"杜克说,"你想试试看吗?"

"当然,"他四下张望,"但不要在这里。"

杜克笑笑。"谁会跑到这里来逮我们?"

"你听。"保罗说。他们倾听,火车随即从相反的方向开过来,一个小黑点愈来愈大,汽笛声划过空中。他们跳下铁轨,站在金属铁轨的两端看着对方。

"到我家吧。"火车呼啸而过时，保罗大喊，"没人在家。"他想象他们在妈妈新买的印花沙发上抽大麻，想着想着放声狂笑。火车急驶过两人之间，一阵轰鸣之后，四下一片寂静。车辆来来往往，一阵喧器，一片寂静。他瞄了瞄灯光闪烁中的杜克，宛如挂在爸爸暗房里的照片。爸爸这辈子的每一刻都有如火车开过所瞥见的影像：困在其间，难以逃脱，匆匆而过，寂静无声。就像这样。

他们走回杜克家，骑上单车，穿过尼可拉斯维尔路，慢慢地经过附近街区，来到保罗家。

大门上了锁，钥匙藏在杜鹃花丛旁边一块松动的石板下。屋内温暖，不太透气。杜克打电话回家说会迟一点到家。保罗打开一扇窗户，微风掀起妈妈缝制的窗帘。开始上班之前，她每年都重新布置家里。他记得她俯身在缝纫机之前，夹线和跳针时就咒骂两句。窗帘布的底色奶白，上面印着深蓝色的乡村即景，刚好搭配深色条纹的壁纸。保罗记得坐在桌前瞪着窗帘布，好像那些人物说不定会开始移动，走出屋子，挂上衣物，然后挥挥手说再见。

杜克挂了电话，环顾四周，然后吹了声口哨。"天啊，"他说，"你家真有钱。"他在餐桌前坐下，摊开一张薄薄的长方形纸。杜克把一排粗糙的叶渣摆齐，然后卷成一支细长的纸烟。保罗在一旁观看，看得发呆。

"别在这里。"保罗说，忽然感到不安。他们出去坐在屋后的台阶上，大麻烟的顶端冒出橘色光点，一支烟在两人手中传来传去。保罗刚开始没觉得怎样。天上飘起小雨，然后停了。过了一会之后（他不确定到底多久），他发现自己一直盯着车道上的一滴水，看着它慢慢和另一滴水汇流在一起，然后滑到车道边缘，滚落到草地上。杜克开始狂笑。

"天哪，你真该瞧瞧你这副模样。"他说，"从来没这么飘飘欲仙过吧？"

"别管我，你这个混蛋。"保罗说，然后也开始大笑。

后来他们走进屋里。但在这之前又下起了雨，他们淋得全身湿透，忽然觉得很冷。妈妈在炉子上留了一锅炖菜，但保罗看也不看，反而开了一罐腌黄瓜和另一瓶花生酱。杜克打电话叫了比萨，保罗拿出吉他，两人走到客厅。客厅里有架钢琴，两人开始即兴合奏。保罗坐在壁炉前微微隆起的地面上，拨了几声合弦，然后手指娴熟地移动，弹奏昨晚那两首熟悉的乐曲：塞戈维亚的《练习曲》和《无光练习曲》。这两首曲子让他想到爸爸，瘦高而沉默，俯身在暗房的放大机前。这些曲调仿佛光与影，如影随形，紧紧相伴。此时此刻，音符已融入他的生命中，也与家中的寂静、阿鲁巴的沙滩以及学校里的教室融合为一。保罗弹着，感觉自己被抬起，波涛阵阵涌入，而他乘着波涛前行；他在创作音乐，然后他就是音乐，乐声带着他越爬越高，攀升到最顶峰。

弹奏完毕之后，两人沉默了一分钟，然后杜克说：他妈的，刚才真是太棒了！他在钢琴上敲敲，然后弹奏他在音乐会的曲子：格里格的《侏儒进行曲》，弹得神采奕奕，带点迷醉的欢乐。杜克弹琴，保罗接着弹吉他，两人都没听到门铃或是敲门声；忽然间，送比萨的人站在大门前。此时已近黄昏，寒冷的晚风扫进屋内，他们撕开纸盒，吃得又猛又急，烫伤了舌头。保罗感到食物下肚，像块石头似的把他压住。他抬头望望落地玻璃门外。远方的天空阴沉而灰暗。然后他研究杜克的脸。杜克一脸苍白，青春痘格外显眼，黑发平贴在前额，嘴唇边有一抹红色的酱汁。

"他妈的。"保罗说，他把双手贴在橡木地板上，庆幸地板还在原处，他好端端地在地板上，周围的房间也没变。

"这可不是开玩笑的，"杜克同意，"这玩意真好！现在几点了？"

保罗站起来，走到门厅里外公的钟前面。几分钟或几小时之前，他们曾站在这里，秒针一格格地移动，他们笑得不可抑制，每秒之间似乎相隔很久。现在保罗却只想到爸爸每天早上站在这座钟前，一面调整手表的时间，一面抬头瞄瞄满桌子的照片。思及至此，他心中忽然充满悲伤。他想起今天下午，知道下午已经过去了。它已浓缩成记忆中跟雨滴差不多大的一点。天色已近漆黑。

电话响了，杜克依然瘫在客厅的地毯上。似乎过了很久，保罗才拿起话筒。来电的是他妈妈。

"甜心。"她说，电话另一端能听到噪音和餐具的碰撞声。他想象她穿着套装，没准是深蓝色的那套，手指顺顺短发，戒指闪闪发光。"我得跟些客户出去吃晚饭，这关系到 IBM 的合约，非常重要。你爸爸回来了吗?你还好吗?"

"我功课做完了。"他说，继续端详着外公的钟。这钟现在显得荒谬。"也练了钢琴。爸还没回来。"

电话另一端停顿了一下。"他答应会回家的。"她说。

"我没事。"他说，忽然想起昨晚坐在窗沿，考虑要不要跳出去，然后纵身一跃到空中，落地时发出轻响，没人听见。"我今晚不会出去。"他说。

"我不知道，保罗，我很担心你。"

既然如此，那就回家啊，他想这么说。但电话另一端的笑声起起落落，仿佛波浪一般。"我没事。"他重复。

"你确定吗?"

"确定。"

"唉，我不知道。"她叹了一口气，遮住话筒，跟某人说几句话，然后继续跟他讲话。"好吧，功课做完就好。保罗，不管怎样我都会打电话给你爸爸。我保证最多再过两小时就回家，这样可以吗?你确定你还好吗?你如果需要我，我马上搁下所有事情回家。"

"我没事，"他说，"你不必打电话给爸爸。"

她的回答漠然而简短。

"他跟我说他会回家，"她说，"他答应我的。"

"这些人，"他问，"IBM的这些人，喜欢火烈鸟吗？"

电话另一端停顿了一下，传来一阵大笑和酒杯碰撞声。

"保罗，"她终于说，"你真的没事吗？"

"我很好，"他说，"那只是个笑话，别放在心上。"

她挂了电话之后，保罗孤单地在原地站了一会，聆听电话的嘟嘟声。屋里的寂静将他团团围住。这不像礼堂里那种充满期待、蕴藏着感情的寂静，而是一种空虚。他伸手拿起吉他，心里想着他的妹妹。如果她没死，会跟他一样吗？她会喜欢跑步吗？她会唱歌吗？

杜克依然双手遮着脸躺在客厅里。保罗捡起空比萨纸盒和一片片薄薄的蜡纸，把它们拿到外面的垃圾筒。空气带着寒意，他跟沙漠一样干渴，好像跑了十英里似的。他带着半加仑牛奶回到客厅，直接对着瓶口喝，然后把牛奶递给杜克。他坐下，又开始弹起来。这回弹得比较慢，吉他的音符缓缓、优雅地飘过空中，好像添了翅膀。

"你还有那玩意吗？"他问。

"有，但得花钱。"

保罗点点头，继续弹奏，杜克则站起来打电话。

他小时候，好像还是在幼儿园时，曾经画过妹妹。妈妈告诉了他妹妹的事，所以他在一幅名为"我的家庭"的图画里加上了她。他用褐色蜡笔画了爸爸，妈妈有一头深黄色的头发，他自己和一个模糊的身影手牵手。他在学校里画了这幅画，系上一条缎带，吃早餐的时候把它当作礼物送给爸爸妈妈。当他看到爸爸脸上的表情，即使他才五岁，无法解释或形容那是什么情感，他也知道爸爸很难过，内心顿时升起某种阴影。妈妈从爸爸手中接过图画，她脸上也带着悲伤，但很快就掩藏起来。如今她也带着同样的面具应付客户。他记得妈妈的手在他脸颊上停留了很久。现在她有时候还会这样做，仿佛怕他会消失无踪。哦，好漂亮的画，她那天说，保罗，好漂亮的画。

后来他长大了一点，大概九岁或十岁的时候，有一天她带他到妹妹安葬的墓园。那是个寒冷的春日，妈妈在铸铁栏杆的周围洒下牵牛花的种子，保罗站着念出"菲比•格雷斯•亨利"这个名字以及他自己的出生日期，感觉相当不自在，心中有股他无法解释的沉重。她为什么死了？当妈妈终于走到他身边褪下种花的手套时，他问道。没有人知道为什么，她说，随后看看他的表情，伸出胳膊揽住他。这不是你的错，她坚决地说。这跟你毫无关系。

但他当时并不完全相信她，现在也一样。如果爸爸每天晚上把自己关在暗房里，如果妈妈几乎每天都工作到很晚才回家，而且在全家度假时，脱了衣服，偷偷跑进一个陌生男人的小屋，那么这是谁的错？不能怪妹妹吧，她一出生就死了，留下这片沉寂。这些都令他紧张恐惧，每天一早就感到不安，一天下来总是难过得要命，毕竟他还活着，他在这里，他当然应该保护他们。

杜克出现在客厅门口，他停止弹奏。

"乔要过来，"他说，"如果你有现金的话。"

"我有，"保罗说，"跟我来。"

他们绕到屋后，走下潮湿的水泥台阶，爬上屋侧的楼梯，来到车库上面的大房间。房里四面墙上都有高大的窗户，白天光线从各方透过来，采光极佳。房门旁边有个像柜子一样的无窗暗房。几年前，当爸爸的作品开始受到重视时，他就盖了这个房间。现在他大多数时间都待在这里冲洗底片，运用光线做实验。几乎没有其他人来过这里，妈妈就没来过。有时爸爸邀保罗过来。保罗非常渴望这种时刻，渴望得自己都觉得难为情。

"哇，这些真酷。"杜克边说边绕着墙壁走一圈，仔细端详上了框的照片。

"我们不该进来。"保罗说，"我们不能在这里混。"

"啊,我看过这张。"杜克站在一张照片前说。照片中 ROTC 大楼的废墟依然冒着黑烟,洁白的茉萸花花瓣贴着焦黑的围墙。这是爸爸突破性的作品。多年之前,许多家通讯社选用了这张照片,刊登在全国各地。这张照片是个开头,他爸爸老喜欢说,它让我成名。

"没错,"保罗说,"我爸拍的。别碰任何东西,好吗?"

杜克笑笑。"放松点,小子,别担心。"

保罗走进暗房,暗房内温暖、安静,一张张相片挂着晾干。他打开爸爸储存底片的小冰箱,从最里面取出一个冰凉的牛皮纸纸袋,纸袋内有一个装满二十美钞的信封。他悄悄拿出一张,然后再拿一张,随后才把其他美钞放回去。

他跟爸爸来过这里,自己也偷偷来过几次。正因如此,他才发现了这笔钱。有天下午他跑到这里弹吉他,一肚子怒气,因为爸爸答应教他用放大机,事到临头却又取消。他既生气又失望,后来肚子饿了,乱翻冰箱找东西吃,这下才发现这个装满冰凉新钞的信封。谁知道钞票打哪里来?那次他拿了一张二十元钞票,后来就多拿几张。爸爸似乎从没注意到不对,所以他不时上来这里,抽出更多张钞票。

这笔钱、偷窃行为,以及没被逮到,都令保罗不安。那种感觉就像他和爸爸站在黑暗中,等着影像在他们眼前逐渐成形。爸爸说一张底片不只是一张照片,而有多种层面;一个时刻也不仅是单一的一刻,而是代表着无数不同的时刻,全视谁在观看以及如何观看而定。保罗听着爸爸说话,觉得心口多了个大洞。如果这是真的,那么他或许永远无法真正了解爸爸,想了就让他惊慌。尽管如此,他依然喜欢置身于幽暗的灯光和刺鼻的化学药剂之中。他喜欢从开始到结束,一连串精确的步骤:纸张浸入显影剂中,影像逐渐从无到有,定时器的时间到了,纸张随即浸入定影剂中,影像逐渐变干定形,闪亮而神秘。

他停下来研究照片。奇怪的螺旋形状,宛如硬化的花朵。他认出那是在阿鲁巴度假时看到的脑珊瑚,珊瑚的肉已剥离,只剩下繁复的骨架。其他照片都很类似,白色的盛开的花朵,好像月球上的火山坑。珊瑚/骨头,爸爸在笔记本里写道,笔记工整地摆在放大机旁边的桌上。

那天在小屋里,保罗刚进来,爸爸抬起头的那一刻,保罗看到爸爸流露出赤裸裸宛如雨水般的感情,脸上尽是某种失落的爱和遗憾。保罗看在眼里,很想说些或做些什么。他什么都愿意做,只求让世界变得更好。但与此同时,他又想逃开,忘掉所有问题,活得自由自在。他移开视线。当他再看着爸爸时,爸爸又像往常一样疏远,不带感情,说不定正在思考底片的技术问题、骨头的疾病。或是午餐。

一个时刻可能具有上千种不同的意义。

"喂,"杜克边说边推开门,"你到底要不要出来?"

保罗把冰凉的纸钞塞进口袋里,走回外面比较大的那个房间。另外两个男孩已经到了,两人都是高年级学生,午休时经常聚在学校对面的空地抽烟。其中一人带了啤酒,递了一罐给保罗,保罗几乎想说我们下去吧,我们到外面抽,但现在雨下得更大,男孩们年纪比他大,也比他高壮,所以他只是坐下来加入他们。他把钱交给杜克,然后点燃大麻,一支烟绕着众人传递。杜克修长而细致的手指握着大麻烟,保罗看得出神。他想起杜克的十指多么精确地在琴键间移动。爸爸也非常精准,爸爸修补人们的骨头和身体。

"你感觉到了吗?"杜克过了一会问。

保罗听着他的声音从远处飘来,仿佛穿过流水,飘过远方火车的汽笛声。这次他没有狂笑,没有傻笑,只有陷入内心的深井。内心的深井与身外的漆黑交融。他看不见杜克,心里很慌。

"他怎么了?"有人问。杜克说,我猜他八成开始妄想了。这些字句真庞大,塞满了整个房间,把他推向墙边。

房间里充满一长串的笑声,其他人笑盈盈的脸孔扭曲变形。保罗笑不出来,他冻结在原地,喉咙发干,觉得自己的双手大到跟身体不成比例。他仔细看着房门,好像爸爸随时可能夺门而入,怒气像波涛一样卷袭他们。笑声忽然停止,其他人站了起来,乱翻抽屉找东西吃,却只找到爸爸仔细排列的档案夹。不要这样,他试着开口,这时年纪最大,留着胡须的男孩却把档案夹抽出来,逐一翻开。不要这样,他在心中尖叫,但嘴里却发不出半点声音。其他人也站起来把档案夹一个个抽出来。档案夹里精心安排的照片和底片随之散落在地上。

"喂,"杜克转身给他看一张八乘十,表面光滑的照片,"保罗,这是你吗?"

保罗坐得笔直,双臂环抱着膝盖,呼吸非常急促;他没动,他不能动。杜克把照片丢在地上,加入其他人。另外两个男孩变得有点疯狂,照片和底片全被胡乱地丢在光亮的地板上。

他坐得非常非常直。好一阵子,他吓得不敢动。终于移动身子时,他发现自己躲到暗房里,缩在一个温暖的角落,靠着爸爸上了锁的柜子,听着外面的动静:外面回荡着一阵阵噪音和笑声,然后瓶子摔得粉碎,最后终于安静下来。有人推开了门,杜克说:喂,小子,你在这里啊,你还好吗?保罗没有回答。这时外面传来急促的对话声,然后大伙轰隆隆地走下楼梯离去。保罗慢慢站起来,走过黑暗,踏入外面堆满一叠叠毁损照片的展示空间。他站在窗边,看着杜克跨上脚踏车,悄悄地骑过车道离开。他的右脚在车蹬旁晃动,不久就消失在街上。

保罗很累,精疲力竭。他转身检视房间:照片散落各处,微风从窗口吹进来,照片随之飘扬。底片像长条缎带一样从柜台和灯具上撒落而下。一个瓶子破了,绿色的玻璃飞散在地上,啤酒泼洒在柜台上,墙上漆上了拙劣的图画和涂鸦。他靠在门上,慢慢滑下来,直到坐在一片零乱的地上为止。他得赶快再站起来。他得把这里清扫干净，整理照片，把它们放回原处。

他抬起一只手，看着手底下的照片，然后把它捡起来。照片上有栋破烂的屋子紧靠在山丘旁，而他不认得这个地方。房子前面站了四个人：一个身穿及膝裙子，罩着围裙的女人，双手交握在身前，一簇头发被风吹得飘过她的脸颊；一个削瘦的男人像逗号一样弓身站在女人旁边，拿着一顶帽子摆在胸前。女人稍微转身面对男人，两人脸上带着压抑的笑意，仿佛其中一人刚讲了笑话，两人下一刻随时会爆笑出声。女人的手放在一个金发小女孩的头上，母女之间站着一个男孩，年纪跟他差不多大，一脸严肃地盯着相机。这幅景象看来异常熟悉。他闭上双眼，大麻耗尽了他的精力，他疲倦得几乎落泪。

＊　　　＊　　　＊

他在东边窗户强烈的晨光和爸爸的侧影中醒来。爸爸站在晨光中对他讲话。

"保罗，"他说，"这究竟是怎么回事？"

保罗坐起来，拼命思索自己在哪里，发生了什么事。毁损的照片和底片散落一地，地上都是泥泞的脚印，没有卷好的底片像一条条长缎带，房里四处都是玻璃碎片，在地板上留下深深的刮痕。一阵恐惧袭过保罗，他想吐了。他伸手遮住双眼，挡住令人目眩的晨光。

"上帝啊，保罗！"他爸爸说着，"这里出了什么事？"他终于从晨光中挪开身子，弯腰蹲下来。他从一片混乱中拾起那张不知名家庭的合影，仔细端详了一阵子，然后靠着墙壁坐下，双手依然握着那张照片，检视房间。

"这里出了什么事？"他又问了一次，语气冷静多了。

"一些朋友过来玩，我猜大伙有点失控。"

"我想也是。"爸爸边说边把手贴在他的额头上，"杜克也来了

213

吗?"

保罗犹豫了一下,然后点点头。他强迫自己不要哭,但每次看到毁损的照片,他就觉得胸口一阵紧缩,好像被打了一拳。

"保罗,你也参与了吗?"爸爸问,口气出奇地柔和。

保罗摇摇头。"没有,但我没有阻止他们。"

爸爸点点头。

"这里得花好几个礼拜才能清理干净。"他终于说,"你得负责,你得帮我重新建档。这是个大工程,得花很多时间,你得放弃预演和练习。"

保罗点点头,但胸口缩得更紧。他再也压抑不住。"你只想找个借口不让我弹吉他。"

"不是这样,该死,保罗,你知道我没有这个意思。"

爸爸摇头,保罗很怕他会站起来离开,但他反而低头看着手上的照片。照片是黑白的,四周镶着贝壳形的白边。照片中的一家人站在低矮的小房子前。

"你知道这人是谁吗?"他问。

"不知道。"保罗说。其实说话的同时,他就猜出了这人是谁。"噢,"他指着阶梯上的男孩说,"噢,那是你。"

"唉,那时我跟你现在一样大。正后方是我父亲,旁边是我妹妹,你知道吗?我曾有个妹妹,她叫琼,她跟你一样擅长音乐。这是她最后一次跟我们合影。琼心脏不好,第二年秋天就过世了。她的死伤透了我母亲的心。"

这下保罗以不同视角看着这张照片。这些人毕竟不是陌生人,而是他的亲人。杜克的祖母住在楼上的房间里,每天下楼烤苹果派、看肥皂剧。保罗仔细端详照片中那个几乎压不住笑意的女人。这位他从不相识的女士是他的祖母。

"她过世了吗?"他问。

"我母亲?是的,琼去世多年后,她也走了。你祖父也是,他们去世的时候年纪都不算大。我父母的生活很艰苦,保罗。他们没什么钱,我的意思不是说他们不富有,而是穷到甚至不知道我们下一餐有没有饭吃。这点让我父亲很难过,毕竟他工作得非常努力。我母亲也很难过,因为他们帮不了琼。我年纪跟你一样大的时候找了一份工作,这样才能到镇上读高中。琼过世之后,我对自己发誓:我要改善这个世界。"他摇头苦笑,"唉,我当然没有达到目标,但保罗,我们一家人什么都不缺,也从来不必担心没有足够的东西吃,你可以上任何一所你想上的大学。而你想做的却只是跟朋友吸大麻,浪费生命。"

保罗心头的紧绷已移到喉头,令他无法言语;周围依然太明亮,而且不太稳定。他想赶走爸爸声音中的悲伤,抹去充满家中的沉默,更重要的是,他希望这个坐在爸爸身旁,听他讲述家族历史的时刻永远不要结束。他害怕说错了话,毁了一切,恰如太多光线倾泄到相纸上,毁了照片。错误一旦造成,你就永远无法回头。

"对不起。"他说。

爸爸点点头,低下头,一只手轻轻、缓慢地抚过保罗的头发。

"我知道。"他说。

"我会把这里整理干净。"

"好,"他说,"我明白。"

"但我喜爱音乐。"保罗说。明知这话说得不对,正如灯光忽然一闪,整张相纸全都变黑,但他还是无法制止自己。"弹吉他是我的生命,我永远不会放弃。"

爸爸低着头沉默地坐了一会,然后叹了一口气站起来。

"先别排斥其他机会,"他说,"我只有这个请求。"

保罗看着爸爸消失在暗房中,然后跪下来捡玻璃碎片。远方火车呼啸而过,窗外遥远的天空无尽展开,清澈而蔚蓝。保罗在强烈的晨光中暂时住手，聆听爸爸在暗房里面工作，想象着同样的那双手小心地在一个人的体内移动，试着修补那些被损坏的部分。

一九七七年九月

　　快照从相机里掉出来时，卡罗琳用拇指和食指捉住了照片的一角。影像已逐渐显现。铺了白色桌巾的桌子好像漂浮在墨绿的草海上，山坡上开满了月光花，洁白的花朵微微闪着光泽。穿着坚信礼服装的菲比看上去一团模糊。卡罗琳在清香的空气中甩干照片。远方依稀传来雷声，晚夏的雷阵雨正逐渐逼近；微风扬起，吹动了纸餐巾。

　　"再来一张。"她说。

　　"噢，妈。"菲比抗议，但还是站直了。

　　刚按下快门，她就跑了，直奔草地的另一端。邻家一个八岁的小女孩艾芙丽抱着小猫站在那里，小猫的毛色跟菲比的头发一样，乌黑中带着橘红。菲比十三岁了，以这个年纪看来比较矮小，身材矮胖，个性冲动而热情。学习虽然缓慢，但一下子欢天喜地，一下子焦虑忧伤，一下子又重展欢颜，情绪转变之迅速令人惊讶。"我领受坚信礼了！"此时她大喊，再次在草地上转圈，双臂高举到空中。客人们听了都朝她的方向瞧，端着饮料微笑。她跑向桑德拉的儿子蒂姆，身上的衣服随着打转。蒂姆现在也是少年了。她伸出双臂抱住他，兴高采烈地吻吻他的脸颊。

　　然后她忽然停下来，紧张地回头瞄了卡罗琳一眼。今年年初，自己在学校里曾因拥抱小朋友惹出了问题。"我喜欢你，"菲比一边说，一边紧紧搂住一个年纪比她小的孩子，她不明白为何不可。卡罗琳曾再三警告，拥抱是很特别的，家人之间才可以抱抱。菲比慢慢地听懂了。但现在卡罗琳看到菲比刻意压抑情感，不禁怀疑这样教她是否正确。

"没关系，甜心，"卡罗琳大喊，"在派对上拥抱朋友没关系。"

菲比轻松了下来。她和蒂姆跑过去拍拍小猫。卡罗琳看着手上的快照：花园一片明亮，菲比笑逐颜开。照片所捕捉的稍纵即逝的一刻，此时已成过去。远方又传来雷声，但今晚依然美好。气候温煦，各色花朵更显娇美，人们在草地上走来走去，谈天说笑，在塑料杯里斟满饮料。桌子中央摆了一个三层高，涂了白色糖霜的蛋糕，四周装点着从花园摘来的玫瑰花。三层代表着庆祝三件事情：菲比的坚信礼、她自己的结婚纪念日，还有多罗的退休。多罗也将远行。

"这是我的蛋糕。"菲比的声音忽高忽低。物理系的教授、邻居、唱诗班和学校的朋友、"欢乐唐氏症协会"的家庭成员欢聚一堂，形形色色的孩子们跑来跑去。菲比上学之后，卡罗琳就到医院兼职，她在医院认识的新朋友也在场。她让这些人齐聚一堂；她筹划了这个美好的派对。"这是我的蛋糕，"菲比的声音又传了过来，高亢地飘荡在空中，"我领受坚信礼了！"

卡罗琳啜饮着酒。空气拂过皮肤的感觉暖暖的，一如人们的气息。她没看到艾尔，但他忽然出现，一只手悄悄揽住她的腰，亲吻她的脸颊。他的人、他的气味带给她一阵悸动。五年前，他们在这个花园里结婚。当时的派对跟现在差不多，草莓飘浮在香槟酒里，萤火虫漫天飞舞，空气中弥漫着玫瑰花香。五年了，新鲜感却尚未消逝。卡罗琳在多罗家中三楼的卧室，已变得跟这个花园一样神秘与性感。她喜欢在艾尔温暖、壮硕的怀抱中醒来，他的手轻轻地搁在她平坦的肚子上，他的肥皂味和 Old Spice 香水的清香慢慢地渗进房里、床单，以及毛巾。他的人就在这里，她每根神经都感到他的存在，感觉清晰而鲜活，但再过一会，他又将离开家。

"结婚纪念日快乐。"他说,双手轻压她的腰际。

卡罗琳微笑着,心中充满快乐。夜色逐渐深沉,人们走来走去,在温煦、飘着花香的夜里谈笑。草地上积聚了露珠,四处尽是白色的花丛。她想起艾尔结实而稳重的手,几乎想开怀大笑。他刚到,还不知道这个消息。多罗将跟她的情人搭乘游轮环游世界,一走就是一年,这人叫做特雷斯。艾尔知道多罗已经计划了好几个月的旅行,但他不知道多罗在所谓的"摆脱过去的喜悦"中,把这栋老房子送给了卡罗琳。

多罗这时才来。她穿着一袭丝质晚装从巷子出现,走下阶梯,特雷斯在她正后方,手里拿着一袋冰块。六十五岁的特雷斯比多罗年轻,一头灰色短发,狭长的脸庞,双唇饱满。他天生白皙,注意体重,对饮食非常挑剔,喜欢歌剧和跑车。特雷斯曾是奥运会游泳选手,而且几乎赢得铜牌。他喜欢跃入莫农加希拉河,游到河的对岸。有天下午,他从河水里上岸,在岸边擦干身子。一身苍白、滴着水的他刚好碰上物理系在河畔举办年度野餐,他俩就这样相遇。特雷斯对多罗很好,多罗显然很喜欢他,即使在卡罗琳眼中,他似乎有点生疏、冷漠和矜持,但这真的完全不关她的事。

一个客人把整堆纸巾从桌上扫落在地上,卡罗琳蹲下来捡拾。

"你把风给带来了。"多罗走近时,艾尔说。

"真让人开心啊。"她边说边举起双手。她越来越像利奥,五官变得更明显,一头短发已完全银白。

"艾尔就像那些老船员,"特雷斯边说边把冰块放在桌上,卡罗琳用一块小石头压住纸巾,"感觉得到气候变化。喔,多罗,就站在那里吧,"他兴奋地说,"天啊,甜心,你真美,看起来像个女风神。"

"你若是女风神,"艾尔说,一把捉住被风吹起的纸杯,"拜托你降低神威,好让我们开个派对。"

"这不是太美了吗?"多罗问,"真是个美好的派对,也是最好的道别。"

菲比跑过来,怀里抱着一只有如一团橘色毛球的小猫。卡罗琳微笑着伸手顺顺她的头发。

"我们能留下猫咪吗?"她问。

"不行。"卡罗琳像往常一样回答,"多罗姑姑会过敏。"

"妈妈。"菲比不甘心地抱怨,但微风和美丽的桌子马上又转移了她的注意力,她拉拉多罗的丝质衣袖,"多罗姑姑,这是我的蛋糕。"

"也是我的。"多罗说,一只手臂揽住菲比的肩膀,"别忘了,我要出去旅行,所以这也是我的蛋糕。蛋糕也是你妈妈和艾尔的,因为他们结婚已经五年了。"

"我要跟你去。"菲比说。

"噢,不,小甜心,"多罗说,"这次不行,大人才能去。这趟是我和特雷斯的假期。"

菲比一脸失望,难过之情有如先前的喜悦。"如水银、流沙般迅速"恰可形容她表情的转变。

"嗨,小甜心,"艾尔蹲下来说,"你觉得小猫想不想喝点牛奶?"

她勉强挤出笑容,颓然地点点头,暂且不想她不能跟着去旅行。

"好极了。"艾尔说。他拉起她的手,跟卡罗琳眨眨眼。

"别把猫抱到屋里。"卡罗琳警告。

她在托盘上摆满酒杯,游走于宾客之间,依然感到不可置信。她,卡罗琳·辛普森是菲比的母亲、艾尔的妻子,而且曾经筹划示威活动。这一切都跟十三年前那个沉默地站在风雪飘过的诊所里,怀抱着婴儿的胆小女子大相径庭。她转身看看房子。白色的砖瓦映着逐渐变灰的天空,看来异常醒目。这是我的房子,她想道,心里重复着菲比先前的话。接下来的想法更加恰当,令她莞尔一笑:我受到了肯定。

桑德拉和多罗在忍冬树丛边谈笑，苏拉德太太捧着满满一瓶百合花从巷尾走过来。特雷斯的灰发被风吹到脸旁边，他一手圈住火柴，试图点燃蜡烛。白色的火光闪烁跳动，但终于稳定下来，照亮了白色的亚麻桌布、小小的透明还愿杯、一盆盆白色的花朵和涂了鲜奶油的蛋糕。车辆急驶而过，众人的笑声和落叶的飒飒声盖过了车声。卡罗琳笔直地站了一会，想着即将到来的深夜，艾尔在黑夜中伸向她的双手。这就是幸福，她告诉自己，幸福就是如此。

派对开到十一点，多罗和特雷斯待到最后一位客人离开，两人把摆着杯子的托盘、剩下的蛋糕、一个个花瓶端到屋里，还把桌椅收到车库里。菲比已经睡着了，她先前哭成了泪人儿，又累又激动。她舍不得多罗离开，哭得上气不接下气。

"别忙了。"卡罗琳说。她在台阶上面拦下多罗，繁茂浓密的紫丁香叶片拂过身旁。她三年前种下这片紫丁香，本来只是些小小的枝叶，现已扎根长成了茂密的树丛，明年将繁花盛开。"我明天会清理，多罗。你明天一早的飞机，一定迫不及待想出发吧。"

"没错。"多罗说，她的声音特别轻柔，卡罗琳不得不竖起耳朵仔细听。她朝着房子点点头，艾尔和特雷斯正在明亮的厨房里洗盘子。"但是，卡罗琳，我觉得又高兴又悲伤。刚才我在家里走了一圈，最后一次看看每个房间。我在这里待了一辈子，现在要离开，感觉好奇怪，但我又很兴奋地想走。"

"你随时可以回来。"卡罗琳说，暗自压下忽然涌上心头的感情。

"我希望我不会想回来。"多罗说，"最多只是回来看看你们。"她拉起卡罗琳的胳膊肘。"来，"她说，"我们到前廊坐坐。"

她们沿着房子的旁边，从低垂的紫藤花下走过，在摇椅上坐下，公路上车流缓缓移动，梧桐树大如纸盘的树叶高高地在街灯灯光中飘摇。

"你大概不会想念交通的噪音。"卡罗琳说。

"没错，这倒是真的。这里以前很安静。冬天的时候，他们封闭了整条街，我们乘着雪橇一路滑到路中央，就是这里。"

卡罗琳推推摇椅，想起很久以前的夜晚，月光流泄在草地上，透过浴室的窗户照进来，菲比在她怀里猛咳，白鹭鸶从多罗童年时的田野飞起。

纱门被推开，特雷斯走了出来。

"好了吗?"他问，"多罗，我们准备走了吗?"

"快了。"她说。

"那我过去开车，把车开到大门旁边。"

他又进屋去了。卡罗琳数着车辆，数到二十。十二年前，她来到这个大门前，怀里抱着还是婴儿的菲比。当年她就站在这里，不知道接下来会发生什么事。

"你的班机几点?"她问。

"挺早的，八点。哦，卡罗琳，"多罗边说边往后靠，大大地敞开双臂，"过了这么多年，我觉得好自由，谁知道我可能飞往何处?"

"我会想念你的，"卡罗琳说，"菲比也会。"

多罗点点头。"我知道，但我们还会再见面，我会从每个地方寄明信片给你们。"

车辆前灯的灯光从山丘上倾泄而下，随即出现一部租来的车，特雷斯的长手臂在空中挥舞。

"我们该上路了!"他大声喊。

"好好照顾自己。"卡罗琳说。她拥抱多罗，摸摸她柔软的脸颊，"多年之前，你救了我一命，你知道的。"

"亲爱的，你也解救了我。"多罗抽身，黑色的双眼都湿了。"这是你的房子了，好好享受吧。"

多罗随即走下阶梯，白色的毛衣在风中飘摇。她从车里挥手道别，然后就走了。

卡罗琳看着车子驶进贯穿市区的大道,消失在一片匆匆而过的灯光中。暴风雨依然盘旋在山丘上方,天空偶尔闪过一道白光,沉闷的雷声在远方作响。艾尔端着饮料走出来,用脚推开门,他们一起坐在摇椅上。

"嗯,"艾尔说,"派对很不错。"

"是的,"卡罗琳说,"大家都很开心,我累了。"

"还有力气打开这个吗?"艾尔问。

卡罗琳拿起包裹,解开起皱的包装纸,一颗木雕的心掉了出来。木心是樱桃木雕的,躺在掌心中仿佛一颗被水磨得光滑闪亮的石头。她合掌握住它,想起当年艾尔的牌子在那光线黯淡的驾驶座里闪闪发光,也想起好几个月之后,菲比小小的手握住了牌子。

"好漂亮。"她边说边把光滑的木心轻贴在自己的脸颊上,"好温暖,它刚好躺在我的手掌心,看起来很配。"

"我自己刻的。"艾尔说,语气中带着一丝愉悦,"我利用出门在外的晚上刻的。我觉得这说不定太便宜,但有个我在克里夫兰认识的女侍说你会喜欢,我希望她说得没错。"

"我喜欢,"卡罗琳边说边伸手拉起他的手臂,"我也有礼物给你。"她递给他一个小纸盒。"我没时间包装。"

他打开盒子,拿出一把新的黄铜钥匙。

"这是什么?通往你心门的钥匙吗?"

她笑笑。"不,它是这栋房子的钥匙。"

"为什么?你换了锁吗?"

"没有。"卡罗琳拉住摇椅,"多罗把房子送给我了,艾尔,这不是太好了吗?地契在屋里,她说她要个全新的开始。"

心跳了一下、两下、三下,摇椅前后摆动,嘎嘎出声。

"那太极端了吧。"艾尔说,"如果将来她把房子要回去呢?"

"我问过她同样的问题。她说利奥留下很多钱,他有一些专利和存款等等，我不知道详情。多罗一辈子都很节俭，所以她不需要这笔钱。如果他们回来，她和特雷斯会买栋公寓或其他住的地方。”

“她真大方。”艾尔说。

“没错。”

艾尔沉默不语，卡罗琳听着前廊摇椅的嘎嘎声、风声和车声。

“我们可以把它卖掉。”他仔细想了想，“我们也离开这里，到哪里都行。”

“房子值不了多少钱。”卡罗琳慢慢地说，她从未想过卖掉这栋房子。“再说，我们要去哪里？”

“唉，卡罗琳，我不知道。你知道我这个人，一辈子东飘西荡。我只是出点子，消化一下这个消息。”

黑夜一片沉寂，摇椅规律地摆动，但气氛不再安详，而是一股比较凝重的别扭，卡罗琳不禁怀疑，这个坐在她身边的男人每个周末回家，自在地与她同床共枕，早上把头倾斜到某个特别的角度，在脖子和下巴拍上 Old Spice 香水，但他究竟是谁？她真的了解他的梦想、他神秘的内心吗？她忽然觉得一点也不了解他，他也不了解自己。

“这么说来，你宁愿不要这栋房子？”她追问。

“我没这个意思，多罗这么做真的让人感动。”

“但房子绑住了你。”

“我喜欢回到你身旁，卡罗琳。每次开上最后一段公路，想到你和菲比在家里，母女两人在厨房里做饭、种花，或是做些其他事情，我总觉得很快乐。但多罗和特雷斯整理行囊，出发上路，周游世界，这样也很吸引人。我认为那种自由自在的感觉很不错。”

“我没有那种冲动了。”卡罗琳说。她遥望黑暗的花园。城市的灯火此起彼伏，Foodland超市的深红招牌闪闪发光，字母在夏日浓密的树叶中构成马赛克般的图案。“我待在这里就很快乐，你会对我感到厌倦吧？"

"不会,亲爱的,就是因为这样,所以我们才这么速配。"艾尔说。

他们沉默地坐了一会,聆听风声和急驶而过的车声。

"菲比不喜欢改变,"卡罗琳说,"她不太能适应改变。"

"嗯,这也是个问题。"艾尔说。

他等了一会儿,然后转身面向她。

"你知道的,卡罗琳,菲比开始变成大人了,她不再是个小女孩了。"

"她才十三岁不到。"卡罗琳说,心里想着菲比抱着小猫的模样。这孩子多么容易悄悄地溜回无忧无虑的童年啊。

"没错,她十三岁了。卡罗琳,她……嗯,你知道的……她开始发育了。今天晚上抱起她时,我已经感到有点不自在。"

"那你就别抱她。"卡罗琳口气尖锐地说。但她想起菲比前几天在游泳池里游来游去,她在水底下捉住菲比,感觉到菲比正在发育的小小乳房柔软地贴着自己的手臂。

"你别生气,卡罗琳,我们只是从未讨论过这个问题,对不对?她将来会变成怎样?等到我们跟多罗和特雷斯一样退休时,我们有什么计划?"他暂停一会,她感觉得到他正仔细地选择用词。"说不定我们会出外旅游,我想了就开心。老实说,一想到我们得永远待在这栋房子里,我觉得有点透不过气来。还有菲比该怎么办?她会一直跟我们住吗?"

"我不知道。"卡罗琳说,忧虑顿时如同黑夜一样笼罩着她。她奋斗了很久才为菲比在这个漠然的世界上争取到一个立足之地。现在所有问题暂且获得解决。过去一年多里,她终于可以轻松一下,但菲比长大以后,她会在哪里工作?她怎么过活?这些问题依然没有解答。"唉,艾尔,拜托,今天晚上我想不了这么多。"

前廊的摇椅前后晃动。

"我们迟早得考虑这些问题。"

"她只是个小女孩。你在暗示什么?"

"卡罗琳,我没有暗示什么,你知道我很爱菲比。但你我都会过世,说不定明天就一命呜呼,我们没办法永远在她身旁照顾她。我想说的就是这些,而且说不定哪天她不再需要我们,我只想问问你有没有想过这一点。你为什么存了这些钱?我只是提出来讨论。我的意思是说,让我们好好想想。你若能偶尔陪着我上路,不是很好吗?说不定过个周末就好?"

"是的,"她轻声说,"确实很好。"

但她并不确定。卡罗琳试图想象艾尔的生活:每天住在不同的房间、不同的城市,公路像一条灰色的缎带一样无尽地延展;他先前的想法也令她不安:卖掉房子,开车上路,漫游世界。

艾尔点点头,喝干杯中的饮料,准备起身。

"别走,"她说,伸手轻轻地摆在他的手臂上,"我得跟你说件事。"

"听起来挺严重的。"他说,又在摇椅上坐定,紧张地笑笑,"你现在有了多罗送的房子,又有存款等等,你该不是要离开我吧?"

"当然不是,绝对不会。"她叹了一口气。"我这星期收到一封信。"她说,"信的内容很奇怪,我得跟你谈谈。"

"谁寄来的信?"

"菲比的父亲。"

艾尔点点头,双臂交叉,但没说话。他当然知道这些信。这些年来,信件从不间断,信里摆着数目不等的现金和一张纸条,纸条上只潦草地写着一句:请让我知道你住在哪里。她没让戴维·亨利知道她的下落,但早些年她把其他所有事情全都告诉他,封封真挚坦诚,仿佛他是她最贴心的密友。时光逐年而过,她变得讲求效率。她寄上照片,顶多附上一两句话。她的生活忙碌、充实、复杂,她不可能一一写下来,所以她就停笔,不再告诉他所有的事情。如今她却接到戴维·

亨利寄来的长信，工整的笔迹写满了三张信纸，难怪令她惊讶万分。信中充满感情，谈到保罗的天赋、梦想、怨气以及愤怒。

　　　　我知道当年做错了。我把我的女儿交给你，我知道这样做非常不合适，而我也知道无法挽回。但我希望能见见她，卡罗琳，我不知道该怎么做，但我希望做些补偿。我希望多了解菲比以及你们的生活。

　　他所描述的景象软化了她：已经是个少年的保罗弹着吉他，梦想着进入朱丽亚音乐学院；诺拉有了自己的事业。还有戴维，这些年来，他的身影宛如书中的照片一样，清晰地驻足在她的心中。她想象他俯身写这封信，懊悔与渴求之情跃然纸上。她把信塞回抽屉里，好像这样就能锁住它，但过去这个忙碌而情绪化的一星期，那些字句却时时萦绕在她脑海中。

　　"他要见她。"卡罗琳说，手指轻抚多罗先前扔在摇椅扶手上的大围巾，"他想再成为她生命中的一部分。"

　　"蛮好心的嘛。"艾尔说，"过了这些年，他还算有良心。"

　　卡罗琳点点头。"他毕竟是她父亲。"

　　"那我是什么？"

　　"拜托，"卡罗琳说，"你是菲比心目中的亲爱的爸爸。但是艾尔，当初我没告诉你我怎么会有菲比这个孩子，现在我最好跟你说清楚。"

　　他伸手握着她的手。

　　"卡罗琳，你离开之后，我在列克星顿待了一阵子，我跟你那个邻居聊天，也听到许多传言。我虽然没受过太多教育，但我不笨。我知道戴维·亨利医生的小女儿夭折，差不多在同一个时候，你离开了列克星顿。我想说的是，不管你们之间发生过什么，我都不在乎，也影响不了我们，所以我不需要知道细节。"

她沉默地坐着,看着车辆在公路上急驶而过。

"他不要她。"她说,"他打算把她送到一个类似精神病院的中心,请我带她过去。我去了,但我不能把她留在那里,那个地方太糟糕了。"

艾尔好一阵子没说话。"我听过类似的事情。"他终于开口,"我在路上听过这种事。卡罗琳,你很勇敢,你当初的决定是对的,我很难想象菲比在那种地方长大。"

卡罗琳点点头,泪水在眼眶里打转。"我很抱歉,艾尔,我当年就该告诉你。"

"卡罗琳,"他说,"没关系,这些都是陈年旧事。"

"你觉得我应该怎么做?"她问,"我的意思是,关于这封信,我该回信吗?让他跟她见面?我不知道,我已经左思右想了一星期。如果他把她带走呢?"

"我不知道该说什么,"他慢慢地说,"这事轮不到我来决定。"

她点点头。这话说得公允,她把这事埋藏在心里,就得自己承担后果。

"但我会支持你的决定。"艾尔补了一句,捏了捏她的手,"不管你觉得怎么做最好,我都百分之百支持你和菲比。"

"谢谢,我先前好担心。"

"你为太多不必要的事情担心,卡罗琳。"

"这么说来,这事不会影响到我们吧?"她问,"我以前没跟你说,这会不会影响我们的关系?"

"一点也不会。"

"那就好。"

"好,"他站起来伸伸懒腰,"我累了,你要上楼吧?"

"是的,我一会儿就上去。"

纱门嘎地被推开,砰地一声关上,微风吹过他刚才坐着的地方。

下雨了，雨滴刚开始轻轻地落在屋顶，后来声声宛如击鼓。卡罗琳锁上门，锁好这栋现在已属于她的房子。她上楼，停下来看看菲比。菲比的皮肤温暖潮湿，身子微微扭动，喃喃说着些难以辨识的字句，然后安详地进入梦乡。小甜心啊，卡罗琳轻声说，帮她盖上被子。她在雨声回荡的房里站了一分钟。菲比还小，但她再怎样也无法保护女儿一辈子。思及至此，心中不禁感到激动。她走进自己的卧室，悄悄地溜进冰凉的被单之中，躺到艾尔身旁。她想起他双手贴着她的肌肤，胡须轻压着她脖子的感觉，也想起她自己在黑暗中的叫喊。这个男人是个好丈夫，也是菲比的好爸爸。星期一早上，他将起床，冲个澡，穿上衣服，跳上卡车，接下来的一星期，他将不见踪影。然而不管她决定怎么做，他都信任她的判断。下星期，她一定会妥善处理戴维·亨利的信。卡罗琳躺了很久，手搁在他的胸膛上，聆听雨声。

＊　　＊　　＊

她黎明时起床。艾尔脚步声如雷，早早出门开卡车去换机油。雨水从屋沿的引水槽和排水管倾泄而下，流到地面的积水之中，顺着山坡流向小溪。卡罗琳走到楼下，泡了咖啡。家里异常安静，她想事情想得发呆，直到菲比站到门口，她才发现菲比在自己身后。

"下雨了，"菲比说，睡袍松垮垮地围在身上；"下得好大。"

"没错。"卡罗琳说。她们曾经花了几个钟头学习这个用词，卡罗琳还制作了海报帮助学习，海报上乌云遍布，成群小猫和小狗从天而降①，那是菲比最喜欢的海报之一。"今天天空落下的比较像是长颈鹿和大象。"

"牛和猪，"菲比说，"猪和山羊。"

---

① rain cats and dogs表示倾盆大雨。

"你要吃点烤面包吗?"

"要一只猫咪。"菲比说。

"你要什么?"卡罗琳问,"把句子说完整。"

"我要一只猫咪,拜托。"菲比说。

"我们不能养猫。"

"多罗姑姑已经走了,"菲比说,"我可以养猫。"

卡罗琳觉得头痛,她将来会变成什么样?

"菲比,仔细听好,这是你的烤面包。我们待会再讨论养猫的事情,好吗?"

"我要一只猫咪。"菲比坚持。

"待会再说。"

"一只猫咪。"菲比说。

"该死的,"卡罗琳的手掌猛然在料理台上一拍,吓了两人一跳,"不要再跟我提养猫,你听见了吗?"

"坐在前廊,"菲比一脸不高兴地说,"看雨。"

"你要怎样?用个完整的句子。"

"我要坐在前廊看雨。"

"你会着凉。"

"我要……"

"唉,好吧,"卡罗琳挥挥手打断她的话,"好。出去,坐在前廊,看雨,随便你要干什么。"

门开了又关,卡罗琳往外一看,看到菲比撑着雨伞坐在前廊的摇椅上,大腿上摆着烤面包。她气自己失去耐性,这跟菲比无关,而只是因为她不知道该如何回复戴维·亨利,心里相当害怕。

她取出相册和一些她一直想整理的零星照片,在沙发上坐下,坐在这里她可以注意菲比的动静。菲比的脸藏在雨伞后面,在摇椅上晃来晃去。她把最近的照片摆在咖啡桌上,然后拿了一张信纸写信给戴维。

菲比昨天领受了坚信礼，她穿着一件白色的刺绣装，系了一条粉红缎带，看起来好可爱。她还在教堂里表演独唱。随函附上一张昨天在派对拍的照片，真难相信她长得这么大了。我开始担心她的未来。你把她交给我的那个晚上，心里八成也是这么想。这些年来，我为她奋斗得很辛苦，有时我很怕接下来会发生什么事，然而……

写到这里，她暂时停笔，心想她为什么有股想回信的冲动。这跟钱无关。这些年来，卡罗琳已经存了将近一万五千美金，每分钱都存进菲比的信托基金。或许仅是出于老习惯，或许她想保持住他们的联系，或许她只想让他知道他失去了什么。你瞧瞧，她想揪着戴维·亨利的衣领对他说，这就是你的女儿菲比，她十三岁了，脸上带着阳光般的微笑。

她放下笔，想起菲比身穿白衣服跟着唱诗班唱歌，还有抱着小猫的模样。她怎能告诉他这一切，却又拒绝让他看看他的女儿？但事隔多年，他如果现在露面，接下来将会如何？她觉得自己已经不再爱他，但说不定爱意犹存；说不定她也心怀怒意，气他当年做出的决定，气他始终未曾真正了解她。她很惊讶自己心肠居然如此冷硬，想了更是苦恼。话又说回来，如果他已经变了呢？但如果他还是没变，那又该如何是好？他说不定会伤了菲比，正如当年他令她心碎，而他甚至毫无觉察。

她把信推到一旁，开始支付账单，然后走到屋外把它们放进信箱。菲比坐在屋前的台阶上，把伞举得高高地挡雨。卡罗琳看了她一会儿，然后把门带上，走到厨房又倒了杯咖啡。她在后门边站了好久，凝视屋外滴水的树叶、湿淋淋的草地以及沿着人行道流下的积

231

水,一个纸杯被缠困在树丛中,车库旁的一张纸巾被淋成纸浆。再过几小时,艾尔将再次离去。她瞄了公路一眼,想象着自由是什么滋味。

雨势忽然变大,敲打着屋顶。她心里浮现出某种感觉。在直觉的驱使下,卡罗琳转身走进客厅,还没走到屋外的前廊,她就知道她会看到前廊空荡荡的,盘子端正地摆在水泥地上,摇椅静止不动。

菲比不见了。

到哪儿去了呢?卡罗琳走到前廊边,在倾盆大雨中循着马路来回寻找。远处传来火车的汽笛声,马路左边沿着山丘而上,通往铁轨,右边的尽头则是公路的入口匝道。好,仔细想想,仔细想想!她会去哪里?

街尾斯旺家的小孩光着脚在积水中玩耍,卡罗琳想起菲比刚才说,我要一只猫咪,也想起昨天的派对上,艾芙丽抱着一只毛茸茸的猫咪。她记得菲比迷上了它小小的身躯和细微的声音。她问斯旺家的小孩有没有看到菲比,果然不出她所料,他们指指马路对面那个矮树丛,小猫跑掉了,菲比和艾芙丽过去解救它。

交通信号灯一变,卡罗琳马上冲过马路。泥土地上积满了水,一踩下去就是一滩水。她推开矮树丛往前走,终于走到一片空地,艾芙丽跪在空地的水管边,水管把山丘上的积水抽到水泥沟渠中。菲比的黄色雨伞像支旗子一样,丢在艾芙丽旁边。

"艾芙丽!"卡罗琳蹲在小女孩身边,摸摸她湿了的肩膀。"菲比在哪里?"

"她去找猫咪。"艾芙丽边说边指指水管里,"小猫跑到里面去了。"

卡罗琳轻声诅咒两句,跪到水管边缘,冰冷的雨水急速地流过她的膝盖和双手。菲比!她大叫,声音回荡在黑暗中。我是妈妈,甜心,你在里面吗?

一片寂静。卡罗琳慢慢地爬到水管里。水太冷了，她的双手已失去知觉。菲比！她大喊，声音越来越大，菲比！她仔细聆听，有个微弱的声音。卡罗琳再往前爬几英尺，水流冰冷而湍急，她摸索着前进，然后摸到布料和冰凉的肌肤，菲比随即颤抖地扑到她怀里。卡罗琳紧紧抱住她，回想起当年的那个夜晚，她在潮湿的紫色浴室里抱着菲比，拼命地求她呼吸。

　　"我们得离开这里，甜心，我们得出去。"

　　但菲比不肯动。

　　"我的猫咪。"她说，声调高昂而坚决，卡罗琳感觉得到猫咪在菲比的衬衫里扭动，也听到细微的喵喵声。"它是我的猫咪。"

　　"好吧。"卡罗琳说。湍急的水流越升越高，她轻轻地拉着菲比朝着刚才过来的方向前进。"来，菲比，我们赶紧离开。"

　　菲比开始移动，慢慢爬向明亮的管口，她们终于爬出水管。水泥沟渠中的冷水绕着她们流动，菲比全身透湿，头发紧贴着脸，小猫也湿了。卡罗琳看了一眼矮树丛后面的家，坚实而温暖，宛如危险世界中的救生艇。她想象艾尔已开上某条遥远的公路，还有那些舒适的房间，这些现在都属于她了。

　　"没事了。"卡罗琳揽住菲比，小猫扭了扭身子，小小的爪子刮过她双手的手背。天空依然飘雨，雨水从漆黑、茂密的树叶间滴落。

　　"邮差来了。"菲比说。

　　"没错。"卡罗琳说。她看着他走上前廊的台阶，把她先前放进信箱的账单塞进他的皮袋子。

　　她给戴维·亨利的信，写了一半放在桌上。刚才她站在后门旁边看雨，一心只想着菲比的父亲，菲比却在此时陷入危险。这似乎是个不好的兆头。刚才菲比失去踪影，令她大为惊慌，现在惊慌之情转为愤怒。她不会再写信给戴维；他对她提出太多的要求，而且也已太迟了。邮差走下台阶，手中鲜艳的雨伞一闪一闪。

"没错，甜心，"她边说边摸摸猫咪瘦小的头部，"没错，邮差来了。"

The Memory Keeper's Daughter

一九八二年

一九八二年四月

一

　　卡罗琳站在佛比斯街和布列达克街附近的公交车站,看着操场上精力充沛的孩子们。他们高昂的笑声飘扬在空中,盖过了隆隆车声。远方的棒球场上,来自附近酒馆的酒客们在赛球,蓝色和红色的身影在新长出来的草地上优雅、自在地移动。时值春天,夜晚将至,再过几分钟,坐在长凳上或是站着把手插在口袋里的家长们就会大声叫唤孩子们回家。大人们的球赛将持续到夜幕低垂。球赛结束之后,球员们会拍拍彼此的背,离开球场,到酒馆里喝一杯,高声谈笑。她和艾尔晚上外出时曾在酒馆里看到过他们。若有机会外出,她和艾尔通常会先去看一场演出,然后吃顿晚饭。如果艾尔不当差的话,他们还会到酒馆喝两杯啤酒。

　　但今晚他已经上路了,在夜幕逐渐深沉的夜晚中,急速驶向远方,从南边的克里夫兰开到托莱多,然后一路驶向哥伦布。卡罗琳把他的行车路径挂在冰箱上。几年前多罗离开之后,有段时间两人的关系不是很融洽。卡罗琳曾请人照顾菲比,自己和艾尔一起上路,希望藉此拉近两人之间的距离。时光一小时一小时地流逝,她睡了又醒,浑然不知当时是几点。车轮下的公路无尽地延展,仿佛一条黑色的丝带,被稳定的白光分成一节一节,感觉神秘而令人着迷。最后艾尔也累了,他把卡车开进休息站,带她到餐厅吃饭。但这家餐厅和他们昨晚去的那家没什么不同,昨晚待过的城市也是面貌模糊。旅途中的日子好像穿过宇宙中各种奇怪的洞口,说不定走进一个城市的一家餐厅,然后从同一道门里出来,结果却发现自己置身在另外一个城市。沿着公路都是大同小异的商业区、加油站、快餐店,车轮在公路上发出同样的隆隆声,只有地名、灯光和人的脸孔有所不同。她跟着艾尔跑了两趟,然后再也没跟他一起上路。

公交车转过街角,嘎地一声停了下来,车门向两旁打开,卡罗琳上车,选了个靠窗的座位。公交车隆隆地驶过大桥和桥面的坑洞,树木一棵棵地一闪而过。车子急驶过墓园,在松鼠山之间蜿蜒而行,然后慢慢开过老市区到奥克兰。卡罗琳在这里下车。她在卡内基美术馆前站了一会儿,稳定一下心情,抬头看看这座雄伟的石砌博物馆。博物馆有着长长的台阶和爱奥尼式的柱子,门廊顶端挂着一面旗帜,长长的旗帜在风中飘扬,上面写道:镜之影像——戴维·亨利摄影展。

今晚是摄影展首展,他将到场演说。卡罗琳双手颤抖地从口袋里拿出剪报,她已经把剪报带在身边两星期了,每次一摸到它,心中就一阵狂跳。她已经改变心意不下十二次,来了又有什么用?

但话又说回来,她转念一想,来看看又何妨?

艾尔若没有上路,她或许会待在家里,让这个机会悄悄流逝。她会不停地瞄着时钟,直到首展结束,戴维·亨利消失在他自己的生活中。

但艾尔刚才打电话来说今晚不会回来,欧尼尔太太有空照顾菲比,而且公交车也准时。

此时卡罗琳的心跳得猛烈。她站得笔直,深深吸一口气。与此同时,世界依然运转:车辆紧急煞车,发出汽油的臭味,春天柔软的新叶微微飘摇,人群越走越近,人声随之清晰,声音忽远忽近,片段的谈话仿佛一张张在风中飘荡的小纸片。

　　一群群穿丝绸礼服、高跟鞋,以及昂贵深色西装的宾客,缓缓地依序走上美术馆的石阶。靛青色的天空越来越暗,街灯已经大放光明,街对面的希腊东正教教堂正举行庆典,空气中洋溢着教堂传来的柠檬和薄荷香。卡罗琳闭上双眼,想着黑色的橄榄。搬来这个城市之前,她从未尝过黑橄榄。她还想到星期六早上市场上漂亮的马赛克瓷砖、现烤的面包、蔬菜、水果和鲜花,以及沿着河岸街道上的各色食物。若非戴维·亨利和那场出其不意的暴风雪,她再怎样也想象不到这种生活。她走上一层台阶,又上一层,融入人群之中。

　　美术馆白色的天花板高耸,橡木地板发出深金黄的色泽。有人递给卡罗琳一张说明,戴维·亨利的名字印在厚厚的淡黄色纸张顶端,其下是一列照片的标题。"薄暮中的沙丘",她念道,"心中的树"。她走进展览厅,看到他最有名的一幅作品。照片中起伏的沙滩不只是个沙滩,而是一个女人的臀部,女人柔顺的大腿隐藏于层层沙丘之中。照片中的影像颤动,仿佛快要变成另外某个影像。霎那之间,它又果然是另外某个影像。卡罗琳刚看到这幅作品时,足足瞪了十五分钟。她知道那个起伏的女体是诺拉·亨利,也想起诺拉隆起的白色肚皮阵阵抽痛,诺拉抓她抓得好紧!这些年来,她一直对诺拉·亨利心存芥蒂。她觉得诺拉带点傲气,习惯指使人,说不定是那种会把菲比留在养育院的女人。她借着这些想法安慰自己,但这幅照片却粉碎了她的想法:照片中是一位她从不认识的女子。

　　人们鱼贯进入展览厅,位子全坐满了。卡罗琳坐定,专心地观察每件事。灯光被调暗,然后又变亮,在一片掌声中,戴维·亨利走进来,身材高大的他依然眼熟。他胖了一点,面对观众微笑。他已经不是个年轻人了,她看在眼里,心中极为震惊。他的头发日渐灰白,双肩微微下垂。他走到讲台上,看看台下的人们。卡罗琳不禁屏息。他一定看到她了,他肯定马上认出了她,正如她一眼就认出他来。他清清喉咙,开开天气的玩笑,当周围的笑声渐渐消逝,他看着自己的笔记开始演讲。她明白自己不过是听众中的一个。

　　他讲得抑扬顿挫,充满自信,但卡罗琳几乎没注意他说些什么,反而研究起他那熟悉的手势,以及他眼睛周围新冒出来的皱纹。他的头发长了一点,虽然灰白,但依然浓密,看来似乎满足而安逸。她想到将近二十年前的那个夜晚,当他醒来,从桌上抬起头,看到站在门口的她,她眼中充满了对他的爱意。在那一刻,他们对彼此毫不设防,再也没有比那一刻更脆弱、更私密的时刻。那时她看出某些他所隐藏的梦想、期待,或是经历,私密到不敢与人分享;现在依然如此,她依然看得出戴维·亨利有着不为人知的一面。二十年前,她相信他对她怀着某种秘密的情愫,其实却只是她的痴心妄想。

　　演讲结束之后,掌声热烈地响起,他从讲台后方走下来,从手中的玻璃杯里喝了一大口水,然后回答听众的问题。好几个人提出问题,包括一位拿着笔记本的男子、一位灰发的中年妇女、一位身穿黑衣的年轻女孩。女孩有着一头如瀑布般的黑发,相当激动地问些关于形式的问题。卡罗琳越来越紧张,心脏砰砰直跳,几乎喘不过气来。问题结束了,台下一片寂静,戴维·亨利清清喉咙,微笑地说声谢谢,然后转身离开。卡罗琳只知道自己站了起来,几乎想都没想,身前的皮包像张盾牌似的。她穿过房间,加入一小群围在他身边的听众。他看了她一眼,对她礼貌地笑笑,没认出她是谁。大家问了更多问题,她耐心等待。时间一分分过去,不知怎么的,她却越来越平静。此次摄影展的策划人在人群边缘徘徊,焦急地等着戴维跟听众应酬。但当问题告一段落时,卡罗琳走上前,顺势把手插进戴维的手臂中。

　　"戴维,"她说,"你不认得我了吗?"

　　他仔细端详她的脸。

　　"我变了那么多吗?"她轻声说。

然后她看出他记起来了。他神色一变，脸部扭曲，好像地心引力忽然增强；一阵红潮从他的脖子慢慢往上爬，脸颊肌肉也随之抽动。卡罗琳觉得时光似乎倒流，他们又回到多年前的诊所中，外面飘着雪花。他们一语不发地注视着对方，仿佛整个房间和听众全都消失无踪。

　　"卡罗琳。"他终于恢复镇定，"卡罗琳·吉尔，啊，一个老朋友。"他对其他依然围在身边的人解释。他伸手调整一下领带，脸上露出笑容，但双眼中却并无笑意。"谢谢大家，"他对其他人点点头说，"谢谢大家光临。对不起，我们得告退一下。"

　　他们随即穿过房间。戴维走在她旁边，一只手轻轻却稳稳地贴着她的背，好像他若不守住她，她就会消失。

　　"到这里来。"他边说边走到一幅展示板的后方。这里有一道没有门框的门，白色的墙面上几乎看不出来。他带着她很快地走进去，然后把门关好。这里是储藏室，空间狭小，一个光秃秃的电灯泡洒下灯光，照亮了满柜的油漆和工具。他们面对面站着，相隔只有几英寸，室内弥漫着他略带甜味的古龙水清香，还有一股她记得的某种气味：药水味中夹杂着一丝男性气息。小小的房里很热，她忽然感到头晕目眩，小银鱼在眼前闪动。

　　"卡罗琳，"他说，"老天啊，你住在这里？就在匹兹堡？你为什么一直没有告诉我？"

　　"要找到我并不难，别人就找得到。"她慢慢地说，想起艾尔从巷子里走出来。那也是她第一次见识到他的坚持。但话又说回来，幸好戴维·亨利没花太多精力找她，否则她自己倒真想销声匿迹。

　　门外传来脚步声。脚步声越来越近，停留在门口。大家在门外低声急切地交谈。她仔细端详他的脸。这些年来，她每天都想到他，但现在她却想不出该说什么。

　　"你不是该出去跟人周旋吗？"她问，眼睛瞄了瞄门口。

"他们会等我。"

然后他们注视着对方，两人都没说话。这些年来，卡罗琳一直把他像张照片一样摆在心里，心中积存了上百、上千张照片，每张相片中的戴维·亨利都是精力充沛、决然果断的年轻人。现在她凝视着他黑色的双眼、丰润的脸颊、仔细梳理的时尚发型，忽然明了自己若在街上与他擦身而过，说不定根本认不出他。

他再度开口时，语气缓和了一些，但脸上的肌肉依然紧绷。"我去过你住的地方，卡罗琳。那天追思会结束之后，我去过那里，但你已经离开了。这些年来……"他想说些什么，随后又恢复沉默。

"我当年爱上了你。"卡罗琳脱口而出。话一出口，她自己也大吃一惊，因为这是她第一次坦白说出口。这事虽然摆在心里很多年，但她从未说出来，连对她自己都没有。坦白承认之后，她感到有点头昏、急躁。她接着又说，"你知道的，我花了很多时间想象跟你一起生活，但在教堂的那一刻，我才明白你心里根本没有我。"

她说话时，他低下头，这时他抬头看着她。

"我知道。"他说，"我知道你爱上了我，不然我怎么会请你帮忙？对不起，卡罗琳，这些年来，我一直……我一直非常愧疚。"

她点点头，眼中充满泪水。她想到当年站在追思会的一隅，没人认得她，没人看到她。当年他眼中没有她，令她气愤不已，现在想来依然愤怒。虽然他根本不了解她，但他依然毫不迟疑地请她带走他的女儿。

"你快乐吗？"他问，"卡罗琳，这些日子以来，你快乐吗？菲比呢？"

他的问题以及温柔的语调解除了她的防线。她想到菲比挣扎着学习字母以及练习系鞋带的模样，也想到自己接连地打电话为菲比的教育抗争时，菲比快乐地在后院玩耍。菲比用柔软的双臂圈住她的脖子，不为别的，只为了说声妈妈，我爱你。她想到艾尔，虽然经常上路，但漫长的一周结束之际，他走进家门，手里拿着给她的一束鲜花、一袋现烤的小面包，或是一个小礼物，而且他从来不会忘记带样东西给菲比。当年在戴维·亨利的诊所工作时，她年轻、孤独、而且天真，所以才想象自己是某种容器，等着别人来注满爱意。但事实却非如此。其实她心中一直有爱，只有当她付出时，爱意才会苏醒。

"你真的想知道吗？"她终于问道，双眼直视他的眼睛。"这些年来，你从未回信，戴维。除了那次之外，你从没问过一句我们过得怎样，连一次都没有。"

说话之时，卡罗琳终于明白了自己为什么要来。此行根本不是出于爱情或是对往事的缅怀，甚至不是出于罪恶感；她基于一股怒气来到此地，也希望借机把话说清楚。

"这些年来，你始终不想知道我和菲比过得怎样。你根本不在乎，不是吗？后来你写了那封信，那封我一直没回的信。忽然之间，你想把她带回去。"

戴维轻笑一声，仿佛感到吃惊。"你真的这么想吗？这就是为什么你不再写信给我？"

"我还能怎么想？"

他慢慢地摇摇头。"卡罗琳，我一而再、再而三地跟你要地址，每次寄钱都问你一次。在最后那封信里，我只是请求你让我再回到你的生命中。除此之外，我还能怎么做？我知道你不了解这一点，但我保留了你寄来的每一封信。你停笔之后，我觉得你好像当着我的面用力甩上大门。"

卡罗琳想到她写的那些信，感人的自白透过笔墨流泄到纸上。她已经不记得自己写了什么，菲比生活的细节？或是她的希望、梦想以及恐惧？

"那些信在哪里？"她问，"你把我的信放在哪里？"

他一脸诧异。"在我暗房的档案柜最下层的抽屉里，抽屉一直上了锁。你为什么想知道？"

"我从来没想过你会读信。"卡罗琳说,"我觉得我好像对着空气写信。可能正因为这样,我才觉得无拘无束,好像我爱说什么就说什么。"

戴维伸手揉揉脸颊。她记得当他累了,或是沮丧时就做出这个姿势。"我全都读了。老实说,刚开始我得强迫自己,后来虽然读了伤心,但我还是想知道发生了什么事。你让我稍微认识了菲比,也让我看到你们的生活片段,我非常期待读到这些。"

她没回答,想起那个下雨的午后,她叫菲比带着猫咪"小雨"上楼换下湿衣服,她站在客厅里,把他的信撕成四片、八片、十六片,然后把信像五彩碎纸一样扔到字纸篓里。她感到心满意足,而且怀着一丝喜悦,因为这件事情就此画上句号。当时她心中充满这些感受,完全不顾,甚至不在乎戴维将作何感想。

"我不能失去她。"她说,"我生了你很久的气,但到了那时,我最害怕的是你若见到她,你会把她带走。这就是为什么我不再写信给你。"

"我从来没有这种打算。"

"这一切都不在你的打算之中,"卡罗琳回答,"但事情还是发生了。"

戴维·亨利叹了一口气。她想象他站在被她抛弃的公寓中,从一个房间走到另一个房间,终于明白她永远不会再回来。告诉我你有何打算,他曾说,我只有这个要求。

"如果我没有带走她,"她轻声地加了一句,"你说不定会做出不同的决定。"

"我没有阻止你。"他说,双眼再度迎上她的凝视,声音粗嘎。"我可以阻止你。追思会那天,你穿了一件红外套。我看到你,也看着你开车离去。"

卡罗琳忽然感到一阵空虚,几乎晕眩。她不知道自己对今晚有何期望,但先前当她想象两人的对话时,她没想到会有这种争辩。他是这样悲伤愤怒,她自己也是。

"你看到我了?"她说。

"追思会结束之后,我直接去了你的公寓,我以为你会在那里。"

卡罗琳闭上双眼。她当时已经开上高速公路,驶向匹兹堡和未来。说不定只要迟几分钟或是一小时,她就不会错过戴维。那一刻引发了多少转变?她的生命又将呈现什么不同的面貌?

"你还没回答我。"戴维清清喉咙说,"卡罗琳,你这些年来快乐吗?菲比呢?她身体好不好?心脏还好吧?"

"她的心脏没问题。"卡罗琳说,心里想着早些年,她一直担心菲比的健康,跑了好多趟医院看牙医、心脏科医生、耳鼻喉科等等。但菲比已经长大了,她健健康康,在车道边投篮,而且喜欢跳舞。"根据她小时候我所阅读的书籍,她八成撑不到现在,但她很好。我想她很幸运,心脏从没发生过问题。她喜欢唱歌,养了一只叫做'小雨'的小猫。她正在学编织,现在她就在家里忙着编织。"卡罗琳摇摇头。"她上学,跟其他孩子一样上公立学校。我费了很大功夫才争取到让她入学。现在她差不多长大了,我不知道将来会如何。我有份不错的工作,在一家医院的内科门诊兼差。我先生经常出差。菲比每天去'团体之家',她在那里有很多朋友,她正在学习处理办公室事务。我还能告诉你什么?毫无疑问,你逃过了很多心痛,但是戴维,你也错过了无数的喜悦。"

"我了解,"他说,"我比你想象的更了解。"

"你呢?"她问。看着上了年纪的他,她再次感到震惊。她依然在试着接纳他的存在。过了这么多年,此时他就在她身旁,两人共处在这个小房间里,令人有点难以接受。"你快乐吗?诺拉呢?还有保罗?"

"我不知道。"他慢慢地说,"我想跟其他人差不多吧。保罗很聪明,他可以从事任何行业,但他想读朱丽亚音乐学院,专攻吉他。我认为他这个决定是错的，但诺拉不这么想，这事造成了很多冲突。"

卡罗琳想到菲比很喜欢在打扫和整理东西时自顾自地哼歌。她热爱音乐，却永远没有机会弹吉他。

"诺拉呢？"她问。

"她是一家旅行社的负责人，"戴维说，"跟你先生一样也常出差。"

"旅行社？"卡罗琳重复道，"诺拉？"

"我知道，我自己也很惊讶，但她当老板已经很多年，而且相当成功。"

门把动了动，门被推开了几英寸，摄影展的策划人探头进来，眼中充满好奇和关切，蓝色的双眼闪闪发亮，讲话时一只手紧张地顺了顺黑发。"亨利医生？"他说，"您知道的，外面有很多人，大家都希望您……嗯……跟大家聊聊。一切还好吗？"

戴维看着卡罗琳，他有点犹豫，但也没什么耐心。卡罗琳知道他马上就会转身，调整一下领带，掉头离开。持续了多年的某种纠葛，在这一刻即将告一段落。别走，她心想，但策划人清清喉咙，不自在地笑笑，而戴维说："没问题，我这就出去……你会留下来吧？"他边对卡罗琳说边拉拉她的胳膊肘。

"我得回家。"她说，"菲比在等我。"

"拜托。"他在门口驻足。她迎上他的目光，看到了许多年前她所记得的悲伤与怜悯，当时他们都很年轻。"我们还有很多话要说，而且多年不见了。拜托，请说你会等我，好吗？我不会离开太久。"她厌倦极了，不知如何处理心中的不自在，但她依然轻轻地点点头。戴维·亨利露出了微笑，"好，我们一起吃晚餐，好吗？这些都是应酬话，我却非去不可。但多年之前，我确实做错了。我想多知道一点，而不只是你们的生活片段。"

他的手贴在她的手臂上，两人重新融入人群中。卡罗琳似乎说不出话，大家都等着戴维，而且毫不掩饰地朝着他们瞥，好奇地窃窃私语。她把手伸到皮包里，递给他一个她事先准备好的信封，信封里有菲比的近照。戴维接下信封，看着她严肃地点点头。有个身穿黑色亚麻衣服的纤细女子拉着戴维的手臂跟他说话。这女子刚才也在观众席，人长得很漂亮，略带敌意，此时又问起另一个关于形式的问题。

卡罗琳在原地站了几分钟，看着他指向一张照片，同时跟那位身穿黑衣的女子说话。照片中的影像颇似树木的黑色枝干。他以前就是个美男子，现在依然英挺。他朝着卡罗琳的方向瞄了两眼，看到她还在，就把注意力集中到当下。等一下，他刚才说，请等一下，他指望她会等他，她再度感到极度厌倦。她不想等，事情就到此为止吧。她年轻时已经花了太多时间等待，等着受到肯定，等着冒险，等着爱情到来；直到她抱着菲比掉头离开路易斯维尔的家，直到她收拾行囊搬到别处，她才真正展开新生活。光是等待，肯定没有好结果。

戴维低头仔细聆听那名黑发女子说话，双手握着信封摆在身后。她看着他随手把信封放进口袋里，好像信封里装着某样无关紧要、有点令人不快的东西，比如水电费账单或是交通罚款单。

不一会她已来到户外，匆匆走下石阶，踏入黑暗之中。

春夜的空气冷冽而潮湿。卡罗琳太激动，没心情等公交车，反而快步前进，走过一条又一条街道，浑然不顾来往车辆和行人，甚至不管这个时候一个人走在街上，其实有点危险。她回想今晚的种种时刻，一幕幕在脑中盘旋，所有细节显得奇怪而支离破碎。当年的他，一簇黑发盖过右耳，指甲剪到了指甲肉。她依然记得那些修剪得四四方方的指头。但他的声音变了，变得比较低沉。她觉得仓皇失措。这些年来保存在她脑海中的影子，见到他的那一刻，怎么全都变了样？

她自己又如何呢？在他眼中，今晚的她看起来怎样？他眼中的卡罗琳·洛兰·吉尔是怎样一个人?他可曾看见她神秘的内心?没有,一点都没有。她明白,她已经明白很多年了。自从在教堂门外她转身离去的那一刻,她心里就很清楚。内心深处,她一直怀着某种愚蠢的浪漫情愫,认定曾有一刻,世上没有人比戴维·亨利更了解她,但事实却非如此,他甚至连看都没有看她一眼。

她走了五条街,天空飘起雨丝。她的脸颊、外套和鞋子都被淋湿了,夜晚的寒气似乎渗入她的体内,钻到她的肌肤之下。她走到街角,61B公交车发出尖锐的声响,停了下来。她跑过去上了公交车,甩掉头发上的雨水,坐在裂痕斑斑的塑料座椅上。灯光、霓虹灯、水气蒙蒙的红色交通信号灯,从车窗边一一闪过。早春的空气贴着她的双颊,感觉冰冷而潮湿。公交车颠簸地驶过街道,开到漆黑的公园时才加速前进,一路驶下低矮的山丘。

她在摄政广场中央下车,行经酒馆时,她听到里面传出一阵吼叫声。透过玻璃窗,她看见先前看到的球员们。大伙身影模糊,聚在电视机旁,手里拿着杯子,对着空中挥拳。离窗户最近的一张桌子旁有位女侍,她一转身,点唱机散发出的灯光就在她手臂上投射出一道道蓝色的霓虹灯彩。卡罗琳停下脚步,见到戴维·亨利所引发的激动与亢奋忽然消失,宛如雾气一样消散在春天的夜晚。她忽然感到强烈的孤寂。酒馆中的人影因为共同嗜好而聚集在一起;人行道上,在她身边走动的人群,各自循着生命轨迹前进,她根本想象不出人们走向何方。

她眼中涌起泪水。电视荧光屏一闪一闪,透过玻璃窗又传来一阵欢呼。卡罗琳走到一旁,撞到一个手里抱着杂货的女人,踩过一堆丢在人行道上的快餐垃圾。走下山坡,然后走上巷子,她的家就在那里。熟悉的街景取代了城市的灯光。欧尼尔家透出金黄色的光芒,连带照亮了茱萸树丛;苏拉德家的花园一片漆黑;马尔戈利家的草地,夏天时月光花盛开,一路开到山坡旁,美丽而杂乱。一整排的房子仿佛层层阶梯一样沿着山坡而下，最后就是她的家。

她在巷口稍作歇息，看着自己高而狭长的房子。她先前拉上了百叶窗，这点她很确定，但现在百叶窗却拉开了。透过餐厅的窗户，她可以清楚地看到屋内。餐桌上方的吊灯闪闪发光，桌上四处都是菲比的丝线，菲比俯身面向纺织机，镇定而专注地前后摇动梭轴，"小雨"窝在她的大腿上，就像一团毛茸茸的球。卡罗琳看在眼里，女儿显得如此脆弱，真令人担心。她身后的世界在黑暗中神秘地运转，女儿却似乎无法防备。她皱了皱眉头，试图想起她什么时候转动细长的塑料杆，拉上百叶窗。想着想着，她瞥见屋子里还有动静。通往客厅的法式玻璃门后方，有个快速移动的人影。

卡罗琳屏息观察，有点惊讶但还不至于担心。人影逐渐现形，她一看就安心了。那不是陌生人，而是艾尔。他今晚提前到家，在家里走来走去。她感到惊喜，也异常开心。艾尔最近接了更多工作，经常一走就是两星期，但此时他在这里，他已经回家了。他拉开百叶窗，让她得以一窥自己的生活，好好享受这一刻。这四面砖墙之内是她的家，里面摆着她重新修缮的置物柜、她还没来得及修剪的榕树，还有这些年来被她洗刷得漂漂亮亮的玻璃与油漆。菲比从手边的工作中抬起头来，心不在焉地盯着窗外黑暗中的湿草地，一只手轻抚猫咪柔软的背。艾尔穿过房间，手里端着一杯咖啡。他站在她旁边，用咖啡杯指指她正在编织的毯子。

此时雨势更大，她的头发湿透了，但卡罗琳动也没动。先前在酒馆窗外所感受到的空虚，那种真实而令人害怕的虚无，在看到她的家人之后全都烟消云散。雨水拍打着她的脸颊，沿着窗户一道道地流下，她那件质料不错的羊毛外套上布满了雨滴。她脱下手套，在皮包里翻找钥匙，然后才想到有人在家，大门不会上锁。在黑暗中，公路上的车辆永远川流不息，多年之前她种来作为护幕的紫丁香，现在已长成茂密的树丛，遮住了往来的车灯。卡罗琳笔直地多站了一会。

屋里就是她的世界，虽然不是她一度梦想的人生，也不是年轻时想象或是希冀的日子，但这就是她过的日子。虽然时常碰到各种复杂的状况，但生活中充满关爱与用心，这样也不错。

她扣上皮包，爬上台阶，推开大门，回到家中。

二

她是卡内基梅隆大学的艺术史教授，而且正问他关于形式的问题。什么是美？她想知道。她的手摆在他手臂上，带着他走过闪亮的橡木地板，穿梭在挂着他的照片的白墙之间。形式中找得到美吗？形式有何意义？她转身，头发往后一甩，用手把发丝捋到耳后。

他低头盯着她头发白色的部分，以及她平滑白皙的脸庞。

"交汇。"他温和地说，往后瞄了卡罗琳一眼。她在"海滩上的诺拉"那张照片附近徘徊。看到她还在这里，他就放心了。他强迫自己再度转身面对那位教授，"融合。这就是我所追寻的感觉。我没有采用任何理论，我只拍摄令我感动的景物。"

"没有人能够不管理论！"她惊讶地说，但随后暂时停止提问，眯起眼睛，轻咬着唇缘。他看不到她的牙齿，但可以想象牙齿的模样：整齐、洁白而均匀。展厅绕着他转动，声音此起彼落；在沉默的一刹那，他感觉到自己的心脏狂跳，也意识到他仍握着卡罗琳刚才给他的信封。他再度瞄了她一眼，好，很好，她还在那里。他小心地把信封塞进衬衫口袋里，双手微微地颤抖。

她叫李，那位黑发的女子正说着，她是美术馆的驻馆艺评家。戴维点点头，心不在焉地聆听。卡罗琳住在匹兹堡吗？还是看到展览的广告，从摩根城，哥伦布，或是费城等其他地方来到此地？她曾经从这些地方寄信给他，现在却从一群不知名的听众中走出来，看起来像极了以前的她，只是年岁稍长，比较紧张，而且不知怎么的，变得有些强悍，年轻时的温柔已不复见。戴维，你不认得我了吗？他当然认得，只是不愿对自己承认。

他环顾室内，再次搜寻她，却没看到她。他心中第一次感到恐慌，恐慌有如隐藏在木块中的菌类，一丝丝地逐渐蔓延。她大老远来一趟，她说她会留下来，当然不会离开。有人端着一盘香槟酒杯经过，他拿了一杯。策划人又过来为他引介此次展览的赞助人。戴维镇定下来，强迫自己讲出一番道理，但他依然惦记着卡罗琳，希望能瞥见她在室内的一角。刚才暂时离开时，他坚信她会等他，现在他不安地想起多年之前的那个早晨，卡罗琳身穿红色外套站在追思会的外围；他记得早春空气冷冽清新，天空清朗，裹着毛毯的保罗在婴儿车里踢来踢去；他记得他就这么让她离去。

"对不起。"他喃喃地打断对方的话，快步穿过原木地板，走到正门入口处的门厅。他在那里停了一会，然后转头看看展览厅，在人群中搜寻她的身影。过了这么多年，他终于找到了她，他当然不可能再失去她。

但她走了。窗外遥远的一方，城市的灯光闪烁着诱人的光芒，有如小金属片一样遍洒在蜿蜒起伏的山丘上。在这个城市或是其他地方，卡罗琳·吉尔在某处洗碗、扫地，停下来透过暗色玻璃窗往外看看。失落与悲伤像海浪一样猛然袭卷全身，力道强到逼得他靠在墙上。他把头低下来，抗拒反胃的不适。这些情绪太强烈，太扰人，毕竟这些年来，他虽然没见到卡罗琳·吉尔，日子还算过得下去。他深深吸了一口气，在脑海中从头到尾默想一遍化学元素表：银、铟、镉、锡，但他似乎无法镇定下来。

戴维把手伸进口袋里，拿出她刚才给他的信封。说不定她留了地址或是电话号码。信封里有两张快照，照片色彩不佳，灰暗的色调表达不出特色。在第一张照片里，卡罗琳微笑地揽着身旁的女孩，女孩穿着一件僵硬的低腰蓝色裙装,系着一条腰带。她们在户外,背景是房屋的砖墙,强烈的阳光让背景的颜色变淡了。女孩身材结实,裙装很合身,但没有让她变得优雅。她的卷发柔柔地垂在脸颊旁,笑容灿烂。相机或是照相的人让她笑得几乎闭上双眼她的脸扁平,看来相当亲切。说不定只是因为相机的角度,所以双眼有点向上歪斜。菲比的生日照,卡罗琳在照片背面写道,甜蜜的十六岁。

他把第一张照片摆到第二张后面。第二张拍摄的日期更近,照片中还是菲比。她正在打篮球,摆出投篮的姿势,在柏油路上抬起脚后跟。保罗就是不愿意打篮球。戴维看看背面,再检查一下信封,但信封上没有地址。他一口喝完香槟,把酒杯放在大理石桌上。展览厅里依然拥挤,充满了谈话声。戴维驻足在门口,好奇中带点疏离地看了一会,好像自己意外来到此地,里面的情景跟他无关。然后他转身走出去。外面飘着小雨,空气冷冽而潮湿。他把卡罗琳的信封连同照片塞到胸前的口袋里,迈步往前走,浑然不知要走向何处。

他以前在奥克兰念书。现在这个大学城变了,某些部分却依然相同。以前他常到佛比斯棒球场看球。好多个下午,他顶着烈日坐在看台高处,当球棒发出清脆的声响,球飞过青翠的外野,他就高喊加油。但棒球场已经不存在了,数千名球迷曾经高声欢呼的地方,现在新盖了一栋学校的大楼。四四方方的大楼高耸入云,感觉很突兀。他停下来,转身看看"Cathedral of Learning"大楼①,藉此重拾方向感。灰色的高楼细长而庞大,仿佛夜空下的影子。

他继续向前,沿着漆黑的街道行走,走过一群群从餐厅和戏院里出来的人们。虽然不知道要去哪里,但其实他心里很清楚;他知道多年以来,他一直被困在自己把女儿交给卡罗琳的那一刻,那个简单的举动改变了他的一生:一个婴儿降生在他怀里,而他却伸手把

---

① 这栋大楼是匹兹堡大学的教学中心,也是当地著名的地标。

她交给了别人。从那之后的这些年来，他似乎想借摄影捕捉另一个同样重要的时刻。他试图让川流不息的世界和接二连三的事件静止下来，但当然是不可能。

他继续走，心情难以平复，不时喃喃自语。见到卡罗琳之后，这些年来压抑在心中的感情再度泉涌而出。他想到诺拉，她已经变成一个自给自足，有权有势的女人。她带着耀眼的自信争取大客户，晚上应酬回来之后，她一身葡萄酒和雨水的味道，胜利的笑容犹存，脸上依然绽放着成功的光彩。这些年来，她已有不只一次外遇，他都清楚，而她的秘密就像他的秘密一样，在两人之间升起一道墙。有时晚上他悄悄一瞥，在非常短暂的一刻，他看见了当年嫁给他的那个女人：怀里抱着小保罗的诺拉，双唇沾了蓝莓汁、系上围裙的诺拉，刚进旅行社、熬夜平衡收支的诺拉。但她像脱皮似的摆脱了这些面貌。如今他们好像陌生人一样一起住在偌大的房子里。

他知道保罗也因而受苦。他费尽心血，想让儿子拥有一切。他试着做个好爸爸。他们以前一起收集化石，把石头组织排列，贴上卷标，摆在客厅里展示。他还一有机会就带保罗去钓鱼。但不管他多么努力想让保罗过得平顺、富足，他们的生活依然基于谎言之上，这是他无法改变的事实。他曾试图保护保罗，让儿子不要承受自己小时候的悲痛、贫穷与忧虑，但这些努力却造成意想不到的距离。谎言在他们之间逐渐增长，宛如一块岩石，迫使他们也变得别扭，好像绕着圆石扭曲生长的树木。

城市延伸到几条大河交汇之处，各个街道也跟着交会成一条街，交接的角度有些怪异。莫农加希拉河和阿勒格尼河在此汇集成为俄亥俄河。俄亥俄河流经肯塔基州，然后继续延展，最后才消失在密西西比河中。他走到两河交汇的顶点。以前做学生时，戴维·亨利经常来到这里站在岸边，看着两河交汇。有时他把脚指头悬在漆黑的河面上方，不经意地想着漆黑的河水会有多冷，如果跌到河里，他身体够不够强壮，能不能游到岸边。现在跟当年一样，大风毫不留情地渗入他的西装布料。他低头看着河水在他皮鞋的鞋尖之间流动。他再前进一英寸，改变一下姿态。满心疲惫之余，他忽然感到一丝懊恼：这会是张好照片，但他先前把相机留在了旅馆的保险箱里。

远远的下方，河水呈漩涡打转，白色的泡沫打在水泥桩上，猛然消退。戴维的脚接触到桩缘，感受到水泥的压力。如果他落水或是跳入河中，而且没办法平安游上岸，人们会发现一个背面刻着他父亲名字的手表、一个放了两百美金的钱包、他的驾照以及一块小圆石。他小时候在家附近的小溪里捡到这块石头。三十年来，他始终随身带着它。除了这些之外，还有塞在他胸前口袋里的信封和里面的照片。

他的葬礼会很拥挤，扈从人员排列好几条街。

但这个消息仅限于当地。卡罗琳或许永远不会知道，消息不会传得更远，也永远传不回他出生的地方。

即使消息传回了家乡，那里也没有人认得出他的名字。

当年学校刚开学之后，有封信被塞在街角杂货店空咖啡罐后面，等着他领取。没人说些什么，但每个人都看着他，也知道那封信是什么，毕竟信封上匹兹堡大学的校徽太明显了。他拿着信封上楼，把它摆在床边的桌子上，紧张得不敢拆开。他记得那天下午天色灰暗，单调地延展到窗外远方，只有榆树光秃秃的枝干打破了单调的景致。

整整两小时，他不准自己看信。然后他看了，信中写着好消息：他被录取了，学校还给他全额奖学金。他坐在床沿，整个人都吓呆了，他太吃惊，也太谨慎，几乎不敢相信这个好消息。他这辈子都是如此，总是不允许自己放心享受喜悦。我很荣幸地通知您……

然后他注意到一个错误。事实硬生生地浮现，正如他所预期的那样，稳稳地落在肋骨正下方，空荡荡的心口。信件的地址没错，出生日期、社会安全号码等细节全都正确，但是只有他姓名的前两部分"戴维"和"亨利"工整地出现在信纸上。戴维是他父亲的名字,亨利则是他祖父之名。说不定秘书打字打到一半,被电话或访客所干扰;说不定在那个美好的春日,她从手边的工作中抬起头来,梦想着晚上未婚夫将捧着鲜花到来,一颗心便如同叶片般颤动。接着一扇门猛然关上,随即响起脚步声,原来是她的上司。她打起精神,重新回到现实,眨了眨眼,把打字机的滚筒推到一侧,继续刚才的工作。

"戴维·亨利",她已经正确地打出这个名字。

但是他的姓"迈克凯利斯特"却漏掉了。

他没告诉任何人。他上了大学,注了册,从来没人知道,毕竟这也是他的名字。但是"戴维·亨利"和"戴维·亨利·迈克凯利斯特"是两个不同的人,这点他非常清楚。"戴维·亨利"似乎注定会上大学,更是一个没有过去,不必背负过去的包袱,这个人有机会重新开始。

他就这么做,而这个名字也允许他这么做。从某个层面而言,这个听来稳当、带点贵族气息的名字甚至要求他这么做。以前真有个名叫"帕特里克·亨利"的政治人物和演说家。早年与那些上流社会的人交谈时,他总感到自己置身大海,周围都是比他有钱、关系比他硬的人,他永远不可能比他们更有钱有势。他费尽心血想打入他们的世界,而他们在那个世界中却那么轻松自在,在这种时候,虽然没有明说,但他有时会暗示自己有一房重要的远亲,召唤那些捏造出来的祖先们助他一臂之力。

他要让儿子在世上有个无人能够质疑的立足之地,这就是他想给保罗的礼物。

他双脚之间的黄褐色河水边缘,带着一层浓厚的白色泡沫。大风扬起,风像渗入西装衣料一样钻到他的肌肤之下,在血液中流窜。层层打转的河水闪耀着光芒,越逼越近。他喉咙里涌出一股酸水,不一会就匍伏在地,手下的石头感觉冰冷。他对着奔腾的漆黑河水呕吐,大口喘气,一直吐到再也吐不出来为止。他在黑暗中躺了很久,最后终于慢慢地站起来,用手背擦擦嘴,走回市内。

*　　*　　*

他在灰狗巴士车站坐了一整夜,打打瞌睡又突然惊醒。第二天
早上,他搭第一班车前往在西弗吉尼亚州的童年故居。公交车驶进
山岭深处,周围的山丘仿佛拥抱着他。七小时之后,公交车跟往常一
样停在大街和维恩街的街角,然后轰然离去,留下戴维·亨利站在杂
货店前。街上安静无声,一张报纸紧贴着电线杆,人行道的裂缝中长
出野草。他曾在这家杂货店工作赚取食宿费,他住在店里楼上的小
房间,是个从山里来的聪明小孩。镇上铃声与车声此起彼落,家庭主
妇外出购物,小孩围在店里买汽水,男人们晚上聚在一起嚼烟草、打
牌、聊天打发时间,这些情景都让他好奇。但这些都成了往事,全都
烟消云散。钉满了木板的窗户上遍布红色和黑色的涂鸦,深深印入
木板纹理中,读不出是什么意思。

戴维的喉咙像着火般干渴。街对面有两名中年男子,一个秃头,
另一人稀疏的灰发垂到肩膀,两人坐在前廊下棋。他们好奇而多疑
地抬头看看。一时之间,戴维看到自己在他们眼中的模样:他的长裤
皱兮兮又有污点,衬衫已经穿了一天一夜,领带不见了,头发因为在
公交车上睡觉而被压平。他不属于这里,向来都是如此。在杂货店二
楼的小房间里,他的床上摆满了书本。他思乡情切,想家想得无法专
心,但当他回到山上,心中的渴望却未消减。他父母的小木屋稳稳坐
落于山丘上。在家里,时间似乎过得很慢,母亲的叹息、父亲靠着椅
子敲打烟斗,还有妹妹的吵闹把日子切割成片段。小溪的上游与下
游各有天地,而孤寂却无处不在,恰似一朵绽放中的黑色花朵。

他朝着男人们点点头,然后转身迈步前进,依然能感到他们的
注视。

256

天空下起小雨，宛如薄雾般轻柔。虽然双脚发痛，他依然向前走。他想到他那明亮的办公室，感觉仿佛隔了一辈子或是一场梦那么遥远。现在已是午后，诺拉还在办公室里，保罗在楼上的房间里，将他的寂寞与愤怒投泄到音乐之中。他们以为他今晚就回家，但他不会回到那里，等到想清楚自己在做什么，他再打电话回去。他知道马上就可以搭上另一班车子回家，但他也知道他在那个世界过的日子不属于此地。

崎岖不平的人行道很快被小镇边缘的草地截断。人行道与草地交替出现，好像某种摩斯密码。路况时好时坏的人行道最后完全消失，低浅的沟渠顺着狭窄的小路边缘延伸。他记得沟渠中曾长满萱草，一团团橘色的花朵有如燃烧中的火焰。他把双手夹在腋下取暖。这里依然是冬季，走到哪里都没有匹兹堡的紫丁香和暖湿的雨水，层层残雪在他脚下分裂。他把变黑了的残雪踢到沟渠中，沟渠中的雪更厚，偶尔冒出野草和瓦砾碎片。

他走到当地的公路旁，急驶而过的车辆把他逼到长满杂草的路肩，喷得他满身是泥。这里曾是一条安静的道路，还没看到车子之前，大老远就听得到车声，车里通常是个熟悉的面孔，而且车主会减速，停车，推开车门让他上车。大家都认识他和他的家人，你爸妈还好吗、今年田里的情况如何等应酬话之后，车里便一片沉默，车主和其他乘客都仔细考虑接下来跟他说些什么。大家知道他非常聪明，拿到了全额奖学金，但妹妹却病得不能上学。在这个男孩面前，他们应该或不该说什么呢？山里，甚至外面的世界有一套补偿的理论，也就是说，凡事皆有得有失。你得到了什么，随之就会失去什么。嗯，你很聪明，而且你表妹真是漂亮。赞美之词有如花朵一样诱人，但相对地也带刺：没错，你或许很聪明，但人长得实在不怎样；你或许很漂亮，但脑袋空空。补偿理论：宇宙中自有平衡。每次提到他的学业，戴维就觉得赞美中隐含着某种指控：他得到太多，他拿走了一切。车里,沉默逐渐膨胀,直到再多话语也无法穿透。

小路拐了又拐;琼的"跳舞小径"。山坡坡度更陡,溪水如瀑布般流下,房屋越来越少,人也越来越穷。山坡上出现一个个活动房屋,看起来好像廉价商店的珠宝,外表青绿、银白、鲜黄,但都褪色成了米色。走着走着看到了梧桐树、心形的岩石以及弯道,弯道旁有三个白色的十字架,十字架深深地打入泥土地里,褪色的花束和缎带装饰在一边。他转身走向下一条小溪,他的小溪。小路长满了杂草,几乎快要消失了。

他花了将近一小时才走到老家。老家历经风吹雨打,外表已变成淡灰色。屋顶朝着中央的大梁塌陷,有些瓦片已经不见了。戴维停下来,往事历历在目。他几乎能看见他们:母亲拿着镀锌的桶子走下楼梯,准备到外面接水洗衣服;妹妹坐在长廊上,远处传来斧头落在木块上的声音;父亲在他看不到的地方劈柴。他离家上学,琼过世,他的父母一直待在这里,拒绝离开这片土地。但他们的生活并没有改善。后来父亲早逝,母亲终于到北方找她妹妹,搬到一个可以在汽车工厂工作的地方。戴维很少回家。母亲去世之后,他再也没有回来过。这个地方像呼吸一样熟悉,但与他现在的生活却有如月亮与地球那般遥远。

风势增强,他走上台阶,大门斜挂在门绞上,关不起来。屋里空气阴寒,带着霉味。里面只有一个房间,现在只靠倾斜的大梁支撑,墙上水迹斑斑。透过墙缝,他瞥见苍白的天空。他曾帮父亲架屋顶,两人脸上汗水淋漓,双手带点血迹,手中的锄头高举到阳光中,直直砸入香气浓郁的松木。

据戴维所知,这里已经空置了多年。但旧炉子上有个煎锅,锅子冷了,油脂凝结。他俯身闻闻,并没有发出恶臭。角落有张旧铁床,上面盖着一张像他祖母和母亲编织的拼布盖毯。破旧的盖毯摸起来冰冷、有点潮湿,床上没有床垫,床架的木板上只铺了一层厚厚的毛毯。木板地扫得很干净，窗边有个插了三朵蕃红花的小罐子。

有人住在这里。一阵微风飘过屋内，吹动了剪纸。天花板、窗户和床的上方都挂了剪纸。戴维走了一圈仔细观察，越来越好奇。小小的剪纸像他在学校剪的片片雪花，但复杂而仔细多了，图样包括商展、炉火前小小的客厅、五彩烟花下的野餐，每一幅都细致精准，显示出微小的细节，为这栋老房子蒙上一股生动而神秘的气息。他摸摸一幅剪纸的扇形边缘。剪纸中有一辆干草车，女孩们头戴蕾丝边软帽，男孩们则把长裤卷到膝盖。摩天轮、旋转木马、公路上来往的车辆，这些剪纸都挂在床的上方，随着微风轻轻摇动，有如羽翼般脆弱。

谁有这种手艺和耐性剪出这些图案？他想到自己的照片：他费尽心思试图捕捉时间，把它固定在原处，让它持续到永久，但当这些影像在暗房中浮现，时间已经一去不复返；等到影像浮现时，已经过了好几小时，甚至好几天，连他自己都不一样了。但他依然渴望捉住飘扬的面纱，在时光消逝之际捕捉住那一刻，一而再、再而三地尝试。

他坐在坚硬的床上，头依然隐隐作痛。他躺下来，把潮湿的盖毯裹在身上。每扇窗户都透进轻柔黯淡的阳光。桌子上空无一物，炉子闻起来有点霉味，墙上贴着层层报纸，已经开始剥落。他家以前真穷，他们认识的每个人都穷，贫穷不是罪，但也好不到哪里去。正因如此，每样东西都得留下来。草地和山坡上散置着的旧引擎、锡罐和牛奶瓶是人们谋求生活的符咒，也是应对物质匮乏的保障。戴维小时候，有个叫做丹尼尔·布尔克霍夫的小男孩爬到小冰箱里窒息而死。戴维记得当时人声鼎沸，然后一个跟他同龄的小男孩的尸体躺在木板屋里。木板屋颇似他家这栋老房子，屋里燃着蜡烛，男孩的母亲低声啜泣，他看了实在不明白。他当时年纪太小，不知道悲伤的滋味，也不了解死亡的沉重，但他记得那个刚失去儿子，满心愤怒的父亲说了什么，他人虽在外面，但话依然传到他母亲耳朵里：为什么是我的孩子？他四肢健全，身体强壮，为什么不是那个生病的女孩？如果有人得遭殃，为什么不是她？

他闭上双眼。这里好安静，他想到他在列克星顿的生活，其中充斥着种种声响：走廊里的脚步声、说话声、强烈而刺耳的电话铃声；开车上路时，传呼机在收音机的乐声中哔哔响；家里，保罗永远弹着吉他，诺拉跟客户讲电话，电话线缠绕在她手腕上；半夜的电话更多，医院里需要他，他得马上过去，于是他在黑暗、寒冷中起身前往。

这里不是如此。这里只有微风吹起干枯的落叶，飒飒作响；远处溪水在冰面下流动，水声轻柔。一根树枝拍打着外墙。很冷，他撑起身子，靠着脚后跟撑起上身，调整一下盖毯，让自己完全缩在毯子里。转身之时，他口袋里的照片刺了胸部一下，他把毯子拉得更紧。但屋里还是冷，再加上旅途的疲惫，他依然颤抖了几分钟。他闭上双眼，想到两河交汇、融合，漆黑的河水漩涡般地打转。别落入河中，纵身一跃吧：这就是平衡身体之时悬挂在那里的信念。

他闭上双眼，只想休息几分钟。霉味之中，有某种美妙、甜蜜的气息。他母亲以前到镇上买糖，他几乎能从中尝到生日蛋糕的味道，金黄绵密的蛋糕又香又甜，甜味似乎在嘴中爆裂。山坡下邻居说话的声音，直升到空旷的山谷之上，女人们衣着鲜艳，神情愉悦，衣裙擦过高高的野草。男人们穿着深色长裤和靴子，孩子们在院子里扯着嗓子四处奔跑。过了一会，大家聚在一起做冰淇淋。冰淇淋装在前廊下面的盐桶里，冻得硬硬的，直到大伙掀起冰冷的金属盖，挖出香甜的冰淇淋，一把甩在大家的小盘子里。

享用冰淇淋的那天，琼说不定已经出生或是受洗。琼跟其他小宝宝一样，他俯下身去亲吻她时，她的小手在空中挥舞，擦过他的脸颊。在那个炎热的夏日，冰淇淋在前廊下冻着，一家人齐聚庆祝。秋天降临，冬天随后而至，琼没有坐起来，后来还是坐不起来。她一岁的生日时，身体虚弱，走不了几步路。来年秋天，有个亲戚带着她的儿子来访。小男孩和琼同龄,他不但能走,而且在家里跑来跑去,也已开始呀呀学语。琼依然坐着,静静地看着周遭,那时他们就知道不对劲。他记得他母亲看着小表弟,泪珠悄悄地滑落。她哭了很久,最后才深深吸一口气,转身回到屋里继续做事。他心中始终怀藏着石头般沉重的悲伤,他试图不让诺拉和保罗承受同样的悲伤,结果却造成更多伤痛。

"戴维,"他母亲那天说,她轻快地擦干泪水,不想让他看见她在哭,"把桌上那些纸拿起来,到外面捡些木头、舀点水。现在就去,别闲着。"

他照办,他们照常过日子。那天和接下来的每一天都如此。他们避开其他人,除了偶尔参加洗礼或葬礼,甚至不跟人来往,直到丹尼尔·布尔克霍夫把自己关到冰箱里。他们参加葬礼之后摸黑走回家,沿着溪旁的小路凭着记忆步行。父亲抱着琼,而母亲自此再也没有离开山区,一直待到她搬到底特律为止……

＊　　　＊　　　＊

"别以为你有什么用。"有个声音说。戴维依然半睡半醒,不确定自己在做梦还是听到风中的声音。他感到双手拉扯,声音听来模糊。他动了动身子,伸出干燥的舌头顶着上颚。他们的日子艰难,漫长的一天从早忙到晚,没有时间也没有耐性沉溺于悲伤。你得继续过下去,你也只能如此,更何况既然谈到琼也不能让她复生,所以他们从此再也没有提起她。戴维转身,感觉手腕很痛,他在惊讶中半醒过来,睁开眼睛,迷蒙地看看屋里。

她站在炉子旁,离他只有几英尺,橄榄色的工作服紧贴着纤细的臀部,靠着大腿的部分较为宽松。她穿着一件黄褐色,夹杂着艳橘色棉线的毛衣,毛衣外面套着一件男人穿的黑绿色格子法兰绒衬

261

衫。她剪掉手套的指头上端，娴熟而有效率地在炉子旁走来走去，翻动煎锅里的几个炒蛋。外面已经变黑，他显然睡了很久。屋里点满了蜡烛，在黄色的烛光下，一切都显得柔和，一幅幅精美的剪纸轻轻地晃动。

油花四溅，女孩的手高高扬起。他直挺挺地躺了几分钟，悄悄观察，每个细节都显得生动而鲜活：他母亲曾经刷洗过的炉子的黑色把手、女孩啃咬过的指尖、窗面上一闪一闪的烛光。她伸手到炉子上方的柜子拿盐和胡椒，动作轻松自在；她游走于光影与黑暗之间，烛光拂过她的肌肤、她的头发。

他把相机留在旅馆的保险箱里了。

他试着坐起来，但再次感到双手动弹不得。他疑惑地转头看看，这才发现他一只手被雪纺纱丝巾绑在床柱上，另一只手被扫把的绳子绑在另一根床柱上。她注意到他移动了身子，转身用一支木杓轻轻拍打着手掌。

"我男朋友随时会回来。"她大声说。

戴维的头重重地落回枕头上。她身材瘦小，年纪不比保罗大，甚至更小，却一个人在这栋废弃的屋子里。同居吧，他心想，不知道她男友是什么人。这时他才发觉，他应该感到害怕。

"你叫什么？"他问。

"罗斯玛丽。"她说，神情显得焦虑。"信不信由你。"她补了一句。

"罗斯玛丽。"他边说边想到诺拉在有阳光的地方种植的灌木丛，松叶般细细的枝干发出浓郁的香气。[1]"我不知道你肯不肯行行好，将我松绑。"

"不，"她的声音坚决而清朗，"绝不可能。"

"我口渴。"他说。

---

[1] 　原文 Rosemary 亦是一种香料，中文译名为迷迭香。

她看了他一会。她的双眼是雪莉酒般的黄褐色,目光温和,带点疑虑。然后她走出屋外,一阵寒风随即飘进屋里,剪纸被风吹得晃动。她带着一个铁杯回来,杯中乘着从小溪里舀来的水。

"谢谢,"他说,"但我这样躺着,没办法喝水。"

她过去看看炉子上的食物,翻翻锅里劈劈啪啪的炒蛋,然后在抽屉里东翻西找,最后找到一支某个快餐店的吸管。吸管一端有点脏,她把肮脏的一端插到铁杯里。

"我想没关系吧,"她说,"如果你很渴的话。"

他转头就着吸管喝水。他渴得只觉得水中带着土味。她把蛋盛到一个带着白点的蓝色金属盘里,在木桌旁坐下。她吃得很快,想都没想就用左手的食指把蛋推到塑料叉子上,动作从容,仿佛他根本不在屋里。在那一刻,不知怎么的,他知道所谓的男朋友纯属虚构,她独自住在这里。

他一直喝到吸管吸不到水,喉咙中的水就像肮脏的河流。

"这栋房子是我父母的。"他喝完水之后说,"事实上,房子依然在我名下。地契在我的保险柜里。从法律的角度说,你是擅自侵入。"

她听了笑笑,然后仔细地把叉子放在盘子中央。"这么说,你到这里是想把房子要回去?"

她的头发和脸颊捕捉了闪耀的烛光。她很年轻,却带着某种韧性与坚强,有点寂寞,但意志坚定。

"不。"他想到这趟怪异的旅程。早上在列克星顿跟往常一样,保罗在浴室里待了很久,诺拉皱着眉头在料理台边算账,咖啡还冒着热气。然后是那场摄影展,现在他却来到了这里。

"那你为什么来?"她边说边把盘子推到桌子中间。她双手粗糙,指甲龟裂,他很惊讶这么一双手能剪出满屋子细致、繁复的艺术品。

"我叫戴维·亨利·迈克凯利斯特。"他很久没有完整地说出自己的姓名了。

"我不认识迈克凯利斯特家的人，"她说，"我不住在这附近。"

"你多大？"他问，"十五岁？"

"十六岁。"她更正，然后理直气壮地说，"十六、二十、四十，随便你讲。"

"十六岁。"他重复道，"我有一个年纪比你大的儿子，他叫保罗。"

一个儿子，他心想，还有一个女儿。

"是吗？"她无动于衷地说。

她又拿起叉子。他看着她吃炒蛋，姿态优雅地挑起一口，仔细地咀嚼。他忽然感到一阵强烈的震撼，仿佛回到另一个时刻，看着琼用同样方式吃炒蛋。琼去世的那一年，坐在桌旁已经相当辛苦，但她还是每晚坐着跟全家一起吃晚餐，灯光在她金黄色的发间和手上缓缓移动，她依然精致优雅。

"你为什么不把我松绑？"他温和地提议，声音充满感情，听来粗嘎。"我是医生，不会害人。"

"是噢。"她站起来，端着蓝色金属盘走到水槽边。

她转身从架子上拿起肥皂。他从她的侧影看出她怀有身孕，顿时大吃一惊。他猜她怀孕还没太久，大概只有四五个月。

"唉，我真的是个医生。我口袋里有张名片，你可以看看。"

她没回答，只是清洗盘子和叉子，用毛巾仔细擦干双手。戴维心想自己居然身处此地，着实奇怪。他躺在这个他受孕、出生、被养育成长的地方，而他的家人竟已离开人世。这个女孩如此年轻、强悍，却显得如此迷失，而她竟然把他绑在床上。这一切实在太离奇了。

她走过房间，从他口袋里抽出皮包。她逐一把他的东西摆在桌上：信用卡、现金、各种便条纸和小纸片。

"名片上说你是摄影师。"她边说边就着闪烁的烛光看他的名片。

"没错，"他说，"我也从事摄影，请再看看。"

"好。"她举高他的证件，过了一会说，"嗯，你是个医生，但又如何？那有什么差别？"

她的头发往后扎成一条马尾辫，缕缕发丝垂绕着脸颊。她把头发塞到耳后。

"这表示我不会伤害你，罗斯玛丽。最重要的是，不伤害病人，这是医生的最高守则。"

她很快地打量他一眼。"你不管怎样都会这么说，即使你打算伤害我。"

他仔细端详她，她那凌乱的头发，以及那双清澈的黑眼睛。

"那里有些照片，"他说，"在这边——"他移动身子，透过衬衫口袋感觉到信封尖锐的一角。"请你看看。照片里是我的女儿，她跟你差不多大。"

她把手伸入他的口袋时，他再度感觉到她散发出的热气，也闻到她身上自然而洁净的气味。那股甜味是什么？他心想，同时记起他的梦，还有摄影展开幕典礼上，放在托盘里的奶油泡芙。

"她叫什么名字？"罗斯玛丽边问边研究第一张照片，然后再看看另一张。

"菲比。"

"菲比，好名字。她很漂亮，是以她母亲的名字命名的吗？"

"不是。"戴维说。他回忆起她出生的那个晚上，诺拉失去知觉之前，告诉他要给孩子取什么名字。卡罗琳听到了，也尊重诺拉的决定。"这是她一个姨婆的名字，那是我太太娘家的亲戚，我不认识她。"

"我的名字也是我外婆和奶奶的名字。"罗斯玛丽轻声说。她的黑发又垂落到苍白的脸颊旁。她把头发拨到后面，戴着手套的手指停留在耳际。戴维想象她跟她的家人坐在灯火通明的桌子旁，他真想伸出手臂揽住她,带她回家,保护她。"我祖母叫做罗斯,外婆叫做玛丽。"

"你家人知道你在这里吗?"他问。

她摇摇头。"我不能回去,"她说,声音中交织着痛苦与愤怒,"再也不能回去。我也不会回去。"

她看起来非常年轻,坐在桌旁,双手紧紧交握,一脸阴沉和忧虑。"为什么不能?"他问。

她摇摇头,然后轻点菲比的照片。"你说她跟我一样大?"

"我猜差不多吧,她是一九六四年三月六日出生。"

"我的生日是一九六六年二月。"她放下照片时,双手微微颤抖。"我妈正帮我筹办舞会,庆祝我甜蜜的十六岁。她喜欢所有粉红荷叶边的东西。"

戴维看着她吞了一口口水,再次把发丝拨到耳后,双眼凝视着黑暗的窗外。不知为何,他想安慰她,正如他常想安慰琼、母亲以及诺拉。但无论此时还是过去,他都办不到。四下一片沉静,但又有股蠢蠢欲动的气氛,此处有些秘密,他必须知道那是什么,但他无法集中思绪。他觉得自己被困住了,仿佛他的摄影作品一样被凝结在时光中,而困住他的那段时光深沉又悲伤。当年他和母亲站在山丘旁,他一只手握着《圣经》,对着新坟念颂天主的祝祷。晚风凄厉,他跟母亲一起低声啜泣,那是他唯一一次为琼哭泣。母亲从那天起就讨厌风,然后他们埋藏悲伤,继续过日子。世事就是如此,他们也不质疑。

"菲比是我女儿。"他说。听到自己这么说,他深感震慑。不知道为什么,他有股强烈的冲动,想把这件事,这个他保存了多年的秘密说出来,"但我从她出生那一天之后就没见过她。"他犹豫了一下,然后强迫自己说出来。"我把她送走了。她有唐氏症,也就是说她是个智障儿,所以我把她送走了。我从来没有对任何人说。"

罗斯玛丽的目光尖锐,一脸震惊。"在我看来,这就是伤害他人。"她说。

"没错，"他说，"我也这么想。"

两人沉默了很久。戴维的目光无论落在哪里都想到他的家人：琼温暖的鼻息贴着他的脸颊；他母亲一边唱歌一边在桌上折衣服；他父亲的故事顶着屋墙发出回响。没了，这些全都没了，他女儿也没了。他习惯性地压抑悲伤，但泪水汩汩地流下脸颊，他阻止不了。他为琼哭泣，也为了他在诊所把菲比交给卡罗琳·吉尔，看着她转身离去的那一刻哭泣。罗斯玛丽坐在桌旁，脸色凝重而沉静。他们的目光一度相遇，他盯着她，感觉异常亲密。他想起当年他熟睡时，卡罗琳从门口看着他，表情柔缓了下来，带着一丝对他的爱意。他大可跟着她走下美术馆的台阶，重新回到她的生命之中，但他却错失了那个时刻。

"对不起，"他说，试着镇定下来，"我很久没来这里了。"

她没回答，他心想这番话听来是否疯狂。他深深地吸了一口气。

"你宝宝的预产期是什么时候？"他问。

她惊讶地睁大褐色的双眼，"我猜再过五个月吧。"

"你离开他了，对不对？"戴维轻声说，"我是说你的男朋友。说不定他不要这个孩子。"

她转过头，但转头之前，他看见她眼中盈满泪水。

"对不起，"他再次致歉，"我无意探人隐私。"

她轻微地摇摇头。"没关系，这没什么大不了的。"

"他在哪里？"他问，语气保持轻缓，"你家在哪里？"

"宾州。"她沉默了好一会之后说。她深深吸了一口气。戴维明白他自己的境遇和悲痛让她说出了心中的伤心事。"靠近哈里斯堡。我以前有个阿姨住在这一带，"她继续说。"我妈妈的妹妹苏·沃利斯。她已经去世了，但我小时候来过这里。我们以前在山丘里跑来跑去。这栋房子一直没人住，我们小时候曾来这里玩。那段日子很快乐，这里是我记忆中最美好的地方。"

他点点头，想起林中飒飒的静默。苏·沃利斯，他脑海中浮现出一个女人的身影。女人端着一个桃子派，上面盖了一条毛巾。

"给我松绑吧。"他说，语调依然轻缓。

她尖刻地笑笑，擦干双眼。"为什么？"她问，"我们单独在山上，周围没半个人，为什么我要放开你？我没有那么笨。"

她站起来，从炉上的柜子里取出剪刀和一小叠纸。她剪纸时，白色的碎片四处飞扬。一阵风吹来，蜡烛的火焰在风中闪动，她一脸沉静果断，神情专注而坚决。保罗弹吉他，决心跟戴维一较长短，自己找寻在世间的立足之地时，脸上也带着同样的神情。她的剪刀飞快地闪动，下巴的肌肉紧绷。他从没想过她可能出手伤害他。

"你剪的那些玩意，"他说，"它们真漂亮。"

"我祖母罗斯教我的，这叫做剪纸艺术。她在瑞士长大，我猜那里的人无时无刻不在做这些东西。"

"她一定很担心你。"

"她去世了，去年去世的。"她稍作停顿，专注于她的剪纸。"我喜欢做这些东西。剪纸让我想起她。"

戴维点点头。"你先有点子，然后开始动手吗？"他问。

"点子在纸张里。"她说，"我没有创造出什么，只是从纸张里发掘。"

"你发掘那些点子。没错，"他点点头，"我了解。我拍照时也有同样的感觉。影像已经在那里，我只是发掘出来罢了。"

"没错，"罗斯玛丽边说边把纸翻过来，"一点都没错。"

"你打算拿我怎么办？"他问。

她没回答，只是继续剪纸。

"我想撒泡尿。"他说。

他本来希望把她吓得开口，不过他也是真的尿急。她仔细看了他一会,然后放下剪刀和纸张,没说什么就不见了人影。他听到她在黑暗的户外走动,然后拿着一个装花生酱的空广口瓶回来。

"唉,"他说,"罗斯玛丽,拜托,解开绳索吧。"

她放下广口瓶,又拿起剪刀。

"你怎么可以送走她?"她问。

烛光在她剪刀的刀刃上闪烁。戴维想起当年做会阴切开术时,手术刀闪烁着光芒,他飘浮在空中,置身体外,从上方观看这一幕。那晚的种种事件牵动了他的一生,一件事引发另一件事,开启了一些无人前往的门路,也关闭了另外一些机缘,直到他置身这个奇怪的时刻,旁边坐着一个寻找隐藏在纸张中细致图样、等着他回答问题的陌生人,而他却什么也不能做,哪里也去不了。

"这事让你担心吗?"他问,"你担心你会把宝宝送人?"

"不,我绝不会这么做。"她激动地说,一脸决然。这么看来,某人以某种方式抛弃了她,把她像海难时船上的多余物品一样丢弃,任她自生自灭,让这个十六岁、怀了身孕的女孩,孤独地坐在这张桌子旁边。

"我知道我错了,"戴维说。"但为时已晚。"

"永远不会太晚。"

"你才十六岁。"他说,"请相信我,有时,真的是太晚了。"

她的神情忽然变得严肃,没有作答,只是继续剪纸。在一片沉静中,戴维又开始说话,试图解释。他先说那场雪、心中的惊恐、在强光下闪闪发亮的手术刀;他讲到自己如何飘出体外,观看自己在世间移动;过去十八年来,他又是如何每天早上醒来,心想着说不定今天,说不定就是这一天,他能更正所有错误。但菲比已经消失了,他遍寻不获,他怎样才能告诉诺拉呢?这个秘密已经渗入他们的婚姻之中,仿佛一道恶毒的藤蔓,不知不觉地缠绕翻搅;她最先是酗酒,然后有外遇,先是沙滩上那个油滑的房地产经纪人,之后又跟其他

269

人有染。他试着不去注意，原谅她的不贞，因为他知道从某个层面而言，这一切都是他的错。他拍了一张又一张照片，仿佛藉此就能停住时光，或是拍出一幅强烈的影像，力量大到足以盖过他把女儿交给卡罗琳·吉尔的那一刻。

他的声音起起落落，一开口就停不下来，正如他阻止不了雨水，从山上流下来的溪水、或是一闪一闪地在结了冰的河面下游动的小鱼。而回忆就像小鱼一样，坚持不懈，难以捉摸。移动中的物体，他心想，依稀记得高中物理课的断简残篇。当年他把女儿交给卡罗琳·吉尔。多年之后，那个举动让他来到此地，遇见这位依循她自己生命轨迹而行的女孩。这个女孩说了好，在车子后座或是一栋寂静空屋的房间里短暂温存之后，她站起来，整理一下身上的衣服，浑然不知那一刻已经决定了她此生的方向。

她边剪纸边听。她的沉默令他畅所欲言，他的话语有如河流或暴风雨，字字句句带着他阻挡不了的生命力，急速地穿过这栋旧屋。讲到某个时候，他又开始啜泣，根本停不下来。罗斯玛丽依然什么都没说。他一直说到话语变缓、减退，最后终于停止。

沉默泉涌而出。

她没说话，剪刀闪闪发光。她站起来，剪到一半的纸张从桌上滑落到地面。他闭上双眼，心中升起一股恐惧，因为他曾看到她眼中的愤怒，因为每件事都是他的错。

先是她的脚步声，然后如同寒冰般明亮冷冽的金属悄悄地贴上他的肌肤。

他的手腕被松开了。他睁开双眼，看到她正在往后退。她那明亮而带着忧虑的双眼紧盯着他，剪刀闪闪发光。

"好了，"她说，"你自由了。"

三

"保罗。"她大喊。纤细时髦的她穿着一套蓝色套装和窄裙,套装有着厚厚的垫肩,她的高跟鞋在光滑的楼梯上发出断断续续的尖锐声响。随后她就站到了门口。保罗透过几乎闭着的双眼,看到妈妈所见的景象:衣服散置在地上,唱片和乐谱摞成一堆,他那把旧吉他靠在房间的一角。她摇摇头,叹了口气。"起床了,保罗,"她说,"现在就起来。"

"我不舒服。"他喃喃自语,一边拉过毯子盖在头上,一边装出沙哑的声音。透过质地稀松的夏凉被,他看到妈妈双手插在臀部,晨光停驻在她发间,昨日失去光泽的秀发,现在闪烁着金红色的光芒。他刚才听到她跟布丽打电话,她在电话里描述一束束发丝裹上铝箔纸烫发。

打电话时,她正在炒碎牛肉。她的声音镇定,双眼却刚刚哭得红肿。爸爸已经失踪三天了,没人知道他是生是死。昨晚爸爸回来了,好像什么都没发生一样走进家门,两人讲得剑拔弩张,声音传到楼上,持续了好几小时。

"你给我听好,"她边说边瞄了手表一眼,"我知道你没生病,最起码不会比我糟。我也想睡上一整天,天知道我真的很想。但我不能,你也不能,所以你现在就起床穿衣服,我顺道送你到学校。"

"我喉咙疼死了。"他坚持,尽可能装出沙哑的声音。

她犹豫了一下,闭上双眼,然后又叹了口气。这下他知道自己已经得逞。

"你要是不去学校,就得乖乖待在家里,"她警告说,"不可以出去跟你那群四重奏的朋友鬼混。此外,你听清楚,你得把这个猪窝整理干净。我是说真的,保罗,我现在没办法应付其他事情。"

"知道了,"他低声抱怨,"好,我会。"

她一言不发地多站了一会。"这件事情很麻烦,"她终于说,"我也不好受。我想留下来陪你,保罗,但我已经答应布丽带她去看医生。"

他用胳膊肘撑起身子。她的口气阴郁,令他心生警觉。"她还好吗?"

妈妈点点头,但她扭头望着窗外,不愿直视他的眼睛。"我想是吧,但她做了一些检查,觉得有点担心,这很正常。上星期你爸爸发生这些事情之前我就答应陪她去。"

"没关系,"保罗说,同时不忘装出沙哑的声音,"你应该陪她去,我不会有事的。"他保证道,心里仍有点希望她不要管这件事,留在家里陪他。

"应该不会花太多时间,我会直接回来。"

"爸在哪里?"

她摇摇头。"我不知道,他不在家。但这又有什么好奇怪的?"

保罗没回答,只是又躺下来,闭上双眼。不奇怪,他心想,一点都不奇怪。

妈妈把手轻轻贴在他脸颊上,但他动也没动。然后她就走了。刚才她手贴着的地方,现在只留下一片冰凉。楼下大门重重地关上,前廊传来布丽的声音。过去这几年来,妈妈和布丽变得非常亲密,亲密到两人的外表也越来越像。布丽的头发也做了挑染,手里的公文包晃来晃去。但她依然非常酷、充满自信,也依然勇于冒险。她始终鼓励保罗倾听内心的声音,照着自己的意愿申请朱丽亚音乐学院。每个人都喜欢充满冒险精神、神采洋溢的布丽。她带进很多生意。他曾听她说,她和他妈妈刚好互补;而他也看得出来,布丽和妈妈循着对位的生命轨迹而行,一方永远拉扯着另一方,少了彼此都不行。此时她们的声音交错,你来我往。妈妈郁闷地笑笑,大门又重重地关上。他坐起来伸伸懒腰,他自由了。

家里一片安静,热水器滴答滴答响。保罗下楼,站在冰箱冰冷的微光之前,用手指从餐盘里挖拣通心面吃。他仔细看看冰箱里的各个架子,架上没什么东西。他在冷藏室里找到六包女童军兜售的薄薄的薄荷巧克力饼干。他吃了一大把,然后直接就着塑料广口瓶喝牛奶,把冰凉的巧克力碎片冲下肚。他又吃了一把,手里拿着牛奶瓶穿过客厅走向书房,爸爸的毯子整齐地叠放在客厅。

女孩还在那里睡觉。他又扔了一块饼干到嘴里,让薄荷和巧克力慢慢溶化,站在原地仔细研究她。昨晚爸妈愤怒的声音传到他的卧室,听上去很熟悉。先前一想到爸爸死在什么地方,或是永远不见了,他就感到有块石头哽在喉头。此时爸妈虽然在吵架,但石头已经消失无踪。保罗下床走下楼,但他停在楼梯口,仔细观看这幅景象:爸爸身上那件白衬衫已经好几天没洗,西装裤沾满了污泥,走路一跛一跛,全身脏兮兮,胡须满面,头发几乎没梳;妈妈穿着桃色的绸缎睡袍,脚上套着拖鞋,双臂交叉,眯起双眼;一个陌生的女孩站在门口,女孩身上那件黑大衣太大,手指紧抓着袖口边缘。爸妈的声音交缠,越来越大声。女孩往上看,想要避开逐渐高涨的怒气,刚好迎上他的目光。他仔细看了她半天:肤色白皙,眼神不定,双耳细致得有如雕刻的艺术品,褐色的双眼是如此清澈,如此疲倦,他真想走下楼梯,伸出双手捧住她的脸庞。

"三天,"他妈妈说着,"然后你就这样回来,像个……老天啊,戴维,你看看自己……你这副德行,还带了一个女孩。你说她怀孕了?你指望我什么问题都不问就收留她?"

女孩听了微微颤抖,然后望向别处。保罗的目光移到她的腹部,腹部在大衣下还算平坦,但她已将一只手摆在那里,充满保护的意味。这下他才注意到她毛衣下的小腹微微隆起。他站得笔直,爸妈继

273

续争吵,似乎吵了很久。最后妈妈一言不发,紧闭着双唇,从放床单的柜子里拉出被子、床单和枕头,把这些东西从楼上丢向爸爸,爸爸则一派正式地搀扶着女孩的胳膊,把她带到书房。

此时她睡在折叠式的沙发上,头侧向一边,一只手放在脸颊旁。他仔细端详她:她的眼睑轻轻眨动,胸部缓缓起伏。她仰躺着,小腹像一道低矮的波浪一样微微隆起。保罗开始心跳加速,感到恐惧。从三月起,他和劳伦·洛贝里欧已经发生六次关系。他们四重奏排练时,她在附近晃荡了好几个星期。她只是看着他,一句话都没说。这妞长得不错,但总是神情恍惚,举止怪异。有天下午,其他团员离开之后,她留了下来。寂静的车库里只剩下他们两人,户外的阳光在树叶间游移,在水泥地上留下一块块闪亮的光影。她长发浓密,双眼黝黑,看起来怪异又性感。他在一把旧椅子上坐下,她站在放工具的墙边,他一面调整吉他弦,一面心想是否该走过去吻她。

但走过来的是劳伦。她一下子就站到他面前,迅速地坐到他大腿上,裙子掀得老高,露出细长白皙的双腿。正如大家所言:劳伦·洛贝里欧若喜欢你,她就会跟你做。他从没想过此话属实,但此时他把手滑到她的T恤下,她的肌肤真温暖,他双手中的乳房真柔软。

他知道这样不对,但这就像高处坠落:一旦开始下坠,你就停不下来,除非有人加以阻止。在此之后,她跟以前一样在附近闲晃,只不过现在空气中带着一丝激情。他们单独在一起时,他走过去吻她,悄悄地把双手伸到她光滑的后背。

沙发床上的女孩叹了一口气,双唇轻轻颤动。祸水,他的朋友们警告说劳伦就是这等货色。杜克·麦迪逊尤其担心。杜克去年不得不从高中辍学,和他的女朋友结婚。他现在几乎很少弹钢琴,偶尔弹琴脸上带着某种随便的憔悴神态。你要是把她的肚子搞大,就会比完蛋了还惨。

保罗仔细研究这个女孩。她肤色苍白,脖子细长,一头暗色长发,脸上散布着雀斑。她是谁?他那向来井然有序,如同时钟般一成不变的爸爸忽然失踪了。第二天妈妈打电话报警,警方依然不愿做出任何承诺,而且口气不痛不痒,直到有人在匹兹堡美术馆的储藏室发现爸爸的公文包。他的皮箱和相机都在旅馆里,警方这才认真了起来。有人在酒会里看到他跟一名黑发女子争执,结果这名女子是个艺评家;匹兹堡的报纸刊载了她对摄影展的评论,评论相当不佳。

纯粹是公事,她对警方说。

然后昨晚一把钥匙插进门锁,爸爸走进家门,身边带着这个怀孕的女孩。他宣称自己刚认识她。至于她为什么出现在家里,他没有多做解释,只是简要地说她需要帮助。

你有很多方法可以帮她,妈妈指出。她讲话的模样,好像门厅里没有这个大衣不合身的女孩似的。你可以给她钱,把她带到未婚妈妈之家,你没必要什么都不说就消失几天,然后带着一个怀孕的陌生人回家。我的天啊,戴维,你难道想都没想过吗?我们打了电话报警! 我们以为你死了。

说不定我真的死了,他说。这个奇怪的答复压制了妈妈的指责,也让保罗呆呆地站在原地。

此时女孩依然在沉睡。她的体内,小宝宝在一片漆黑中成长。保罗伸手轻轻摸一下她的头发,然后把手落在她的发间。他忽然有股冲动想爬到床上,躺在她身边,抱住她。不知怎么地,这跟和劳伦在一起的感觉不一样,也无关性爱;他只想感觉她靠近自己,感受她的肌肤和体温。他想在她身边醒来,抚摸她隆起的腹部曲线,摸摸她的脸,握握她的手。

他想知道她所了解的爸爸。

她眨了眨眼,睁开眼睛,视而不见地瞪了他一会儿,然后很快地坐起来,双手顺顺头发。她身上穿着他的一件旧T恤,褪色的蓝色T

恤前方有个"肯塔基野猫"标志。他两年前参加田径队时,曾经穿过这件T恤。她的手臂细长瘦削。他瞄了一眼她柔软的刮去腋毛的腋窝,也瞥见她平滑隆起的乳房曲线。

"你在看什么?"她大摇大摆地把双脚放到地上。

他摇摇头,说不出话来。

"你是保罗,"她说,"你爸爸跟我提过你。"

"是吗?"他问道,真恨自己的声音中充满渴求,"他说了什么?"

她耸耸肩,把头发拨到耳后,然后站起来。"嗯,他说你很顽固,你恨他,你是吉他天才。"

保罗觉得一股热潮涌上脸庞。他始终觉得爸爸没有注意到他,或是只看到他比不上别人的地方。

"我不恨他,"他说,"是他讨厌我。"

她弯下身子拾起毯子,然后抱着毯子坐下,环顾四周。

"这里很舒适。"她说,"将来我会有个像这样的家。"

保罗吃惊地笑起来。"你怀孕了。"他说。房间里弥漫着他内心的恐惧。每次他颤抖地走到劳伦•洛贝里欧身旁,被自己那股抗拒不了的欲望所牵引,他也感到同样的恐惧。

"没错,但又如何?我是怀孕了,又不是死了。"

她语气中带着叛逆,但听得出有点害怕。保罗有时半夜醒来,梦见劳伦温暖柔润的身体,耳中萦绕着她低沉的声音。他明知他们这样下去肯定闯祸,却停不下来,心里也感到害怕。

"你还不如死了好。"他说。

她抬起头来,狠狠地看他一眼,眼中充满泪水,好像他刚打了她一巴掌。

"对不起,"他说,"我随口说说而已。"

她继续哭泣。

"你究竟为什么来这里?"他质问。他气她哭了,也气她人在这里。"我的意思是,你以为你是谁,你怎么敢赖上我爸爸,出现在我家?"

"我不认为自己是哪号人物。"她说。但他的口气吓到了她,她擦干泪水,态度变得强硬、冷漠。"我也没要求来这里,这是你爸爸的主意。"

"这没道理。"保罗说,"他为什么要这么做?"

她耸耸肩。"我哪知道?我暂住在他长大的旧房子里,他说我不能再待在那里。那是他的房子,不是吗?我能说什么?所以我们走到镇上,他买了车票,我们就来到这里。搭公交车真麻烦,不但花了好长时间,还胡乱地转了好几趟车。"

她把长发拢到脑后,随手绑成一个马尾辫。保罗看着她,心想她的耳朵真漂亮,不知道爸爸是否也觉得她很美?

"哪栋旧房子?"保罗问,心中涌起某种激愤的情绪。

"我刚才说过了,他在那栋旧房子里长大。我住在那里,我没有其他地方可去。"她补了一句,瞟了地板一眼。

保罗觉得心中涨满某种不知名的情绪,说不定是妒忌吧。这个女孩,这个瘦小苍白,有着一双漂亮耳朵的陌生人曾去过爸爸最在乎的地方,而他却没机会造访。哪天我会带你去,爸爸曾许下承诺。但时过多年,爸爸却再也没有提起。尽管如此,保罗从未忘记此事。他始终记得爸爸坐在一团混乱的暗房里,非常仔细地逐张捡起照片。这是我母亲,保罗,也就是你的祖母,她一辈子过得很苦。你知道我以前有个妹妹吗?她叫琼,她很会唱歌,也擅长音乐,就像你一样。直至今日,保罗依然记得那天早晨爸爸身上清爽的气味。他已经穿好衣服准备去医院,却坐在暗房的地上说话,好像时间非常充裕,慢条斯理地告诉保罗从未听过的往事。

"我爸爸是个医生,"保罗说,"他只是喜欢帮助别人。"

她点点头,然后直直地盯着他,脸上洋溢着某种表情。他觉得她可怜他，一股小小的热潮随即流向指尖。

"怎么了?"他问。

她摇摇头。"没什么，你说得没错。我需要帮助，仅此而已。"

一束发丝从她的马尾辫散开，垂落在她的脸旁，乌黑的发丝中带着几簇红色挑染。他想起刚才她熟睡时，他抚摸她的头发，感觉柔细而温暖，此时他强压下把她发丝拨到耳后的冲动。

"我爸爸以前有个妹妹。"保罗说，想起那件往事和爸爸温柔、镇定的声音。他想以此试探她是否真的去过那里。

"我知道，琼。她的墓在屋子上方的山丘旁，我们也去了一趟。"

指尖的热潮逐渐扩展，他的呼吸变着短浅而急促。她知道这些又有什么关系?或是有何差别?但他无法不想象她跟爸爸走上山坡，走向那个他从没见过的地方。

"那又怎样?"他说，"就算你去过那里又如何?"

一时之间，她似乎有话要说，但她只是转身，穿过书房走向厨房。她那绑成一束的黑发，贴着后背一晃一晃，她的肩膀瘦小纤细，脚步轻缓，带着舞者般的优雅。

"等等。"保罗在她身后大喊，但当她停下来时，他却不知道说些什么。

"我需要一个落脚之地。"她轻声说，转过头来。"关于我，保罗，你只要知道这一点就好了。"

他看着她走进厨房，听到冰箱开了又关，然后他上楼，拿出一个他藏在最下面抽屉里的档案夹。档案夹里摆满他跟爸爸谈话的那个晚上被他留藏下来的照片。

他拿着照片和吉他，光着上身，赤着双脚，走到屋外的前廊。他坐在摇椅上弹吉他，一边注意女孩的动静。女孩在屋里四处走动，从厨房、饭厅走到客厅，但她没做什么，只是吃了一点酸奶，然后在妈妈的书柜前站了很久，最后终于抽出一本小说，在沙发上坐下。

他继续弹奏。音乐带给他平静，只有音乐能达到这种功效。他进入某种境界，双手似乎自动地移动，下一个音符就在那里，然后是下一个、再下一个。乐曲终止，他停了下来，闭上双眼，让音符在空气中缓缓消逝。

永远重复不了；他再也弹不出这种音乐，再也不会有这种时刻。

"哇。"他睁开眼睛，她靠着门框站着，然后推开纱门走到前廊，端着一杯水坐下。"哇，你爸爸说得没错，"她说。"你弹得真棒。"

"谢谢。"他说，手里拨着琴弦，低下头来隐藏喜悦。音乐松懈了他的情绪，他已经不那么生气了。"你呢？你也玩乐器吗？"

"不，我以前学过钢琴。"

"我们有架钢琴。"他边说边对着门点点头，"试试看吧。"

她露出微笑，但眼神依然严肃。"没关系，谢谢，我今天没心情。再说你真的很棒，跟专业人士一样。我才不好意思弹些《献给艾丽斯》之类的曲子呢。"

他也笑了。"《献给艾丽斯》，我知道那首曲子，我们可以合奏。"

"合奏。"她点点头重复，轻皱眉头，然后抬头看看他。"你是独生子吗？"她问。

他吓了一跳。"可以说是，也可以说不是。我的意思是，我有个双胞胎妹妹，但她已经过世了。"

罗斯玛丽点点头。"你想起过她吗？"

"当然。"他感到不自在，看看别的地方，"确切地说，倒不是想起她，毕竟我从没见过她。但我想象过她可能是什么模样。"

他脸红了起来，很惊讶自己跟这个陌生的女孩吐露了这么多。她打乱了全家人的生活，更何况他甚至不喜欢她。

"好吧，"他说，"轮到你说了。告诉我某个秘密，某件我爸爸不知道的事情。"

她用锐利的目光瞪了他一眼。

"我不喜欢香蕉。"她终于说，他听了大笑，然后她也笑了。"别笑，我真的不喜欢。还有什么呢?我五岁的时候从脚踏车上摔下来，跌断了手臂。"

"我也是。"保罗说，"我六岁的时候从树上跌下来，也摔断了手臂。"他记得爸爸把他抱到车里，天空在他眼前闪动，放眼望去都是阳光和树叶;他记得爸爸的双手，爸爸帮他接骨时，双手是那么专注，那么轻柔，然后他们一起回家，走入午后金黄的阳光之中。

"喂，"他说，"我给你看一样东西。"

他把吉他平放在摇椅上，捡起那些微粒粗糙的黑白照片。

"就是这个地方吗?"他边问边递给她一张照片。"你在那里遇见我爸爸?"

她接过照片仔细看了看，然后点点头。"没错，但现在看起来不一样。从照片里那些在风中飘摇的漂亮窗帘和茂盛的鲜花看得出来，那栋房子以前还不错，但现在没人住在那里，房子空着，窗户都破了，所以风吹得进来。我小时候曾到那里玩，我们在山坡上乱跑，我还跟表姊妹们过家家。大家说那栋房子闹鬼，但我一直很喜欢它。我不清楚到底为什么。那里就像我的秘密天地，有时候我只是坐在里面，梦想将来会怎样。"

他点点头，把照片拿回来，仔细研究照片中的人物。他已经研究了很多次，好像他们能够回答一些关于爸爸的问题。

"你没有梦想会像现在这样吧。"他终于开口，抬头看看她。

"没有，"她轻声说，"从来没想到会这样。"

两人沉默了几分钟。阳光斜射过林间，在前廊光滑的地上投下光影。

"好，又轮到你了。"她过了一分钟之后说，转过身面对他。

"轮到我?"

"告诉我某件你爸爸不知道的事。"

"我考上了朱丽亚音乐学院。"他说,语调有如屋内的音乐一样激昂快乐。除了妈妈之外,他还没跟任何人提起。"我是候补名单上的第一名,上星期被正式录取了。"

"哇。"她笑着说,笑容中带着一丝悲伤,"我以为你顶多会说你喜欢哪种蔬菜。"她说,"但这真是太好了,保罗,我一直觉得上大学会很有趣。"

"你也计划上大学吧。"话一出口,他才忽然意识到她所失去的机会。

"我会的,我绝对会。"

"我说不定得自己付学费。"保罗试图转换话题。从她坚定强硬的语气中,他听得出她所隐藏的恐惧。"我爸帮我规划了某种事业目标,他不喜欢音乐这一行。"

"你怎么知道?"她说,猛然抬头,"其实你根本不了解你爸爸。"

保罗不知道该如何回答,他们沉默地坐了几分钟。两人面前有个藤架,从街上看不到他们。藤架上爬满了铁线兰,紫色和白色的花朵盛开,因此当两部车先后驶进车道时,保罗只看见两道金黄色的闪光。爸妈大白天开车回家,实在很奇怪,他和罗斯玛丽互看了一眼。车门猛烈关上,声音撞上邻居的房子,发出回响。然后传来脚步声,他爸妈站在前廊,小声却口气坚决地争吵。罗斯玛丽张开嘴,好像打算大喊,但保罗举起一只手摇摇头,两人就沉默地坐在一起聆听。

"这一天,"他妈妈说,"这一星期,戴维,你知不知道你让我多痛苦?"

"对不起,你说得没错,我应该打电话回家,我的确想要打电话。"

"这样就够了吗?说不定我也来个一走了之,"她说,"闷声不响就走。哪天我也一走了之,带个英俊的年轻小伙子回来,而且不做任

281

何解释,你会作何感想?"

接下来一阵沉默,保罗想到那堆丢在沙滩上的鲜艳衣服,也想到从那之后,妈妈很多晚上都过了半夜才回家。生意忙啊,她总是叹口气说,然后在门厅脱下鞋子,直接上床睡觉。他看看罗斯玛丽,她正低头端详双手。他坐得笔直,边听边看着她,等着看看接下去有何发展。

"她只是个孩子,"他爸爸终于说,"今年十六岁,怀了身孕,而且一个人住在一栋废屋里。我不能把她留在那里。"

他妈妈叹了一口气,保罗想象她伸手理理头发。

"这是中年危机吗?"她轻声问道,"就是这么回事吗?"

"中年危机?"他爸爸语调平缓谨慎,好像正仔细察看各种证据。"或许是吧,诺拉,我知道我碰到了某种瓶颈。当年住在匹兹堡时,我是一个努力向上的年轻人,根本没时间管其他事。这次我回去想弄清楚一些事情,而罗斯玛丽刚好在我的旧家里,感觉上不完全是个巧合。我不知道该怎么说,也不晓得怎么解释,才不会让你以为我疯了。但请相信我,我没有爱上她,事情绝非如此。我跟她将来也绝对不会有感情牵扯。"

保罗看看罗斯玛丽,她低下头,所以他看不出她脸上的表情,但她双颊泛起一抹粉红,她撕扯着一片破裂的指甲,不愿迎接他的目光。

"我不知道该相信什么,"妈妈缓缓地说,"戴维,这么多个日子,你为什么偏偏挑上这个礼拜?你知道我刚才去哪里吗?我陪布丽去一个癌症医生的诊所。她上星期做了切片。她左边的乳房有个小硬块,医生的诊断虽然乐观,但那是个恶性肿瘤。"

"我不知道这件事,诺拉,我很抱歉。"

"不,戴维,别碰我。"

"她的医生是哪一位?"

"艾德·琼斯。"

"艾德是个好医生。"

"最好是如此。戴维,我真的顾不了你的中年危机。"

保罗听着,觉得世界似乎放缓了脚步。他想到布丽和她轻快的笑声。她常坐着听他弹吉他,一坐就是一小时,音乐回荡在他们之间,两人不需言语;她闭上双眼,躺卧在摇椅上聆听。他无法想象失去了她,世界将是什么模样。

"你打算怎样?"爸爸问道,"诺拉,你要我怎么做?你若要我留下来,我就留下来,要我搬出去,我就搬出去。但我不会把罗斯玛丽赶走,她没有其他地方可去。"

接下来又是一片沉默。他几乎不敢呼吸,等着妈妈怎么说,也希望她永远不要回答。

"我呢?"他出声发问,自己都吓了一跳,"你们有没有想过对我有什么打算?"

"保罗?"这是他妈妈的声音。

"我在这里,"他边说边拿起吉他,"我和罗斯玛丽在这里。"

"哎呀,老天啊。"他爸爸说。几秒钟之后,爸爸走上台阶绕过来。他已经洗了澡,刮了胡子,换上一套干净的西装。瘦削的他看起来很疲倦。妈妈也是,她走过来站在爸爸旁边。

保罗站起来面向爸爸。"爸,我要去朱丽亚音乐学院。他们上星期打电话来,我被录取了,我决定要去。"

他等着爸爸开始老调重弹:把音乐当作事业不可靠,即使是古典音乐也不例外;他有这么多机会,即使选择用另一种方式谋生,还是可以弹吉他,从音乐中寻求乐趣。他等着爸爸坚决地跟他讲道理,不准他上音乐学院,这样一来,他才可以发泄心中的怒气;他非常激动,准备发火,但出乎意料,爸爸只是点点头。

"很好。"爸爸说,脸色顿时缓和了下来,洋溢着喜悦。因为忧虑而紧绷的眉头也跟着舒展开。开口说话时，他的口气轻缓而肯定，"保罗，如果这是你想要的，那就去做吧。做你想做的事，努力学习，让自己过得快乐。"

保罗不自在地站在前廊。这些年来，每次他和爸爸讲话时，总觉得好像跑到一半撞上一道墙，现在这道墙却神秘地消失了。但他依然跑着，头晕眼花、没有把握地在一片空旷中奔跑。

"保罗？"爸爸说，"儿子，我以你为荣。"

每个人都看着他，他眼中充满泪水。他不知道该说什么，所以迈步向前走，刚开始只是走出大家的视线，这样他才不会出丑，然后他开始奔跑，手里还拿着吉他。

"保罗！"妈妈在他身后大喊。他转身往回跑了几步，看到她脸色苍白，双臂紧张地交握在胸前，刚刚挑染的发丝在微风中飘扬。他想到布丽，也想到妈妈说她们姊妹愈来愈像，忽然感到恐惧。他想到爸爸站在门厅，全身衣服肮脏发臭，脸上一层短短的黑色胡须，头发乱七八糟。现在爸爸干干净净，一脸冷静，但人还是变了。他那个毫无瑕疵、做事精确、对一切都有把握的爸爸已经变成另一个人。罗斯玛丽半躲在铁线兰的藤架之后，抱着双臂，站着倾听。她已解开辫子，头发垂落在肩头。他想象她在那栋山中的房子里和爸爸说话，跟爸爸一起搭了很久的公交车。不知怎么的，这些事情改变了爸爸。一想到他们全家人碰上了什么事，他再度感到恐惧。

于是，他跑了。

那是晴朗的一天，天气已经变暖。费里先生和普尔太太从他们的前廊招手，保罗举起吉他致意，继续奔跑。他已经跑到距离家里三条街之外，然后五条街、十条街，街对面一栋低矮的平房前面有部车子，车里没人，引擎照常运转，车主说不定忘了什么东西，跑回屋里拿公文包或夹克。保罗暂停脚步。这是一部黄褐色的格里莫林轿车，车身有圈铁锈，简直是全宇宙最难看的汽车。他穿过马路，打开驾驶座旁的车门，侧身坐了进去。没人喊叫，也没人从屋里冲出来。他使劲关上车门，调整座椅，给自己足够的空间，然后把吉他放在旁边的座椅上。车子是自动挡，车里四处都是糖果包装纸和空香烟盒。车主八成是个没出息的人，他想，说不定是个浓妆艳抹，在干洗店或银行等地上班的秘书，工作的地方不但无趣，摆设也极为艳俗。他拉开车挡倒车。

依然毫无动静：没人喊叫，也没有警铃声。他拉到开车挡，驾车离开。

他不常开车，但开车似乎像是性爱：你要是假装知道是怎么回事，过不久你就真的懂了，然后一切便驾轻就熟。学校旁边，内德·斯通和兰迪·德兰尼在街角闲晃，把烟蒂弹到草丛中，然后走进教室里。他搜寻劳伦·洛贝里欧的踪迹，她有时会跟他们一起混。他亲吻她时，她的鼻息经常充满烟味。

吉他滑了下来，他停车，为吉他系上安全带，格里莫林真是部烂车。他已开过全市，碰到每个红灯都小心地停下来。天空依然晴朗蔚蓝，他想到罗斯玛丽盈满泪水的双眼，他无意讲话刺伤她，但依然伤了她的心。某件事发生了，某件事起了变化。纵然爸爸因他的好消息而欣悦，脸上顿时洋溢着欢喜，但她是这些变化的一部份，而他却不是。

保罗继续开车，不管接下来发生何事，他都不想待在家里。他开到高速公路口，道路在此分叉，朝西通往路易斯安那。他脑中浮现出加州的阳光、音乐和绵延无尽的沙滩。劳伦·洛贝里欧会交上新男朋友，她不爱他，他对她也没有感情；她令人上瘾，他们做的事情有着黑暗的一面，担负着某种重担。加州，再过不久，他就可以躺在沙滩上，在一个乐团里表演，住在廉价旅馆里，轻松自在地度过漫长的夏日。等到秋天，他会想办法到朱丽亚音乐学院上课，说不定搭便车横跨美国。他把车窗摇到底，让春风飞驰而入。即使他拼命踩油门，格里莫林也开不到时速五十五英里，尽管如此，他依然觉得自己在飞翔。

他曾经朝这个方向前进。小时候学校规划户外教学，曾经造访路易斯维尔的动物园。更小的时候，妈妈也曾带着他飚车，年幼的他躺在后座，看着树叶、枝干、电线杆从窗边一闪而过。妈妈跟着收音机大声唱歌，声音忽高忽低，还说他如果乖乖听话、安安静静，就带他去买冰淇淋。这些年来他始终乖乖听话，却没有造成任何差别。他发现了音乐，弹奏出心声，为家中的寂静注入一丝声响，让乐声飘入因为妹妹的死而造成的空洞，但这些都起不了任何作用。他已经尽了全力，试图让爸妈从日复一日的生活中抬起头来，聆听音乐之美，以及他发现的喜悦。他弹得十分努力，而且技艺已臻完美。但这些年来，爸妈却从未抬起头来，连一次都没注意到他，直到罗斯玛丽走进家门，一切才起了变化。但话又说回来，或许她根本没有改变什么。说不定只因她的出现，每个人才重新审视自己的生活，改变了原本的平衡。毕竟，一张照片可能代表着上千种不同的意义。

他把一只手放在吉他上，木头暖暖的，让人安心。他把油门踩到底，公路在此进入山区，他在石灰岩墙之间攀升，朝着蜿蜒的肯塔基河飞速下行。桥梁在他的轮胎下歌唱。保罗开呀开呀，试着什么都不想。

四

在诺拉镶嵌着玻璃的门外，办公室依稀传来喧哗声。IBM的人事经理尼尔·辛姆斯走过外面的那道门，穿着深色西装的身影一闪而过，皮鞋锃亮。布丽刚好到接待室拿传真，转身跟他打招呼。她穿着一件黄色亚麻套装，鞋子擦得亮闪闪。伸手跟他握手时，她手臂上精美的金手环滑到手腕旁。她瘦多了,优雅的衣着下一把骨头。但她笑声依然开朗,穿过玻璃门传到诺拉的办公室里。诺拉坐着,一手拿着电话,桌上摆着一个精美的文件夹,封面上印着 IBM 的粗黑字母。她已经花了好几个礼拜准备这个会议。

"唉,山姆,"诺拉说,"我叫你不要打电话给我,我是说真的。"

她耳际升起一股深沉、冰冷的沉默。她想象山姆身居家中,在俯瞰河面的玻璃窗边工作。他是投资分析师,诺拉六个月前在车库碰到他。电梯旁灯光黯淡,她的钥匙掉了下去,他在半空中接住,姿态迅速而娴熟,双手有如鱼儿一样突然跃出。这是你的吗?他带着轻松温和的笑容问道。这是个笑话,因为四下只有他们两人。诺拉心中升起一股熟悉的激动,宛如某种甜蜜的堕落感。她点点头,他的手指轻刷过她的肌肤,钥匙随之落在她的手掌心,感觉冷冷的。

那晚他在她的留言机上留言。诺拉心跳加速,被他的声音所撩动,但听完留言之后,她强迫自己坐下来,数数这些年来已有多少次外遇:时间有长有短,有些热情如火,有些保持距离,有时不欢而散,有时平静地分手。

四次。她写下这个数字,在晨报上留下一道道粗黑的笔痕。楼上,浴缸里滴着水,保罗在客厅里弹吉他,重复着同样的旋律。戴维在屋外的暗房里工作,他们之间总是隔得这样遥远。诺拉每次都满怀希望与期待开始一段新恋情,沉醉在幽会、新奇与惊喜的激情中。霍华德之后,她有另外两段短暂而甜蜜的恋情,接下来的那一次持续得比较久。每次当她觉得被家里沉重的静默逼得发狂时,她就开始一段恋情。在那一刻,另一个神秘难测的人,或是任何人,对她而言都是慰藉。

"诺拉,拜托,听我说嘛。"山姆说。他是个极有说服力的男人。协商过程有点咄咄逼人,她其实不太欣赏这种人。布丽在接待室中转身瞄了她一眼,不耐烦地发出询问的目光。好,诺拉透过玻璃门示意,她会赶快过去。她们已花了几乎一年争取 IBM这个客户,她绝对应该赶紧过去。"我只想问保罗好不好,"山姆继续坚持,"我只想知道你有没有听到什么消息。我会在这里等着你,好吗?诺拉,你听到我的话了吗?我会完完全全、毫无保留地等着你。"

"我听到了。"她说,心里却跟自己生气。她不要山姆谈起她的儿子。保罗已经失踪了二十四小时,离家里三条街之处,有部车也不见了。她看着他离开,试图记起自己说了什么,他又偷听到什么。一想到他脸上困惑的表情,她心里就一阵刺痛。戴维称许保罗的决定,这样做是对的,但不知怎么,感觉却非常不对劲,气氛也变得更糟。她看着保罗带着吉他跑开,几乎想跟着他跑,但她头好痛,她也告诉自己,或许他需要时间独处。另外,他也跑不远,毕竟他能上哪儿去?

"诺拉?"山姆说,"诺拉,你还好吗?"

她暂时闭上双眼,阳光晒热了她的脸庞。山姆卧室的窗户全是棱柱,在明亮的晨光中,色彩在每个窗面上跳动,充满了生命力。我们就像在迪斯科舞厅里做爱,她有次跟他说,语气中半带抱怨、半带销魂,一道道长长的光束在他手臂和她苍白的肌肤上游移。那天,诺拉打算结束这段感情,正如他们相会后的每一天。但山姆的手指随着她大腿上七彩的光线移动,慢慢地,她感到坚定的意志开始软化、模糊,心中的感情陷入另一道神秘的轨迹,从阴暗的靛青转化为金黄。虽然不情愿,但意志力已转变成欲望。

尽管如此,在开车回家的路上,欢愉之情烟消云散。

"我现在只想着保罗。"她说,然后口气强硬地补了一句,"山姆,请听好,我真的受够了。那天我是说真的,别再打电话给我。"

"你在生气。"

"没错,但我是认真的。别打电话给我,永远不要再打来。"

她挂掉电话,一只手不住地颤抖。她把手平贴在桌面上。她觉得保罗的失踪似乎是种惩罚:她和戴维长久以来的怒气,如今都受到了惩罚。保罗偷走的那辆车，昨晚被发现弃置在路易斯维尔的街旁，但保罗却不见踪影，于是她和戴维在家中等候，无助地游走于家中层层静默之间。那个从西弗吉尼亚州来的女孩依然睡在书房里的沙发床上。戴维从未碰过她，除了问她需要什么之外，几乎没跟她说半句话。但诺拉感觉得到他们之间蕴藏着某种感情牵连，感情真挚而鲜活。想到这里，她感到心中一阵刺痛，比任何肉体的外遇更让她难过。

布丽敲敲玻璃门，把门推开几英寸。

"没事吧?IBM的尼尔已经到了。"

"没事。"诺拉说，"你呢?你还好吧?"

"来上班对我比较好，"布丽开朗而坚定地说，"特别是还发生了其他这些事情。"

诺拉点点头。她已经打电话给保罗的朋友们，戴维也已报警。她整晚穿着睡袍在家里走来走去，踱步到清晨。今天早上，她一边啜饮咖啡，一边想象各种可能发生的灾祸。到公司上班最起码可以暂时转移她的注意力，感觉仿佛是个解脱。"我马上就过去。"她说。

她站起来时，电话又响了起来，诺拉在愤怒与忧虑中推门而出。她不会让山姆骚扰她，她不会让他毁了这次会议，她不会的。其他外遇在不同状况下分手，有时藕断丝连，有时快刀斩乱麻，双方也不见得总是心平气和，但没有一次像这次一样不自在。绝对没有下一次，她心里想着，这事就到此为止，绝对没有下一次。

她匆匆穿过走廊，但萨莉举着电话，在接待桌前把她拦了下来。"甜心，你最好接一下这个电话。"她说。诺拉马上知情，她颤抖地接过话筒。

"他们找到他了。"戴维说，语调平静，"警察刚打电话来，他们在路易斯维尔逮到他在商店偷东西。我们的儿子被逮到偷奶酪。"

"这么说他没事啰。"她说，缓缓地吐了一口气。这下才明白她这口气憋了多久，血液也流回指尖。唉，她已经丢了半条命，却到现在才明白过来。

"是的，他没事，而且显然肚子饿了。我现在就去接他，你要一起去吗？"

"说不定我该去，我不知道，戴维，你或许又会说错话。"你跟你女朋友待在家里吧，她几乎加上一句。

他叹了一口气。"我不知道怎样说才对，诺拉。我真的很想知道该说什么。我以他为豪，我对他说了，但他调头就跑，而且偷了一部车。我究竟该说什么才对？"

讲得太少，也讲得太迟，她真想说。况且，你那个女朋友是怎么回事？但她什么也没说。

"诺拉，他十八岁了，而且偷了一部车。他必须负起责任。"

"你五十一岁了，"她突然大怒，"也该负起责任。"

随后一片沉默，她想象他站在办公室里，身穿白袍的他一脸自信，银灰色的头发闪耀着光芒。看到他现在的模样，没有人能想象他那天回家的样子：胡子没刮，衣衫褴褛，浑身发臭，身旁还跟着一个穿了件破旧黑色大衣，怀了身孕的女孩。

"喂，把地址给我吧，"她说，"我跟你在那里碰头。"

"他在警察局的中央登记处，诺拉。你以为他在哪儿？动物园吗？但还是确定一下比较好。你等等，我给你地址。"

写下地址之时，她抬头看到布丽送尼尔·辛姆斯出门。

"保罗没事？"布丽问。

诺拉点点头，感激而松懈地说不出话来。听到有人说他的名字，这个消息才显得真实。保罗安全无事，或许戴上了手铐，但平安没事，而且活得好好的。公司的职员们在接待室里徘徊，有人开始鼓掌。布丽关上门，上前拥抱她。诺拉心想，布丽好瘦，眼中顿时盈满泪水；她妹妹的肩胛骨有如小鸟的翅膀一样细瘦而突起。

"我来开车。"布丽边说边拉着她的胳膊。"来,我们边走边说。"

诺拉任凭布丽拉着她穿过门厅,走进电梯,走到车库里的车子旁边。布丽开车驶过市中心拥挤的街道,同时,诺拉诉说着事情始末,宽慰之情如同一阵风似的扫过心头。

"我真不敢相信。"她说,"我昨晚整夜没睡。我知道保罗已经是大人了。我知道再过几个月,他就要去上大学,我也不可能随时随地知道他的行踪。但我就是没办法不担心。"

"他还是你的小宝贝。"

"永远都是。我很难放手让他走,这比我想象中要难。"

她们驶过 IBM 低矮、单调的办公区。布丽对着各栋建筑物挥挥手。"嗨,尼尔,"她说,"下回见啰。"

"花了这么多功夫……"诺拉叹了口气。

"噢,别担心,我们不会丢了这个客户。"布丽说,"我非常迷人,而且尼尔是个顾家的男人。我猜他碰到紧急状况时,八成也像个闺女。"

"你耽误了我们的目标。"诺拉回了布丽一句,忽然想起多年之前,布丽在餐厅微暗的灯光中,挥舞着喂哺母乳的小册子。

布丽笑笑。"才没有呢,我只是刚学会运用我的本钱,顺势而为。别担心,我们会争取到这个客户的。"

诺拉没回答。白色的篱笆紧靠着茂盛的草丛,闪烁着朦胧的光芒。马群平静地站在属于它们的田野上,陈旧的烟草仓库一座接着一座竖立在山坡旁。时值早春,马赛即将揭开序幕,红色的花苞绽放成一片花海。她们驶过肯塔基河,河岸泥泞而闪闪发光;桥畔的田野中,一朵水仙花左右摇摆,艳黄的花朵美不胜收,一闪即逝。她在这条路上来回开了多少次?微风吹过她的发际,湍急、蜿蜒而美丽的河流吟唱着誓语,诱惑她来到此地。她放弃了杜松子酒和追风而行的飚车,买下这家旅行社,把它经营得有声有色。她改变了她的生活,

291

但现在她的领悟好像新冒出的光线一样,猛然浮上心头:这些年来,她从未停止奔跑;她跑到了圣胡安、曼谷、伦敦和阿拉斯加,投入了霍华德和其他人的怀抱,一路奔向山姆以及这一刻。

"我不能失去你,布丽。"她说,"我不知道你怎能这么镇定地面对这一切,因为我觉得我已经陷入了瓶颈。"她记得昨天戴维站在车道上,试图解释他为什么把年轻的罗斯玛丽带回家时,也是这么说。他在匹兹堡究竟发生了什么事,让他改变了这么多?

"我的确很镇定。"布丽说,"这是因为你不会失去我。"

"好,我很高兴你这么确定,因为我会承受不了。"

她们在沉默中开了几英里。

"你记得我那张破烂的蓝色旧沙发吗?"布丽终于问道。

"不太记得。"诺拉边说边拭去泪水,"沙发怎么了?"

眼前出现一座烟草仓库,接着又是一座,然后是一片绵延的青绿。

"我一直以为那张沙发很漂亮。后来,有段日子我过得非常消沉。一天,外面下着雪或是其他什么的,光线照进屋里的角度不同,我看了才发现沙发非常老旧,几乎借着灰尘的轮廓才看得出是张沙发。那时我就知道我得做些改变。"她微笑地遥望车外,"所以我才到你公司上班。"

"非常消沉?"诺拉重复,"我一直觉得你的生活很光鲜,最起码跟我的日子比起来,你总是充实而快乐。我不知道你有段日子过得很消沉。布丽,怎么回事?"

"没关系,那是过去的事了。但我昨晚也没睡,我跟你有同样的感觉:某件事情起了变化,忽然之间,事情似乎全变了样,想想实在有趣。今天早上我发现自己盯着从厨房窗户透进来的光线。光线在地上投射出一块长长的四方形格子,新长出来的树叶的影子落在格子里,构成了各种图案。简简单单的一件事,却美极了。"

诺拉仔细端详布丽的侧影，想起她以前大胆、无拘无束的模样。当年那个理直气壮地站在行政大楼台阶上的女孩到哪里去了？她怎么变得这样瘦弱而坚决、坚强而孤单？

"噢，布丽。"诺拉终于勉强开口。

"这不是死刑，诺拉。"布丽口气愉快地说，表情专注决然，好像讲的是公司的应收账款，"而是一个警讯。我读了一些研究报告，我复原的机会真的非常高。今天早上我还想到一件事，如果没有为了像我这种女人所设立的支援团体，我打算自己发起一个。"

诺拉笑了。"这话听起来才像你。目前为止，这是你说过最让人心安的一句话。"她们又沉默地开了几英里，然后诺拉继续说："但你以前没告诉我。当年你不快乐的时候，你从来没对我说。"

"没错，"布丽说，"但我现在跟你讲了。"

诺拉把手放在布丽的膝盖上，感到妹妹的温暖与瘦弱。

"我能做些什么？"

"照常过日子吧。教堂把我列入代祷事项里，应该有所帮助。"

诺拉看看妹妹时髦的短发以及轮廓鲜明的侧影，不知道如何回答。大约一年前，布丽加入了家附近的圣公会教堂。诺拉跟她去过一次，但礼拜的仪式繁琐，跪下去又站起来，一会儿念诵祷词，一会儿沉默不语，诺拉觉得自己笨手笨脚，像个外人。她坐在木椅上偷瞄其他人，猜想他们的感受。大家受到什么力量的驱使，在这个美丽的星期日早晨起床来到这里？她很难看出任何神秘之处。除了清澈的日光以及一群疲惫、充满希望、恭敬虔诚的教友之外，她很难看出什么。之后她再也没去过，但现在她发现自己非常庆幸妹妹在那个宁静的教堂里找到了慰藉，也感念她没见到，而妹妹却已寻获的启发。

周围的景物一闪而过：先是绿草、树木以及天空，然后房子逐渐增多。她们已进入路易斯维尔，布丽开上交通繁忙的 I-71 号公路，加入车辆众多的快车道。警察局的停车场几乎客满，车辆在正午的阳光下闪闪发光。她们下车,用力关上车门,激起一阵回音;她们沿着水泥人行道前进,人行道旁有一排没有生气的低矮树丛。她们穿过旋转门,走入灯光黯淡的室内。

保罗缩成一团坐在远远一端的长凳上,胳膊肘搁在膝盖上,双手在两膝间轻轻晃动。诺拉心头一紧。她走过办公桌和人群,奋力越过一群身穿海蓝色制服的警官,来到儿子身旁。室内相当热,天花板上的隔音砖陈旧而斑驳,一台吊扇抵着隔音砖转动,但几乎感觉不到任何动静。她跟着保罗在长凳上坐下,他一天没洗澡,头发浓厚油腻,汗臭味和脏衣服之间夹杂着一股烟味。他全身上下散发出辛辣、浓重的气味,恰如男人的味道;他的手指长了茧,因为弹吉他而变得粗糙。如今,他有了自己的生活、自己的秘密,一想到保罗真的是他自己了,她顿时感到卑微:没错,他永远是她的一部分,却不再属于她。

"看到你,我真高兴。"她轻声说,"保罗,我好担心,我们都很担心。"

他看看她,眼中充满怒气与猜忌,然后忽然把头转开,眨眨眼抑住泪水。

"我很臭。"他说。

"没错,"诺拉同意,"你真的很臭。"

他看了一眼大厅,目光在办公桌旁的布丽身上游移,然后盯着一闪一闪的旋转门。

"嗯,我猜我运气好,他没有特别跑一趟。"

他说的是戴维,说得那么痛苦,那么愤怒。

"他会来的,"诺拉说,语调尽量保持平静,"他随时会到。布丽开车载我过来,其实是飞车。"

她想逗他笑笑,但他只是点点头。

"她还好吧?"

294

"还好，"诺拉说，同时想起刚才她们在车里的对话，"她没事。"

他又点点头。"好，很好。我打赌爸爸一定气坏了。"

"绝对没错。"

"我会去坐牢吗？"保罗说得非常小声。

她吸了一口气。"我不知道，希望不会，但我不晓得。"

他们沉默地坐着，布丽正跟一个警察说话，一边点头，一边打手势。远处的旋转门转了又转，光线忽明忽暗，陌生人一个接着一个进进出出，然后戴维昂首迈过水磨石地，黑色的皮鞋吱吱嘎嘎响，神情认真而漠然，高深莫测。诺拉紧张了起来，她感到身旁的保罗也一样。出乎她意料，戴维直接走到保罗面前，一把拉住他，一言不发地用力拥抱他。

"你平安无事，"他说，"感谢上帝。"

她深深吸一口气，为这一刻感到欣慰。一位白发、平头、有双清澈蓝眼睛的警察，手臂下夹着一个笔记夹走过来。他跟诺拉和戴维握握手，然后转身面对保罗。

"我想让你尝尝坐牢的滋味。"他态度和蔼地说，"像你这么聪明的男孩，这些年来我不知道看过多少个。你们自以为很强悍，一次又一次地被放走，直到终于惹上麻烦，坐牢坐了很久，这才发现自己一点都不强悍，实在令人惋惜。但你的邻居决定不提出诉讼，他们似乎认为这样做是对你好。既然我不能把你关起来，我这就把你移交给你父母监管了。"

保罗点点头，双手不住颤抖。他把双手插到口袋里。警察从笔记夹上撕下一张纸，大家都盯着。警察随后把纸递给戴维，慢慢走回他的办公桌。

"我打了电话给柏兰德家。"戴维解释道，同时把纸折好，塞进胸前的口袋里。"他们很通情达理。保罗，你逃过了一场大麻烦，但别以为你能逃脱责任。你得支付修车费用，一毛钱都少不了。你也别以为接下来的日子会好过。你不许参加社交活动，不许见朋友。"

保罗点点头，吞咽了一口口水。

"我得排练，"他说，"我不能就这样放弃四重奏。"

"没错，"戴维说，"但你也不能偷了邻居的车，还指望照常过日子。"

诺拉感觉得到保罗很紧张，很生气。别说了，她看着戴维下巴的肌肉颤动，心里暗自想道，你们两个都别说了，这就够了。

"好，"保罗说，"那我就不回家，我宁愿坐牢。"

"嗯，这点我绝对可以安排。"戴维冷冷地回答，语气冷酷得令人害怕。

"动手吧，"保罗说，"你去安排啊。我是音乐家，而且很优秀，我宁愿睡在街上，也不愿放弃。去你的，我情愿死也不放弃。"

霎时之间，三人的心脏都狂跳起来。戴维没有回应，保罗则眯起双眼。

"妹妹就不能知道自己有多棒。"他说。

诺拉从刚才到现在都站得笔直，这番话却像个坚硬、明亮的冰束刺穿她的心。她感到一股椎心的疼痛，想都没想就伸手打了保罗一巴掌。他新长出来的胡须贴着她的掌心，感觉硬硬的；他是个大男人，不再是小男孩，而她却狠狠地打了他。他极度惊讶地转身，脸颊上浮现出红印子。

"保罗，"戴维说，"别把事情弄得更糟，别说出会让你后悔一辈子的话。"

诺拉的手依然发痛，血液快速流窜。"我们回家吧。"她说，"回家之后再解决这件事。"

"我不知道。说不定让他在牢里住一晚比较好。"

"我已失去一个孩子，"她转身对他说，"不想失去另一个。"

戴维看起来吓呆了，仿佛她也打了他一巴掌。吊扇咔嗒咔嗒响，旋转门发出规律的声音。

"好吧，"戴维说，"你说得没错。你们都不管我怎么想，说不定这样也对。天知道，我真抱歉做了这些让你们失望的事。"

"戴维？"他转身离去时，诺拉叫他，但他没有回答。她看着他穿过房间，走进旋转门。他的身影一闪而过，人群中只见一个身穿暗色夹克的中年男子，不一会儿就消失无踪。吊扇在汗臭、薯条和清洁剂的味道中，继续发出咔嗒的声响。

"我不是想要……"保罗开口。

诺拉举起她的手。"别说了，拜托，什么都别说了。"

布丽冷静而高效地把他们带到车旁。她们打开窗户，让风吹散保罗身上的臭味。布丽开着车，细瘦的手指稳稳地握住方向盘。诺拉想事情想得出神，几乎不看路。过了将近半小时，她才发现他们已经不在公路上，而是在比较狭小的乡间道路上。他们慢慢驶过明亮的春天田野。稍微带点绿意的田野从车窗一闪而过，树枝上刚冒出新芽。

"你要去哪里？"诺拉问。

"哦，只是小小的探险。"布丽说，"你待会儿就知道了。"

诺拉不想看着布丽的双手。那双手瘦得见骨，隐约可见蓝色的血管。她从后视镜里瞄了保罗一眼，他坐在后座，面色苍白，一脸不高兴，双臂交叉，无精打采，显然很生气，也很难过。她刚才做错了，她不该甩保罗一巴掌，也不该拿戴维出气，她把事情弄得更糟。他充满怒意的双眼在镜中迎上她的注视，她想起他那只柔软、胖嘟嘟的婴儿小手贴在她脸上，家中各处洋溢着他的笑声。那似乎是个完全不一样的男孩，他到哪里去了呢？

"什么探险？"保罗问。

"嗯，其实我想找客西马尼修道院。"

"为什么？"诺拉问，"修道院在这附近吗？"

布丽点点头。"应该不远。我一直想看看。开车过来的路上，我发现我们离得很近，所以我想何不试试看？更何况今天天气这么好。"

　　她说得没错。天空澄净蔚蓝，远方的地平线白灿灿的，树木闪闪发亮，生机盎然，在微风中轻轻摆动。他们沿着狭窄的小路又开了十分钟，然后布丽把车停在路边，在座椅下东翻西找。

　　"我想我没带地图。"她边说边坐起来。

　　"你从来不带地图。"诺拉说。话一出口，她才意识到布丽这辈子都是如此，但这似乎并不打紧。她和戴维从一开始就带着各种地图，瞧瞧两人如今却置身何处？

　　布丽把车停在两栋农舍附近。洁白的农舍规模不大，大门紧锁，放眼望去不见人影。陈旧得泛白的烟草仓库大门敞开，矗立在远处的山丘上。不远之处，拖拉机慢慢驶过刚翻掘过的田野，人们尾随其后，把亮晶晶的烟草种子洒在黑色的泥土里。沿着小路往前，田野最远的一边有栋白色的小教堂，老梧桐树遮住了教堂。教堂四周种满了紫罗兰，旁边是个墓园，铁栏杆后面的墓石东歪西倒。这里好像女儿下葬的地方。诺拉屏住气息，想起多年前的那个三月，她脚下的青草濡湿，低垂的云朵似乎一直往下压，戴维沉默、冷淡地站在她身旁。尘归尘，土归土，而他们所知的世界，已在脚下移转变迁。

　　"我们去教堂吧。"她说，"那里说不定有人知道修道院在哪儿。"

　　他们沿着路往前开。她和布丽在教堂旁下车，两人一身套装，觉得自己好像是城市佬，跟周围不太搭调。四下一片宁静，有些炎热，阳光透过树叶一闪一闪，布丽黄鞋下的草地浓密茂盛。诺拉把手搭在布丽细瘦的手臂上，黄色的亚麻布料感觉柔软而起了皱褶。

　　"你会弄坏了这双鞋。"她说。

　　布丽低头看看，点点头，把鞋子脱下来。"我到牧师家里问问看，"她说，"前门开着。"

"去吧，"诺拉说，"我们在这里等你。"

布丽蹲下来捡起鞋子，然后奋力穿过茂密绿草。她那双穿着丝袜的白皙大腿看起来仿佛少女一般，带着一丝脆弱，手上那双黄鞋东晃西晃。诺拉忽然想起她们姊妹俩小时候在家后面的田里奔跑，笑声在阳光明丽的空中飘扬。健健康康。她看着布丽，心里想，唉，我的妹妹，你要健健康康的啊。

"我要去散个步。"她告诉保罗。保罗依然无精打采地坐在后座。她把他留在那里，循着圆石小径走向墓园。铁门一推就开，诺拉在灰黑陈旧的墓石间走来走去，她已经很多年没去本特利家农场的墓园了。她回头看看保罗，他正从车里出来，舒展一下筋骨。一副深色的太阳镜遮住了他的双眼。

教堂有道红门，诺拉一碰，门就静悄悄地、摇摇晃晃地开启。圣殿阴暗冰凉，彩绘玻璃窗颜色艳丽，窗面上画着圣徒、圣经故事、白鸽以及火光等宛如珠宝的图样。诺拉想到山姆的卧室中五光十色、炫丽耀眼的色彩。相比之下，这里的色彩沉稳、静止、悄悄地从天而降，显得格外宁静。一本访客签名簿摊放在她眼前，她以流畅的字迹在上面签了名，同时也想起那个教她草体的修女。诺拉四处留连，或许因为受到宁静的驱使，所以她朝着空荡荡的中排多走了几步；四下寂静无声，放眼望去宁静而空旷，日光透过彩绘玻璃窗流泄而下，空气中点点尘埃。诺拉穿过日光：光线呈现出红色、深蓝和金黄。

长板凳带着上光剂的味道，她悄悄坐下。座位前有个沾了灰尘的蓝色跪垫，她想到布丽的旧沙发，然后她忽然记起很久以前那群晚上跟她一起上教堂的女人，她们曾带着送给保罗的礼物到家里来。她记得有一次帮她们清扫教堂，她们坐在破布上，在平滑的木板板凳上滑来滑去，用臀部把板凳擦得锃亮。这样比较有份量，她们开玩笑地说，笑声充满了圣殿。诺拉在悲伤之中排斥了她们，再也没有跟她们联络，但她现在忽然想到，她们也曾失去心爱的人、历经病痛之苦或是令自己和他人失望，她们跟她一样承受了痛苦。当年诺拉不想成为其中一员，也不愿接受她们的安慰，于是她掉头离开。想到这里，她热泪盈眶。唉，这着实愚蠢。她失去女儿已经将近二十年了，心中的悲痛本不该像春天的泉水般涌出。

这太疯狂了；她哭得这么厉害。她跑得那么快，那么远，为的就是躲避这一刻，但她还是逃避不了。一个陌生人睡在家里的折叠式沙发上，梦想着展开新生活，心里藏着秘密，而戴维只是耸耸肩，转过身去。她知道回家之后，她会发现他已经走了，或许整理好一个皮箱，但不会带走其他东西。她为此事哭泣，为保罗眼中的愤怒迷惘哭泣，为她从未相识的女儿哭泣，为布丽瘦弱的双手哭泣。他们一家一再令彼此失望，却又如此深爱对方。悲伤似乎是个实实在在的场所，他们逃离不了。诺拉不停地啜泣。她忘却了一切，只感到某种她童年记忆中的纾解。她一直哭到全身发痛，精疲力竭，喘不过气来。

屋顶的椽架上有一巢麻雀。镇定下来之后，诺拉慢慢注意到小鸟轻柔的叫声和翅膀的拍打声。她跪着，手臂搁在前面一排长凳的椅背上，日光依然从窗户流泄而下，一道道斜斜的光线在地板上留下一圈圈光影。她不好意思地站起来，抹干脸上的泪水。祭坛的阶梯上有几根灰色的羽毛，诺拉抬头一看，刚好看到一只麻雀轻盈地从头上飞过，恰似广大黑影中的一个小黑点。这些年来，多少心怀秘密与梦想的人曾经坐在这里，有些较为沉重，有些较为舒缓；她不知道他们心中那股跟她一样深沉的悲伤，是否得到了舒缓。这个地方居然带给她这等安宁，想来实在没道理，却是千真万确。

她走到户外，眨眨眼迎向阳光。保罗坐在铁栏杆前面的一块石头上。

遥远的地方，布丽正走过草地，鞋子在手中摇摆。

他朝着墓园中散置各处的墓石点点头。"对不起，"他说，"我不该那么说。我不是那个意思。我只是想让爸爸生气，这样我才能跟着发火。"

"绝对不要再说那种话。"诺拉告诉他,"不要再说你的生命没有价值。绝对,绝对不要再让我听到那种话,也不要这么想。"

"我不会,"他说,"我真的很抱歉。"

"我知道你生气。"诺拉说,"你有权过你想要的生活,但你爸爸也没错。我们会对你做些限制。打破了限制,你就得自己想办法。"

说这番话时,她看也没看他一眼。转身时,她看到他的泪水流下脸颊,不禁大吃一惊。哦,昔日那个小男孩毕竟没有离开太远。她用尽全力抱住他。他真高,她的头只到他的胸部。

"唉,我爱你。"她对着他发臭的衬衫说,"我好高兴你回来了,但是你真的,真的好臭。"她笑着补了一句,他也笑了。

她用手挡住阳光,瞄了一眼田野那头的布丽。布丽朝着他们越走越近。

"离这里不远,"布丽大声喊,"再过去一点点。她说我们一定看得到。"

他们回到车里,再次穿过起伏的山丘,沿着狭窄的道路前进。开了几英里之后,他们看见柏树后面有几栋白色的建筑物,接着客西马尼修道院忽然矗立在眼前。青绿起伏的山野衬托着壮观、坚实、朴素的修道院。布丽把车开进停车场,停在一排飒飒作响的树下。他们下车之时,铃声开始响起,召唤修士们祈祷。他们站着聆听,清澈的铃声消逝于更清澈的空气中。牛群在附近吃草,云朵闲散地飘过天际。

"太美了,"布丽说。"你们知道吗?托马斯·默顿住过这里。我好喜欢想象那些时刻,也好喜欢想象住在院里的修士们日复一日做着同样的事。"

保罗已拿下太阳镜,深黑的双眼清澈明亮。他把手伸进口袋里,掏出一些小石头平铺在车盖上。

"记得这些吗?"诺拉抚摸光滑的石头时,保罗问道。石头扁平光滑,中间有个洞。"海百合,来自海中的化石。我摔断胳膊的那天,爸爸教我的。你在教堂里的时候,我在附近散步。这个地方到处都有海百合化石。"

　　"我忘了。"诺拉慢慢地说,但回忆突然涌现:保罗做了一条项链,她担心项链会缠住他,害他窒息。铃声在清澈的空中逐渐消散。衬衫纽扣般大小的化石,摆在手心里感觉轻盈而温暖。她想起戴维一把抱起保罗,从派对里一路抱着他,接好了他摔断的胳膊。戴维努力地想让全家过得好,试着弥补过去的疏失。但不知为什么,对他们每个人而言,做起来却始终那么困难,仿佛大家都在一片曾经覆盖这整片土地的浅海中游着。

一九八八年

一九八八年七月

一

戴维·亨利坐在家里楼上的书房里，窗户历经多年的风吹雨打变得模糊，而且有点歪斜。透过窗户，街景摇摇晃晃，忽高忽低，有点扭曲。他看着一只松鼠找到一颗坚果，跑到梧桐树上，梧桐树的叶片紧贴着窗户。罗斯玛丽跪在前廊旁，弯着身子在她制作的花床里埋下球茎和一年生的种子，长发随之晃动。她已将花园改头换面。她从朋友们的花园里取来萱草，在车库旁种了亚麻花，花朵盛开时，车库旁浮现出一片有如晨雾般的浅蓝。杰克坐在她身旁玩小卡车。他已经五岁了，长得很结实，一双深褐色的眼睛，金发中带点浅红，成天笑嘻嘻，天性纯真善良。他有时也很固执。晚上罗斯玛丽出去工作，戴维照顾他时，他坚持什么都自己来。我是大孩子了，他几天前对大家宣布，神情骄傲而庄重。

只要在安全、合理的范围之内，戴维就随他去。其实戴维很喜欢照顾这个小男孩。他喜欢念故事给杰克听，听着听着，小男孩快睡着了，头渐渐靠在他的肩膀上。他感觉得到杰克的重量与温暖。两人沿着人行道走去商店时，杰克的小手紧握着他，他非常喜欢那种受到信任的感觉。他几乎忘了保罗在杰克这个年纪的模样。那段回忆零星而难以捉摸。一想到这一点，戴维就感到难过。那时他专注于事业，诊所里非常忙。他还忙着摄影，但其实是出于罪恶感，所以才和儿子保持距离。如今，他这一生已经清楚地定了型：他把女儿交给卡罗琳·吉尔，秘密自此扎了根，而且在他家人之间苗壮生长。这些年来，他回家看到诺拉正在调酒，或是系上围裙，他心想她真漂亮，但他却几乎不了解她。

他一直没办法告诉她真相。他知道他如果吐露实情，他将完全失去她，说不定也会失去保罗。所以他全心投在工作以及生命中他可以掌控的部分，而在这些方面，他做得相当成功。但令人难过的是，他只记得保罗小时候的片段，这些短暂的时刻像照片一样清晰：保罗在沙发上睡着了，一只手垂落在空中，头发乱七八糟；保罗站在海浪中，浪花绕着他的膝盖急速旋转，他高兴又害怕地尖叫；保罗坐在游戏室的小桌子旁，一脸严肃地着色，他特别专心，甚至没有注意到戴维站在门口看他；保罗把钓线甩到寂静的水面中，直直地握住钓竿，几乎屏住呼吸，他和诺拉则在暮色中等着吃东西。

回忆虽然短暂，却美得令人难以承受。接下来就是少年时期，保罗离他比诺拉离得更远。他的儿子用音乐和愤怒撼动了整个家。

戴维拍拍窗户，跟杰克和罗斯玛丽挥挥手。他在匆忙中买下这栋联式房屋，成交前只看过一次，然后趁诺拉上班时回家打包。这是栋两层楼的老房子。房子几乎从中间隔成两半，以前豪华的房间被薄薄的隔间一分为二，连一度宽敞而优雅的楼梯也被切成两半。戴维选了面积较大的一栋，把另一栋的钥匙交给罗斯玛丽。过去六年来，他们比邻而居，中间只隔着薄墙，但每天见面。罗斯玛丽不时试图付房租，但戴维拒收。他叫她回学校读书，拿个文凭，以后再把钱还给他。他知道自己的动机并不完全无私，但他自己都无法解释她为什么对他这么重要。你送走女儿所留下的缺口，被我给填满了，她曾说。他听了点点头，想了想，但那也不是理由，最起码不完全是。他猜还有更多，说不定因为罗斯玛丽知道他的秘密。当年他一口气对她全盘说出自己的过去，那是他第一次，也是最后一次说起，而她只是聆听，没有加以评断，让戴维畅所欲言。他在罗斯玛丽面前不需掩饰。她知道他做了那些事，但她没有排斥他，也没有告诉任何人。很奇怪，这六年来，罗斯玛丽和保罗已成了朋友。刚开始有点不自在，后来两人讨论起共同关心的议题，诸如政治、音乐和社会正义等等，而且聊个没完。保罗偶尔来访时，他们从吃晚饭就开始争辩这些议题，一直持续到深夜。

有时戴维怀疑保罗藉此与他保持距离。这样一来，两人虽然共处一室，却不必谈到涉及个人隐私的话题。戴维偶尔试图改变这种局面，但保罗总是选择在这个时候离开，边打哈欠边推开椅子，忽然显得很累。

此时，罗斯玛丽抬起头，用手腕拂开脸上的一缕发丝，也跟他挥挥手。戴维储存好档案，走下狭窄的通道，中途停下来推开通往杰克房间的门。这栋屋子改建为联式时，这道门应该被封起来。但有天晚上，戴维一时冲动地转转门把，却发现门没被封住。这时，他很快把门推开。罗斯玛丽把杰克的房间漆成天蓝色，从路边捡来的床和衣柜则是纯白。一系列细致精美的剪纸贴在深蓝色纸张上，加上画框，挂在房间另一端的墙上。母亲和小孩，在树荫下玩耍的孩子，每幅图样都栩栩如生。罗斯玛丽一年前在一个艺术展中展示这些作品，订单竟开始接踵而至，令她相当惊喜。晚上她经常坐在厨房的桌子旁，就着明亮的灯光剪出一幅又一幅不同的图样。她没办法跟顾客保证她会剪出什么作品，她拒绝被规定某些特定的图样。因为图样已经在纸张里，她解释说，图样存在于纸张和她双手的动作之中，每一幅都是独特的。

戴维倾听着屋里的各种声音：微弱的滴水声、旧冰箱的嗡嗡低鸣。香水和婴儿爽身粉的味道浓郁，一件小孩的上衣搭在角落的沙发上，他深深吸了一口罗斯玛丽和杰克的气味，然后把门关好，继续走下狭窄的通道。他从未跟罗斯玛丽提起这道没有上锁的门，但他也从未越过这道门。尽管谣言满天飞，但他从未占她便宜，也从未涉入她的私生活。在这方面，他绝对问心无愧。

但知道这里有道门，他依然感到欣喜。

戴维得处理很多文件，但他还是下楼，他的跑步鞋放在后门口。他穿上鞋子，系紧鞋带，绕到屋前。杰克站在格子棚旁边，扯下玫瑰的花瓣，戴维蹲下来，把他拉近一点，感觉一下孩子的体温和稳定的呼吸。杰克在一个九月的傍晚出生，当时天快黑了，戴维开车送罗斯玛丽到医院。分娩的前六个小时，他陪着她下棋，帮她拿冰块。罗斯玛丽跟诺拉不同，她对自然分娩毫无兴趣。一觉得时候到了，她就用药物帮忙止痛；分娩的速度减缓时，她就用催产剂催生。阵痛越来越强时，戴维一直握着她的手，但当他们把她推进产房时，他留在原地。分娩是非常隐密的私事，他不该待在产房里。但罗斯玛丽抱着小杰克时，他是第一个守在他们母子身边的人。这些年来，他也像爱自己的儿子一样，疼爱这个小男孩。

"你闻起来怪怪的。"杰克边说边推推戴维的胸部。

"这是我臭臭的旧衬衫。"戴维说。

"出去跑步吗？"罗斯玛丽问。她蹲坐在脚后跟上，拍去手上的泥土。她最近瘦了，几乎是皮包骨。他担心她的步调太快，一边工作一边上课，把自己逼得太紧。她用手腕拭去额头上一颗细小的汗珠，留下一抹泥土印。

"没错，那些保险档案实在让人看不下去。"

"我以为你已经雇了人。"

"我确实雇了人。我想她还不错，但她下星期才能开始。"

罗斯玛丽若有所思地点点头。她苍白的眼睑捕捉住光线。她很年轻，才二十二岁，但她坚强而专注，举止带着一股远远超过她年纪的自信。

"今晚有课吗?"他问。她点点头。

"七月十二日是最后的一堂课,以后就不必修课了。"

"没错,我忘了。"

"你最近很忙。"

他点点头,感到一丝罪恶感。七月十二日,想到这个日期,他有点不安。想不到时间居然过得这么快。杰克出生之后,罗斯玛丽回学校读书。那时是阴冷的一月,同一个月里,有个他治疗了二十年的病人,因为没有保险而被诊所拒在门外。因此,他决定离开诊所,自己开业,不管病人有没有保险,只要他们上门,他就看诊。他的目的不在赚钱。保罗已经大学毕业,他的债务也早已还清,他大可做他喜欢的事。这些日子以来,他就像旧时代的医生,有时收取蔬菜水果当做医药费。有些病人帮他整理庭院,他们能负担多少,他就收多少。他想象自己再做个十几年,每天出诊,但慢慢减少工作量,直到他能活动的范围只限于这栋屋子、这座花园,以及走路去买菜和理发。诺拉说不定仍像蜻蜓一样在全球各地飞舞,但那不是他想要的生活。他想有个根,让根深深地扎入土中。

"我今天化学期末考,"罗斯玛丽边说边拔下手套,"然后,哈哈,课就修完了!"蜜蜂在忍冬花丛中嗡嗡作响。"我还有件事跟你说。"她说。她用力拉拉短裤,跟他一起坐在温暖的水泥台阶上。

"听起来挺认真的。"

她点点头,"没错。我昨天得到一份不错的工作。"

"在这里吗?"

她摇摇头,同时笑着对杰克挥挥手。小家伙正试着翻筋斗,四肢大张地落在草地上。"我想说的就是这件事。工作地点在哈里斯堡。"

"离你妈妈家不远。"他说,心却随之一沉。他知道她找工作已经找了一阵子。他一直希望她会留在附近,但也很清楚她很可能搬走。两年以前,她父亲忽然过世之后,罗斯玛丽已跟她母亲和姐姐重归于好，而她们也急着要她回家，一家人一起抚养杰克。

"没错，这份工作非常适合我：每星期上四天班，每天十小时。我如果想继续读书，他们还会支付学费。我可以拿个物理治疗师的学位，但最重要的是，我能多花点时间陪杰克。"

"还有人可以帮你。"他说，"你妈妈和姐姐都会帮忙。"

"是啊，这样真是不错。再说，我虽然喜欢肯塔基州，但这里感觉毕竟不是我的家。"

他点点头，心里为她高兴，却不敢让自己开口。他有时想象自己拥有整栋房子。他也许会把墙拆掉，扩大空间。慢慢的，这栋联式房屋将变成漂亮的独栋楼房，恢复昔日的光彩。但这些想法纯属想象。一听到她轻声在隔壁走动，或是晚上被杰克模糊的哭声吵醒，他心中就充满喜悦，这些想法很快就被抛在脑后。

他眼中涌出泪水。他笑了笑。

"嗯。"他边说边摘下眼镜，"我想这迟早会发生。我当然得恭喜你。"

"我们会来看你，"她把手放在他膝盖上，"我知道我们从没谈过此事，我甚至不知道该怎么提起。但你帮了我大忙，对我意义非常重大，我很感激，我永远都会记在心里。"

"有些人怪我太努力想解救大家。"他说。

她摇摇头。"从很多方面而言，你救了我一命。"

"好吧，就算这是真的，也是我的荣幸。天知道我对其他人造成了多大的伤害。我似乎永远帮不了诺拉太多忙。"

两人接下来都没说话，远处依稀传来除草机的轰轰声。

"你应该告诉她，"罗斯玛丽轻声说，"也该对保罗说。你真的应该让他们知道。"杰克正蹲在走道旁，把小圆石堆成一堆，让石头从指间滑落。"我没有权利说什么，这点我很清楚。但诺拉应该知道关于菲比的事。她不知道，这是错误的；她始终认为我们之间有些牵扯，这也不对。"

"我跟她说了实话，我们只是朋友。"

"是的，我们是朋友。但她怎么会相信？"

戴维耸耸肩。"这是实话。"

"但你没说出全部的事实，戴维。从某个奇怪的角度而言，因为菲比，因为我知道那个秘密，所以我们有了默契。但问题是，我以前觉得自己很特别，因为我知道了这件没人知道的事情。知道秘密也是一种权力，不是吗？但最近我不喜欢这种感觉，我不喜欢知道这件事，我本来就不该知道，不是吗？"

"没错。"戴维拾起一团泥土，放在手指间捻碎。他想到卡罗琳的那些信。搬进这栋房子之前，他已经把信烧掉。"你的确不该知道。"

"这么说，你理解吧？我的意思是，告诉她吧。"

"我不知道，罗斯玛丽，我不能答应你。"

他们在阳光下沉默地坐了几分钟，看着杰克再次试着在草地上翻筋斗。他是个灵敏的小家伙，天生具有运动细胞，喜欢跑跑跳跳。西弗吉尼亚州之行，解除了戴维埋藏多年的悲伤与失落。琼过世之时，他不知道如何描述自己失去了什么，也无法继续过他该过的日子。以前的人甚至觉得不应该提到死去的人，所以他们什么都没说，让悲伤残存在心中。不知为何，回家乡一趟，心情得到缓解。他回到列克星顿时虽已精疲力竭，但心情却沉静而平稳。经过这些年之后，他终于坚强到给诺拉自由，让她重新塑造她的人生。

* * *

杰克出生时，戴维用罗斯玛丽的名字帮他开了一个户头，也用卡罗琳的名字帮菲比开户。这并不难，他手边一直留着卡罗琳的社会安全卡号，也有她的地址。私人侦探不到一星期就查出卡罗琳和

311

菲比住在匹兹堡靠近公路的一栋又高又窄的房子里。戴维曾开车过去，停在街上，打算走上台阶敲门。他原本打算告诉诺拉实情，但他也得告诉她现在菲比在哪里，不然说什么都没用。他确信诺拉会想看看他们的女儿。换句话说，不但他自己、诺拉和保罗的生活将有所改变，连菲比也会受到影响。于是，他来这里告诉卡罗琳他的打算。

这样做对吗?他不知道。他坐在车里，天色渐晚，车灯在梧桐树叶旁一闪一闪。菲比在这里长大，这条街是如此熟悉，她八成觉得没什么稀奇。人行道被树根推挤得突出一块，警告标志在风中晃来晃去，车辆急速地来来往往，对他女儿而言，这些都是家的一部分。一对夫妻推着婴儿车走过，然后卡罗琳家的客厅亮起灯光。戴维下车，站在公交车站牌旁边，试着让自己看起来自然一点，即使他正遥望逐渐变暗的草地，目不转睛地盯着窗户。屋内，卡罗琳在灯光下走动，收拾客厅，把报纸摆在一起，折叠毛毯。她穿了一件围裙，动作熟练而专注。她站起来舒展一下筋骨，扭过头说话。

戴维看见她了:菲比，他的女儿。她在饭厅里，坐在餐桌旁。她有一头跟保罗一样的黑发，也有保罗的轮廓，戴维一时觉得仿佛正看着儿子。他向前走了一步，菲比走出他的视线之外，然后端着三个盘子回来。她矮壮结实，稀薄的头发用发夹夹在身后，戴了副眼镜。尽管如此，戴维依然看得出相似之处:菲比有着保罗的微笑、保罗的鼻子。当她把手搁在臀部，察看桌子时，脸上专注的表情跟保罗一模一样。卡罗琳走进房里，站在菲比旁边，伸出手臂环住菲比，热情地抱抱她，两人随之展颜欢笑。

到了这时，天色已完全暗下来。戴维呆呆地站在原地，暗自庆幸周围有几个人走来走去。落叶沿着人行道在风中飞舞，他把夹克拉紧一点，他想起菲比出生的那个晚上，他觉得好像置身高处看着自己。现在他终于明白，当年的形势超过了他的掌握，他被排除在外，仿佛根本不在场。这些年来，菲比始终出现在他眼前，但她只是个抽象的影子,而不是一个小女孩。如今她就在前方,忙着把水杯摆在桌子上。她抬起头,一个满头黑发的男人走进来说了几句话,逗得她露出微笑。他们三个人坐在桌旁,开始吃饭。

戴维回到他的车里。他想象诺拉跟他一起站在黑暗中,看着他们的女儿逍遥自在地过日子,完全不知道他们的存在。他已经让诺拉伤心,他的欺瞒对她造成他永远无法想象的痛苦,而他却从未想要伤害她。但他可以让她免于承受这一切,他可以开车离去,不要干扰过去。最后,他就是这么做了,彻夜驶过俄亥俄州一望无际的平原。

* * *

"我不明白,"罗斯玛丽看着他说,"你为什么不能答应我?跟她说才对。"

"这会造成太多伤害。"

"真正去做了,你才会知道结果。"

"我大概猜得到结果。"

"但是,戴维……最起码考虑一下,好吗?"

"我每天都在考虑这件事。"

她难过地摇摇头,然后悲伤地微微一笑。"好吧,那我再跟你说另一件事。"

"什么事?"

"我和斯图尔特要结婚了。"

"你年纪太轻,现在结婚太早了。"他马上回答,两人随即大笑。

"我跟那些山丘一样老啰。"她说,"大多数时候,我都有这种感觉。"

"好吧,"他说,"我再说声恭喜。这个消息虽然不令人惊讶,但还

313

是件喜事。"他想到高大、运动神经发达的斯图尔特·韦尔斯,脑海中顿时浮现"英武"一词。他是个呼吸治疗师,这几年来始终深爱着罗斯玛丽,但她请他等到她毕业之后再说。"罗斯玛丽,我真替你高兴,斯图尔特是个很好的年轻人,也很爱杰克。他在哈里斯堡找到工作了吗?"

"还没,他正在找。他在这里的合约月底才到期。"

"哈里斯堡的工作好找吗?"

"还可以,但我不太担心。斯图尔特相当出色。"

"这点我绝对相信。"

"你生气了?"

"不,不,我一点都没生气。但这些消息让我有点难过,也让我觉得自己老了。"

她笑了,"跟那些山丘一样老?"

这下他们都笑了,"喔,老得太多太多了。"

他们沉默了一会儿。"这些都是凑巧。"罗斯玛丽说,"所有事情都刚好发生在上个礼拜。我想等到确定被录取再告诉你。我一拿到工作,斯图尔特和我就决定结婚。我知道这些消息一定很突然。"

"我喜欢斯图尔特,"戴维说,"我等着当面恭喜他。"

她笑着说,"事实上,我还在想你愿不愿意参加我的婚礼,把我交给新郎?"

他看看白皙的她。她喜形于色,似乎再也掩饰不住喜悦。

"这是我的荣幸。"他严肃地说。

"婚礼会在这里举行。规模很小,很简单,也不铺张,时间是两星期以后。"

"你真的不浪费任何时间。"

"我不需要再考虑了,"她说,"每件事情的感觉都很对。"她瞥了一眼手表,叹了口气。"我得走了。"她站起来拍去手上的泥土,"来,

314

杰克。"

"如果你要我帮忙的话，你去换衣服的时候，我可以看着他。"

"那可真是帮了我一个大忙，谢谢。"

"罗斯玛丽。"

"怎么了？"

"我是说杰克的照片，让我看看他长大的模样？还有你们母子在新家的照片？"

"当然，当然。"她抱着双臂，踢踢台阶的边缘。

"谢谢。"他简短地回答。一想到他错失了自己的一生，只顾着埋头于镜头和悲伤之中，心里又难过了起来。大家以为他之所以放弃摄影，是因为匹兹堡那名黑发女子以及她的负面评价。大家猜测他已不再受宠，受到了挫折。没有人相信他只是不在乎，但这是真的。从站在那两条大河的交汇点之后，他再也没有拾起相机。他已放弃摄影，也不想把世界转化为其他影像，比如说，将人体转化为世界，或是让世界转化为人体。这种艺术与技术太耗费心神。有时他在教科书、办公室的墙上或是某些人家中看到自己的作品，照片展现了完美的技巧和冷淡的美感，甚至隐含着某种空虚，似乎渴望些什么。他看了总是一惊。

"你不能让时间停留，"他说，"你捕捉不住光线。你只能抬起头来，让光线照在你的脸上。尽管如此，罗斯玛丽，我还是想要你和杰克的照片。最起码这些照片能让我看看你们过得怎样，也会让我很开心。"

"我会寄很多照片给你。"她拍拍他的肩膀保证，"照片会多得把你淹没。"

她去换衣服时，他坐在台阶上，在阳光下感觉懒洋洋的。杰克在玩小卡车。你应该告诉她，他摇摇头。坐在车里，像个偷窥狂似的观看卡罗琳一家之后，他打电话给匹兹堡的一位律师，设立了那些信托基金。他过世之后，他们可以省略认证手续。杰克和菲比将受到妥善照顾，而且诺拉永远没必要知道这些事。

罗斯玛丽带着肥皂的香味回来，穿着裙子和平底鞋。她牵着杰克的手，肩上背着一个蓝绿色的背包。她看起来年轻、坚强、纤细，头发依然湿润，眉头轻皱，一脸专注。她会顺便送杰克到保姆家。

"哦，"她说，"刚才讲了一大堆事，我差点忘了：保罗打过电话来。"

戴维心跳加速。"是吗？"

"是的。他今天早上打电话来，他那边是半夜。他刚听完音乐会回家。他说他在塞维尔 (Serville)，他已经在那里待了三个礼拜，跟一个人学佛朗明哥吉他。我忘了那人叫什么，但听起来很出名。"

"他开心吗？"

"他听起来挺开心的。他没留下电话号码，他说他会再打来。"

戴维点点头，很高兴知道保罗平安，而且打了电话过来。

"祝你考试顺利。"他站起来说。

"谢谢，我只求及格就好。"

她笑了笑，然后挥挥手，牵着保罗穿过狭窄的石头通道，走向人行道。戴维看着她离去，试图捕捉住这个时刻：她那颜色鲜艳的背包、她那在身后摇摆的头发、杰克伸出空着的小手去抓树叶和树干。他想让这一刻永远停驻在脑海中，但这当然是徒劳。她每向前走一步，他的记忆就随之消逝。有时他看到保存在一些旧盒子或是档案夹里的照片，不禁微微感到惊讶。照片中他跟着一些他已经忘了名字的人笑得很开心，照片中的保罗带着他在现实生活中从未见过的表情。他盯着这些照片，却已经想不起那些时刻。再过一年，或是再过五年，他还记得多少？阳光照在罗斯玛丽的发际，她的指甲间残留着一些泥土，身上隐约带着一股肥皂清香，他会记得吗？

但无论如何，这就足够了。

316

他站起来伸展一下筋骨，慢慢跑向公园。跑了一英里后，他想起另一件困扰了他一早上的事，这事比罗斯玛丽的期末考更重要：七月十二日正是诺拉的生日，她已经四十六岁了。

真令人难以相信。跑着跑着，他的步伐渐趋规律而自然。他想起诺拉在他们结婚那天的模样：他们走到户外，迎着晚冬清朗的阳光，站在人行道上跟宾客们握手。微风掀起她的面纱，面纱轻轻扫过他的脸颊。茱萸枝头的残雪像云朵般飘下。

他离开公园，直接跑向往日的住处。罗斯玛丽没错，诺拉应该知情，他决定今天就告诉她。他将回到他们以前的家，诺拉还住在那里；他将在家里等她回来，然后向她全盘托出。但他无法想象诺拉会作何反应。

你当然无法想象，罗斯玛丽曾说，这就是人生，戴维。多年以前，你能想象得到自己会住在这个狭小而老旧的联式房子里吗？你再过一百万年也想象不到会碰上我吧？

嗯，她说得没错：他现在的生活确实不如原本的想象。当年他以一个陌生人的姿态来到这个城市，现在每条街道都如此熟悉，每个脚步及每个影像都深深地存留在记忆之中。他看到人们种下这些树，也看着树木茁壮成长；他经过每栋熟悉的房屋，这些年来，他曾受邀到屋里吃晚餐或饮酒小聚，也曾因为紧急状况进入屋里，深夜中站在走廊或门厅，开药或是打电话叫救护车。层层影像交互相叠，绵密又复杂，而且只有对他才有意义。诺拉或保罗可能经过这些地方，也看到某些不同的影像。影像虽然不同，却是同样真实。

戴维转个弯，跑到以前住的那条街。他已经好几个月没来这里。他很惊讶地发现前廊的柱子被拆了下来，几排二乘四英尺的木板撑住了屋顶，前廊的地板看来有点腐蚀，却看不到工人的影子。车道空荡荡的，诺拉不在家。他绕着草地走了几圈，稳住呼吸，然后走到杜鹃花丛旁，从其中一片砖块下取出藏着在那里的钥匙。他自己开门进去，倒了一杯水。房子里有股霉味，他推开一扇窗户，微风掀起透明的白窗帘。这些窗帘是新做的，地板瓷砖和冰箱也是新的。他又帮自己倒了一杯水，然后在家里走了一圈，他很好奇还有哪些改变。家里各处都有些小变化：饭厅多了一面新镜子，客厅的家具换了新布料，也移动了位置。

楼上的卧室还是老样子。保罗的房间象征着青少年的彷徨与愤怒。墙上贴了几张四重奏乐团的海报，很少有人听过这些乐团。告示板上钉着几张票根，墙面漆着惹人厌的深蓝色。整个房间看起来像个洞穴。他进了朱丽亚音乐学院，虽然得到了戴维的称许，戴维也支付一半学费，但保罗依然清楚地记得过去。他始终忘不了戴维曾对他缺乏信心，认定他的音乐才华不足以养活自己。他总是从每个表演的城市寄明信片过来，随函附上节目单和乐评，似乎有意对戴维说，你看看，我成功了，仿佛连他自己也不敢相信似的。有时戴维来到离家一百英里，甚至更遥远的辛辛那提、匹兹堡、亚特兰大或是孟菲斯，悄悄溜到黑暗的观众席后方，欣赏保罗演出。他低着头弹吉他，手指娴熟地移动。有如语言般神秘、美丽的音乐让戴维感动地热泪盈眶。有时他真想走下一排排黑暗的观众席，一把将保罗抱在怀里。但他当然从没这么做；他只是悄悄离去，没人见到他的踪影。

主卧室的摆饰完美无瑕，而且久未使用。诺拉已搬到前面一个比较小的房间，房间里的床单还皱皱的。戴维想把它拉直，但动手之前把手缩了回来，仿佛整理床铺会严重侵犯她的隐私。然后他下楼。

他想不通：现在已是午后，诺拉应该在家。如果她不快点回来，他就要走了。

电话旁的桌上摆了一本黄色的笔记簿，上面写满了让人看不懂的注意事项：八点前打电话给珍，另外再约时间；汤姆的时间不确定；十点前送货；别忘了邓菲和机票。他仔细、整齐地撕下这一页，把它摆在桌子正中央，然后把笔记簿拿到早餐室，在桌旁坐下来，开始动笔。

我们的小女儿没死。卡罗琳·吉尔带走了她,在另一个城市把她抚养长大。

他把这一行划掉。

我送走了我们的女儿。

他叹了一口气,放下笔。他没办法这么做。少了这个秘密的重担,他根本无法想象怎么过日子。他已把秘密视为某种天谴。他看得出这种想法有点自暴自弃,但事实就是如此。人们抽烟,从飞机上跳下来,喝酒过量,开车时不系安全带,他则拥有这个秘密。新窗帘贴着他的手腕飘摇,楼下卧室的水龙头依稀传来滴水声,这事已困扰了他多年,他也一直打算修理。他从笔记簿上扯下这张纸,把它撕成小碎片,放到口袋里,准备过一会儿丢掉。然后他走到屋外的车库里,翻找他留下的工具,终于找到一把扳手和一组备用水龙头胶垫。

他花了一个多小时才把浴室的水龙头修好。他把水龙头拆开,把网罩上的沉淀物洗干净,换上新胶垫,旋紧水龙头。黄铜把手生锈了,他在洗手槽下面的咖啡罐里找到一只旧牙刷,用牙刷将把手刷得亮晶晶。完工之后已经六点,这在盛夏还不算晚。阳光依然从窗户照进来,但太阳已逐渐低垂,在地上留下一道道斜长的光影。戴维在浴室里站了一会儿,看到黄铜闪亮的模样,感到非常满意。四下的沉静也让他欣喜。厨房里电话响了,留言机传来一个陌生的声音,十万火急地说些关于蒙特利尔的机票等等,讲到一半忽然又说:哦,该死的,我忘了你已经跟弗德瑞克去欧洲了。他也记得此事,她告诉过他,但他故意忘记。不,他特意将此事抛在脑后。他不想知道她到巴黎度假,也不想知道她跟一个来自魁北克的加拿大人交往,这人在方方正正的 IBM 大楼上班,还会说法语。提到他时,她的声音变得很温柔,他从未听过她用这种语调说话。他想象诺拉用肩膀夹住听筒,一边讲话一边把数据输入计算机,抬头一看才发现早已过了晚餐时间;他也想象诺拉昂首阔步地穿过机场通道,带领她的团队走向大巴、餐厅、旅馆和观光景点,而她总是带着无比的自信安排一切。

嗯,最起码水龙头修好了。她看了会高兴,他也感到愉快,因为他一私不苟地完成了一桩差事。他站在厨房里,伸展一下双臂,准备继续跑完全程。他再度拿起黄色的笔记簿。

我修好了卧室的水龙头,他写道,生日快乐。

然后他便离开,锁上身后的大门,迈步奔跑。

二

诺拉坐在卢浮宫公园的石凳上,大腿上搁着一本摊开的书,观看白杨树银白的树叶在空中飘荡。鸽子在她脚边的草地上摇摇摆摆地走动,一边啄食,一边拍动斑斓的翅膀。

"他迟到了。"诺拉对布丽说,布丽坐在她旁边,一双长脚在脚踝处交叉,随意翻阅杂志。四十四岁的布丽非常漂亮,身材高挑纤细,青绿色的耳环贴着橄榄色的肌肤晃动,头发一片银白。在接受化疗期间,她把头发剪得非常短。她说她不想再浪费生命赶时髦。她很幸运,而她也很清楚这一点。医生们早早发现了肿瘤,她已经脱离癌症的阴影五年了。但这件事改变了她,从大处和小处看来都是如此。她更加笑口常开,减少了工作时间,周末还到各地的小区当义工。她在西肯塔基州参与兴建住屋时认识了一位亲切、健壮、幽默风趣的男人,这人名叫本,是个牧师,太太刚过世。他们在佛罗里达州再次碰面,后来在墨西哥又相逢。在最近一次旅途中,他们悄悄地结婚了。

"保罗会来,"布丽抬头说,"毕竟这是他的提议。"

"没错,"诺拉说,"但他谈恋爱了。我只希望他记得。"

空气炎热干燥。诺拉闭上眼睛，回想起四月底的一天，保罗突然出现在她的办公室。他下一场演出之前还有几小时，所以决定回家一趟，这令她非常惊喜。高大的他依然削瘦，坐在她办公桌边，拿起她的镇纸在两手间丢来丢去，同时描述夏天到欧洲巡回演出的计划，他还打算花整整六星期在西班牙跟一位吉他大师习艺。她和弗德瑞克已经计划到法国旅行。当保罗得知大家有一天刚好都在巴黎，就从她桌上抓了一支笔，在挂在办公室墙上的日历上草草写下"卢浮宫、七月二十一日、五点"。跟我在公园碰面，我请你吃晚饭。

几星期后，他启程前往欧洲，偶尔从乡间小屋或是海边的小旅馆打电话来说他爱上了一位长笛手、天气很好、德国的啤酒很棒等等。诺拉听着，试着不要担心或是问太多问题。毕竟保罗现在是大人了，他身高六英尺，肤色跟戴维一样黝黑。她想象他赤足走在沙滩上，弯下身子跟女朋友小声说话，鼻息轻触着她的耳朵。

她非常谨慎，甚至从未询问过他的行程。因此当布丽从列克星顿的医院来电话时，她不知道怎么联络他，告诉他这个惊人的消息：戴维在植物园里跑步时，忽然严重的心脏病发作，不治身亡。

她睁开双眼。夏日午后的热气中，周围充满生气，又有点朦胧。树叶在蓝天下闪烁着光芒。她一个人飞回家，在飞机上不断从梦中惊醒，梦里总在寻找保罗。葬礼从头到尾，布丽都陪着她，而且不让她单独回巴黎。

"别担心，"布丽说，"他会来的。"

"他错过了葬礼。"诺拉说，"我永远都会觉得愧疚。戴维和保罗从来没把事情谈开，我觉得保罗一直对戴维离家耿耿于怀。"

"你就不耿耿于怀？"

诺拉看看一头短发、皮肤白皙的布丽。布丽绿色的双眼沉着而目光灼灼。诺拉望向别处。

"那听起来像是本问的问题。我想你大概跟牧师相处太久了。"

布丽笑笑，但继续追问，"问问题的不是本，"她说，"而是我。"

"我不知道。"诺拉慢慢地回答，心里想着最后一次看到戴维时，他刚跑完步，端着一杯冰茶坐在前廊。他们离婚六年，婚姻也维持了十八年，她认识他已近二十五年，等于是四分之一个世纪，超过了半辈子。布丽来电告知他的死讯时，她怎么都不能相信这是真的，根本无法想象世上少了戴维。直到葬礼结束之后，悲伤才涌上心头。"很多话都没来得及对他说，但最起码我们聊了几次。有时他来家里修修东西、打个招呼等等，我想他很寂寞。"

"他知道你和弗德瑞克吗？"

"不知道。有次我试着跟他说，但他似乎没听进去。"

"那听起来像戴维。"布丽评论，"他和弗德瑞克真不一样。"

"没错，没错。他们相当不同。"

她脑海中突然闪过一个景像：列克星顿，弗德瑞克站在暮色的阴影中，把细沙填到杜鹃花丛周围的泥土里。一年多前，他们在另一个干热的夏日、另一个公园里相遇。费了很大功夫才争取到的 IBM 客户，依然是诺拉获利最多的客户之一。所以尽管她头痛，远处又依稀传来隆隆的雷声，她还是参加了 IBM 的公司野餐。弗德瑞克一个人坐着，看起来有点严厉，难以沟通。诺拉给自己弄了一盘食物，坐到他旁边。他若不想开口，她也不在乎。但他笑了笑，亲切地跟她打招呼，而且绞尽脑汁跟她说话。他的英文带点法国腔，原来他是魁北克人。暴风雨愈来愈逼近，其他人收拾东西离开，他们则聊了好几个小时。下起雨时，他已邀她共进晚餐。

"弗德瑞克在哪里？"布丽问，"你不是说他会来吗？"

"他想来，但他被派到奥尔良出差。他在那里有些亲戚，有个远房二表哥还住在一个叫做"新堡"的地方。你想不想到那种地名的小镇住住？"

"那里说不定也会堵车，甚至也有心情不好的时候。"

"我希望不会。我希望大家每天早上走路到市场,买些新鲜面包和一盆鲜花回家。总而言之,我对弗德瑞克说我会去。他和保罗处得很好,但我最好单独告诉他这个消息。"

"没错。他一到,我也打算悄悄开溜。"

"谢谢。"诺拉边说边拉起她的手,"谢谢你为我做了这么多。葬礼上你帮了我很多忙。上个礼拜如果没有你,我真不知道怎么过下去。"

"你欠我的可多着呢。"布丽笑着说,然后露出沉思的表情。"如果可以这么说的话,我觉得那是一场美丽的葬礼。很多人出席。我很惊讶戴维打动了这么多人。"

诺拉点点头,她也很惊讶。布丽小小的教堂挤满了人,等到典礼开始时,人潮已经挤到教堂最后面。葬礼之前的几天,凡事一片模糊。本和蔼地带着她挑选音乐、祷词、棺木和鲜花,还帮她写讣闻。尽管如此,有事情做总比没事做好。诺拉麻木而有效率地处理事情,藉此隐藏心中的悲伤,直到典礼开始才崩溃。那时她哭得很伤心,人们一定觉得奇怪。那些古老而优美的祷词顿时有了新的意义。但她不仅仅为戴维而哭泣。多年之前,他们曾经一起参加女儿的追思会。从那时开始,两人就产生了距离。

"因为那个诊所。"诺拉说,"他这些年来主持了一家诊所。大部分的来宾都是他的患者。"

"我知道。想想实在令人惊讶。大家似乎认为他是个圣人。"

"他们没有嫁给他。"诺拉说。

树叶在炎热的蓝天下飘动。她又环顾公园,看看保罗来了没有,但依然不见人影。

"哎,"诺拉说,"我不敢相信戴维真的过世了。"即使已经事隔数日,这些字句依然让她微微颤抖。"不知道怎么回事,我觉得自己老了。"

323

布丽拉起她的手，两人静静地坐了几分钟。布丽的手贴着她的掌心，感觉平滑又温暖。诺拉觉得这个时刻不断增长、扩充，好像可以包容整个世界。她记得多年以前，保罗还是小宝宝时，她坐在宁静的黑暗中喂他吃奶，当时她也有类似的感受。他现在长大了。他站在火车站里、落叶缤纷的人行道上，或是大步穿过街道；他驻足于商店橱窗之前，伸进口袋里拿车票，或是用手遮住双眼挡光。他从她身体里出生、长大。如今，令人诧异地，他却没有带着她游走四方。她也想到坐在会议室里的弗德瑞克，一边点头一边浏览文件，准备发言时就把双手平贴在桌面上。他手臂上的毛发是黑色的，修长的指甲剪得四四方方。他每天刮两次胡子，如果忘了，晚上把她拉进怀里亲吻她的耳后根调情时，新长出来的胡渣就会刮过她的脖子。他不吃面包或甜食。如果没有一早就拿到报纸，他会非常不耐烦。这些小习惯有时甜蜜，有时烦人，但都是弗德瑞克的一部分。今天晚上，她将与他在河边的旅馆碰面，他们会享用美酒，她半夜会醒来，月光流泄而入，房里听得见他轻微、平稳的呼吸声。他想结婚，而这也等着她做决定。

诺拉的书从手中滑落，她弯下身子把书捡起来。她用一本小册子当书签，梵高的名画《星空》在小册子的封面上回旋延展。当她再坐直时，保罗正穿过公园。

"啊。"她说，心中顿时一阵欣喜。每次看到他，看到她的儿子好端端地活在世上，她就满心欢喜。她站了起来。"他在那里，布丽，保罗来了！"

"他真帅。"布丽说，同时也站了起来，"这一定是遗传我。"

"肯定是的，"诺拉表示同意，"但没有人知道他从哪里遗传到音乐的天赋。我们姊妹两人和戴维都没有音乐细胞。"

保罗的天赋，是啊。她看着他走过公园。那是个难解的秘密，却也是上天的赠与。

保罗举起一只手，边挥手边开心地笑。诺拉朝他走过去，把她的书留在石凳上。她的心兴奋而愉快地跳动，却也充满了悲伤和忧虑；她在发抖。有了他，世界显得如此不同！她终于走到保罗身旁，紧紧地抱住他。他穿了一件白衬衫和卡其裤，袖子卷了上去，闻起来干干净净，好像刚洗过澡。透过衣料，她感觉到他的肌肉、强壮的筋骨和体温。她顿时明白了戴维为什么想让时光停驻在某一刻。你不能怪他，不，你不能怪他想深入每一个稍纵即逝的时刻，好好研究蕴含其间的奥秘，藉此抗拒失落与变迁。

"嗨，妈。"保罗边说边抽身看着她。他的牙齿洁白而整齐，完美极了；他留了黑色的胡须。"真高兴在这里见到你。"他笑着说。

"没错，是很高兴。"

布丽已走到两人身旁，她也上前一步拥抱保罗。

"我得走了。"她说，"我只等着跟你打个招呼。你看起来好极了，保罗，流浪的生活显然很适合你。"

他微微一笑，"你不能留下来吗？"

布丽瞄了诺拉一眼。"不行，"她说，"但我们很快就会再见面，好吗？"

"好，"保罗说，弯下腰亲了一下她的脸颊，"没问题。"

布丽转身离开时，诺拉用手腕的背面抹去眼中的泪水。

"怎么了？"保罗问，一下子严肃起来，"出了什么事？"

"来，坐下来。"她边说边拉起他的手臂。

他们一起穿过公园，走到石凳旁。一群鸽子拍动着翅膀，赫然飞向空中。她捡起她的书，手指轻抚书签。

"保罗，我有个坏消息要告诉你。你爸爸九天前心脏病发作去世了。"

他惊讶、哀伤地睁大双眼，然后望向别处，一语不发地瞪着刚才走向诺拉，走向这个时刻的小径。

"什么时候举行的葬礼？"他终于问。

"上星期。保罗，我真的很抱歉，我们没时间联络你。我想通知大使馆，请他们帮忙找到你，但我不知道从哪里开始，所以我今天才来到这里，希望你会出现。"

"我差点错过了火车，"他凝重地说，"我差点没赶上。"

·"但你赶上了，"她说，"你人在这里了。"

他点点头，倾身向前，把手肘搁在膝盖上，双手交握在两膝之间。她记得他小时候强忍住悲伤时，也摆出这种坐姿。他握紧双拳，然后放松。她把儿子的手拉到自己手里，他的指尖因为长年弹奏吉他而起了茧。他们坐了很久，聆听微风飒飒地吹过树叶。

"难过也没关系，"她终于说，"他毕竟是你爸爸。"

保罗点点头，但脸色依然像拳头一样紧绷。当他终于开口时，声音听起来好像濒临崩溃。

"我从没想过他会死，也从没想过我会在乎。我们从来不曾好好谈一谈。"

"我了解。"她确实了解。布丽来电话之后，诺拉沿着绿叶成荫的街道向前走。她放声哭泣，气戴维就这样走了。从此之后，她再也没机会跟他把事情讲清楚。"以前，最起码还有说话的机会。"

"没错，我一直等他先开口。"

"我想他也等着你先开口。"

"他是我爸爸，"保罗说，"他应该知道怎么做。"

"他爱你，"她说，"绝对不要以为他不爱你。"

保罗轻轻地苦笑一声。"这话听起来很顺耳，但事实并不如此。我去他家找他，我也试了。我待在那里跟他东聊西聊，但我们从来没有深谈。在他眼里，我做什么都是错的，大概另外一个儿子会让他快乐一点。"他的语调依然镇定，但眼角已积满了泪水。泪水从脸颊滑落。

"亲爱的，"她说，"他爱你，他真的爱你。他觉得你是最令人惊奇的孩子。"

保罗愤愤地从脸上抹去泪水。诺拉觉得悲哀与伤痛哽在喉头，过了一会才说得出话。

"你爸爸，"她终于说，"很难向任何人吐露心事。我不知道为什么。他在穷苦的环境里长大，总是因此感到羞愧。保罗，我真希望他能看到有多少人来参加他的葬礼。我有签名簿，你可以自己看看，许多人相当敬爱他。"

"罗斯玛丽也在场吗？"他边问边转身面向她。

"罗斯玛丽？是的，在。"诺拉暂时沉默下来，让温暖的微风轻轻吹过脸庞。葬礼结束时，她瞄了罗斯玛丽一眼。罗斯玛丽穿着一件式样简单的灰衣服坐在最后一排。她依然一头长发，但看起来成熟沉稳多了。戴维生前总是坚称他们之间从来没有感情牵扯。在她内心深处，诺拉知道这是真的。"他们不是恋人，"诺拉说，"你爸和罗斯玛丽。事情跟你想的不一样。"

"我知道。"他坐直一点，"我知道。罗斯玛丽对我说了，我相信她。"

"她对你说了？什么时候？"

"爸爸带她回家的那一天，也就是头一天。"他看上去有点不自在，但继续说，"我去找爸爸时，有时候会在那里碰到她，大家就一起吃晚饭。有时候爸爸不在，我就留下来陪罗斯玛丽和杰克。我看得出来他们之间没有任何牵扯。有时候她的男朋友也在那里，我不知道，我想那种感觉有点奇怪，但我也习惯了。罗斯玛丽人还不错。我跟爸爸从来没有好好谈过，原因不在她。"

诺拉点点头，"但是保罗，你对他很重要。唉，我了解你的意思，因为我也有同样感觉。那种距离，那种生疏，那种有道高墙，跨也跨不过去的感觉。过了一阵子之后，我就放弃了尝试，再过得久一点，我已经不期待墙上出现一道门。但在那道墙的背后,他爱我们母子。我不知道我为什么知道,但我真的知道。"

保罗没说话,不时拭去眼中的泪水。

天气凉爽了一点。人们出来散步,悠闲地走过公园。情人们手牵手,夫妻带着孩子,还有独自行走的路人。一对上了年纪的夫妻走过来,太太身材高大,一头白发,先生有点驼背,脚步缓慢。她挽着他的胳膊,微微弯下腰同他说话。他严肃地点点头,皱着眉头遥望公园的铁门,凝视着她叫他看的某样东西。诺拉看到两人亲密的模样,心中一阵刺痛。曾经,她想象自己和戴维像这对夫妻一样一起步入晚年,两人的生活有如藤蔓般缠绕在一起,藤叶绕着枝干,叶片密不可分。唉,她以前真是太守旧了,连遗憾都是那么老式。她以前总是想象结婚之后,她就像某种美丽的花苞,被锐利、坚韧的花萼团团围住;她的生活纳入了另一半的生活中,受到包容与呵护。

但相反,她找到了自己的路,创办了一番事业,抚养保罗,周游世界。她成了花瓣、花萼、枝干、叶片,也成了深入土中长长的白色花根。她为自己感到高兴。

经过她身旁时,这对老夫妻用英文交谈,争辩着晚上要去哪里吃饭。两人带着南方口音,诺拉猜想大概是德州人。先生想找家牛排馆,吃些熟悉的食物。

"美国人真让我厌烦。"他们一走出听得见他说话的范围之外,保罗马上说,"美国人看到同胞就高兴得不得了,看了让人以为世上没有两亿五千万美国人。他们既然已经到了法国,你还以为他们会想跟法国人聊聊呢。"

"你最近跟弗德瑞克聊了不少吧?"

"没错,有何不可呢?在美国人的傲慢这一点上,弗德瑞克说得对极了。嗯,他在哪里?"

"跟平常一样忙着工作。他今天晚上会回来。"

她脑海中再次突然浮现那个影像：弗德瑞克走进旅馆房间，把钥匙摆在衣柜上，拍拍口袋确定钱包还在。他身上那件洁白的衬衫捕捉住最后一道阳光，衬衫的衣领总是笔挺，两边领角扣上纽扣。每天晚上回家之后，他随手把领带扔在椅子上，低声呼唤她。在他低沉的嗓音中，她的名字显得特别真实。说不定正是因为他的声音，她才爱上他。他们有许多相似之处：孩子都长大了、离过婚、工作非常忙碌等等，但因为弗德瑞克在另一个国家过了大半辈子，一半时间说另一种语言，所以让诺拉觉得充满异国情调，感觉又熟悉又陌生，仿佛既是一个古老的国家，又感觉依然新奇。

"你玩得开心吗？"保罗问，"喜欢法国吗？"

"我在这里一直很开心。"诺拉说。这也是真话。弗德瑞克觉得巴黎太拥挤，大不如前，但诺拉觉得巴黎非常迷人。四处都面包和糕饼店，在路边的小摊还能买到法式薄饼；古老建筑物的尖塔和钟铃令人着迷，还有像小溪般汩汩流淌的法语，这里冒出一句，那里冒出一句，宛如溪中的小圆石。"你呢？巡回表演还好吗？你还在谈恋爱吗？"

"啊，没错。"他说，脸色放松了一点。他直直地盯着她说："你打算嫁给弗德瑞克吗？"

她轻抚着小册子尖锐的一角。这始终是个无法回避的问题：她应该改变她的生活吗？她爱弗德瑞克，她从来没有像现在这么快乐。但在一团欣喜中，她也明白，到了某个时候，他那些迷人的生活习惯说不定会惹恼她，她的习惯也会让他生厌。他喜欢维持原状，从把被子叠成完美的四十五度角到报税的税单，事事一丝不苟。从这方面而言，他让她想起戴维，但他们两人在其他方面完全不同。她年纪大了，经验也丰富，也知道凡事不可能尽善尽美，没有任何事情是一成不变的，包括她自己在内。但弗德瑞克一走进房里，气氛似乎就随之改变，周围洋溢着一股热情，贯穿她的全身。她想看看接下来会有什么发展。

"我不知道。"她慢慢地说,"布丽愿意买下旅行社。弗德瑞克的合约还有两年才期满,所以我们不必急着做决定。但我可以想象自己跟他一起生活,这是好的开始吧。"

保罗点点头,"上一次也是这样吗?你知道的,你跟爸爸交往的时候?"

诺拉看着他,不知道该如何回答这个问题。

"是,也不是。"她终于说,"我现在实际多了。当年我只想被人照顾,我还不太了解自己。"

"爸爸喜欢照料一切。"

"没错。他确实是的。"

保罗苦笑着说:"没想到他已经过世了。"

"我知道,"诺拉说,"我也无法相信。"

他们沉默地坐了一会,空气绕着他们轻微地流转。诺拉翻阅小册子,想起博物馆里的清凉以及脚步声的回音。她在《星空》前面站了将近一小时,仔细研究回旋的色彩以及精准生动的笔触。梵高为什么触动她的心弦?画中泛着某种光芒,令人捉摸不定。戴维在世之时,把相机的焦点停驻在最微小的细节,执着于光线和影子,努力将事物留驻在原处。现在他走了,他观看世界的方式也随他而去。

保罗站起来向公园那头挥手,脸上的悲伤不见了,取而代之的是愉快、热情、专注的笑容。他在对着一个人微笑。诺拉顺着他的目光,看到草地的另一端有位年轻女子。她细长的脸颊秀美细腻,肤色有如成熟的橡树核,一头及腰的黑发梳成多条辫子。她身材纤细,穿着一件色彩柔和的衣服,举止之间带着舞者的优雅和矜持。

"她叫米歇尔。"保罗说,人已经站了起来。"我马上回来,米歇尔来了。"

诺拉看着他好像受到地心引力牵引般地走向她。米歇尔一看到他,马上眉开眼笑。两人亲吻时,他的双手轻轻托住她的脸庞,然后她举起手，两人的手掌轻轻、简短地一碰，姿态非常亲密，诺拉不得不移开视线。他们随后头靠着头走过公园，边走边说话。走到一半，两人暂时止步，米歇尔把手搁在保罗的手臂上，诺拉知道他告诉她了。

"亨利太太。"两人走到石凳旁边时，她跟诺拉握手打招呼。她的手指修长而冰凉。"保罗的父亲过世了，真令人难过。"

她的口音也略带异国情调：她在伦敦住了很多年了。他们三人在公园里站着聊了几分钟，保罗建议大家一起吃晚餐。诺拉很想答应，她想跟保罗坐着聊到深夜。但她也有所犹豫，因为她察觉到保罗和米歇尔之间的热情和喜悦，也察觉到两人极想独处。她又想到弗德瑞克，他说不定已经回到旅馆，领带也已挂在了椅背上。

"明天可以吗？"她说，"一起吃早餐好不好？我要听听你们这趟表演的经过，也想了解一下那些塞维尔的佛朗明哥吉他高手。"

走到地铁车站时，米歇尔挽着诺拉的手臂。保罗走在她们正前方，身材瘦长，肩膀宽阔。

"你教出了一个好儿子。"她说，"我真遗憾没机会多了解他父亲。"

"唉，想要了解他并不容易。但你说的没错，我也遗憾你没机会跟他见面。"她们走了几步，"你这趟旅行还愉快吗？"

"哦，旅行的感觉非常自由、快乐。"米歇尔说。

夜晚一片沉静。走下地铁车站时，明亮的灯光让人吓了一大跳。远处传来隆隆的车声，回声传遍了隧道。空气中混杂着香水、机油以及刺鼻的金属味。

"明天早上九点左右过来。"诺拉对保罗说。她抬高音量盖过噪音，列车驶近时，她倾身向前，靠着他的耳朵大喊。

"他爱你！他是你爸爸，而且他很爱你！"

保罗的脸上顿时流露出悲伤与失落。他点点头，没时间再多说什么。列车快速进站，朝着他们急速驶来，强风忽然迎面而来，她觉得自己的心也涨得满满的。她的儿子好端端地在世上，而戴维却神秘地过世了。列车嘎然停止，液压操作的车门哼地一声猛然开启。诺拉走上车，坐在窗子旁，最后再看保罗一眼。他双手摆在口袋里，低着头走路，身影一闪而过。刚刚还在那里，然后就不见了。

到了她下车的那一站时，天空已是迷蒙的暮色。她走过铺着小圆石的街道回到旅馆，漆着淡黄色油漆的旅馆微微发光，窗框上垂吊着花朵。房间里寂静无声，她自己散放在各处的东西还在原处，弗德瑞克还没回来。诺拉走到俯瞰河流的窗边，在那里站了一会。她想着戴维把保罗扛在肩上，在他们第一个家里走来走去，也想起他求婚的那一天，他在湍急的水声中对着她大喊，戒指滑过她的手指，感觉凉凉的；她想着保罗和米歇尔的手，掌心碰着掌心。

她走到小桌子旁边，写了一张字条：弗德瑞克，我在院子里。

院子里摆了一排椰子树盆栽，可以俯瞰塞纳河。椰子树间和铁栏杆上挂着小小的灯泡。诺拉坐在看得到塞纳河的角落，点了一杯酒。她把书留在某个地方了，没准是卢浮宫的公园。书丢了，她心中有点遗憾。这是那种短小轻薄、打发时间的书籍，大家通常不会再买一次。书里写到两姊妹的故事。这下她永远不知道故事的结局了。

两姊妹。说不定哪天她和布丽会写本书。这个想法让诺拉莞尔一笑，隔壁桌一个身穿白色西装，手边摆了个小酒杯的男人回以一笑。事情通常以此为开端：曾有一时，她会翘起大腿，或是把头发揽到身后，做出诸如此类的邀约姿态，直到对方站起来，走过来问她可不可以跟她同桌。她以前很喜欢调情的权力感以及那种探险的感觉，但今晚她将目光移开了。那名男子点了一支烟，抽完烟之后就付账离开了。

诺拉坐着观看河边的人潮。夜色中的河流波光粼粼。弗德瑞克走过来的时候她没注意到。他的手搭在她肩上，她转身，他吻她，先是脸颊这一边，然后那一边，最后双唇落在她的唇上。

"哈啰。"他边说边在桌子对面坐下。他身材不高，但非常结实。他长年游泳，肩膀锻炼得相当强健。他是系统分析师，诺拉喜欢他的自信，也欣赏他能掌握大局，不受到细节的干扰。他眼中的世界稳定，而且不出他预料之外，但这一点有时却让她抓狂。

"你等很久了吗?"他问，"吃过饭了?"

"没有。"她对着几乎空了的酒杯点点头。"一点也不久。我饿了。"

他点点头。"好。对不起迟到了，火车误点。"

"没关系，今天在奥尔良还好吗?"

"无聊。但我跟我表哥吃午饭，聊得不错。"他开始说话，诺拉悠闲地聆听，让字句将她淹没。弗德瑞克的双手强壮而灵活。她记得他帮她做了一对书架。那一天，他整个周末都在车库里工作，卷曲的木片一丝丝从刨木机上落下。他不排斥粗活，她做菜时，他也不管打扰了她手边的工作，双手悄悄抱住她的腰，亲吻她的脖子，直到她转身回吻他为止。他抽烟斗，有时她不太喜欢烟味。他还是个工作狂，而且在高速公路上开车开得太快。

"你告诉保罗了?"弗德瑞克问，"他还好吗?"

"我不知道，我希望他还好。他明天会跟我们一起吃早餐，他要跟你抱怨美国人有多么傲慢。"

弗德瑞克笑笑。"好，"他说，"我喜欢你儿子。"

"他谈恋爱了。那个他喜欢的年轻女孩也相当可爱。她叫米歇尔，明天也会来。"

"好。"弗德瑞克又说一次，十指缠绕住她的手指，"谈恋爱是好事。"

他们点了晚餐，享用牛肉串烧烩饭，又喝了些酒。他们聊天时，墨黑的河水静静地在桥下流淌。诺拉心想，安安静静地待在一个地方,享用美酒,看着鸟群从尖尖的树梢振翅高飞,河水沉稳地流过,真好。她记起自己年轻时,疯狂地开车直奔俄亥俄河畔,河面上闪烁着奇异的彩虹,石灰岩河岸一片光滑,她的头发在风中飘扬。

但如今她安坐在这里,鸟儿在黑暗中飞向靛青色的天空,她闻到河水、废气、烤肉和河岸湿泥的味道。弗德瑞克重新点起烟斗,又斟了一些酒。人们来来往往,闲适地在黑夜中的人行道上散步。夜色逐渐深沉,附近的建筑物慢慢地消失在夜色里,窗户中接二连三地亮起灯光。诺拉把餐巾叠好,站了起来,世界在回旋中离她而去。经历了悲喜交加的漫长一日之后,酒、高度和食物的味道令她晕眩。

"你还好吗?"弗德瑞克问,声音似乎来自远方。

诺拉用一只手碰碰桌子,稳住呼吸。她点点头,但在潺潺的河水声和漆黑河岸的气味中,她无法言语。繁星在各处呼啸、回旋,有了生命。

一九八八年十一月

　　他叫罗伯特，长相英俊，一头黑色的乱发垂落在额头。他在公交车上走来走去，对每个人自我介绍，而且大谈公交车路线、司机和今天过得怎样。他走到最后一排，转身往前走，从头再说一次。"我好开心。"他经过卡罗琳身边时跟她握握手，同时大声宣布。她耐着性子笑笑。他手劲强大而充满自信。其他人躲避着他的目光，大家低头读书看报，或是盯着窗外一闪而过的风景，但罗伯特锲而不舍，毫不畏惧。他似乎就认为乘客们多多少少等着听他讲话，而且不指望大家有反应，就跟树木、石头和云朵不会响应一样。卡罗琳坐在最后一排观察，每一秒都下定决心不插手，但她心想，罗伯特的坚持蕴含着某种深切的渴望，他希望找到一个真正看重他的人。

　　那个人似乎是菲比。罗伯特一出现，菲比似乎就快乐了起来，洋溢着某种发自内心的光彩。她看着他在座位间来回走动，仿佛他是某种神奇、新颖的生物，说不定是只美丽、炫耀、骄傲的孔雀。最后他在她旁边坐好，依然不停地说话。菲比只是抬起头微笑地看着他。她笑得十分灿烂，毫不保留；她不腼腆，不警戒，也不等着他心中涌现出同样的爱意。卡罗琳在女儿毫不设防的热情中闭上双眼。唉，她实在太天真了，多么冒险啊！但当她睁开双眼时，罗伯特也对着菲比微笑。菲比令他高兴、诧异，好像一棵树大喊出他的名字。

　　嗯，好吧，卡罗琳心想，何尝不可呢？世上这种爱情不是非常罕见吗?她瞄了艾尔一眼。坐在她旁边的艾尔在打瞌睡,巴士碰上路障或是转弯时,他日渐灰白的头发随之飘晃。他昨晚很晚才回家,明天一早又要上路,加班赚钱来支付屋顶和排水沟的修缮费用。最近几个月来,他们在一起的时间大部分都花在处理家务上。卡罗琳有时想起他们新婚的那段日子,他的嘴贴上她的双唇,他的手抚摸她的腰。回忆扫过卡罗琳心头,激起一股苦乐参半的怀旧情感。他们两人怎么变得这么忙,这么操劳?多少日子就这样一天天地过去,让他们走到这个地步?

巴士急驶过峡谷,开上松鼠丘。在早冬的暮色中,巴士已经开了大灯,菲比和罗伯特面对走道安静地坐着,都盛装去参加"欢乐唐氏症协会"的年度舞会。罗伯特的鞋子擦得亮极了,还穿上了他最好的一套西装。在冬天的大衣下,菲比穿了一件红白色的花衣服,脖子上挂了一条细长的项链,项链上有个精致的白色十字架,来自她的坚信礼。她的发色愈来愈暗,头发日渐稀薄。她剪了短发,头发紧贴着头颅,随处夹了几支红色的发夹,肤色苍白,手臂和脸上有些浅色的雀斑。她望着窗外,脸上带着浅浅的微笑,想事情想得出神。罗伯特研究着卡罗琳上方诊所、牙医等广告牌和公交车路线图。他是个好人,随时准备迎接世上的各种惊喜,但他刚跟人说完话,几乎马上就忘记说了些什么,而且每次碰到卡罗琳都会向她要一次电话号码。

尽管如此,他总是记得菲比;他总是记得爱。

"我们快到了。"巴士快到坡顶时,菲比拉拉罗伯特的手臂说。中心离这里只有半条街,柔和的灯光洒在枯黄的草地和薄雪上。"我算过了,已经过了七站。"

"艾尔,"卡罗琳摇摇他的肩膀说,"艾尔,亲爱的,我们该下车了。"

十一月的晚上又湿又冷。他们下车,成双成对地穿过黯淡的暮色。卡罗琳伸手悄悄挽住艾尔的手臂。

"你累了。"她说，试着打破沉默。她似乎越来越习惯两人之间的沉默。"你最近这两个礼拜太忙了。"

"我没事。"他说。

"我真希望你不要常常上路。"话一出口她就后悔了。这已经是个老问题，也是他们婚姻中的敏感话题。这话听在耳里，连她都觉得自己的口气刺耳、尖锐，好像故意挑衅。

他们吱嘎吱嘎地踩着雪前进。艾尔沉重地叹了一口气，呼出的空气在冷天里变成一团薄雾。

"唉，卡罗琳，我已经尽力了。我现在收入不错，而且算得上资深。我快六十岁了，我得趁还能工作的时候多赚点钱。"

卡罗琳点点头。挽在她手中的臂膀结实而稳定，她真高兴有他在身旁。他们的生活步调出奇地不搭调，他一离开家就是很多天，让她深感厌倦。她最渴求的莫过于每天早上跟他共进早餐，每天晚上跟他共进晚餐；让他在她身边醒来，而不是在某个一百或五百英里之外的旅馆里起床。

"我只是想念你。"卡罗琳轻声说，"我没有其他意思。我只想告诉你，我想念你。"菲比和罗伯特手牵着手走在前面。卡罗琳看着女儿戴着黑色的手套，脖子上松松地围着罗伯特送她的围巾。菲比想跟罗伯特结婚，跟他一起生活。最近除了此事，她什么都不想谈。中心的主任琳达警告过卡罗琳，菲比谈恋爱了。她二十四岁，算是开窍比较晚，她也开始发现自己生理方面的需求。卡罗琳，我们得好好谈谈。但卡罗琳拒绝相信事情有任何改变，始终拖着不愿讨论。

菲比微微低着头走路，显然想听罗伯特说话。她的笑声不时穿过暮色飘到身后。卡罗琳吸了一口冰冷的空气。看到女儿这么高兴，她顿时感到喜悦，与此同时，回忆也将她拉回当年那个候诊室。候诊室的门嘎嘎作响，蕨类植物没什么生气，诺拉·亨利站在柜台边，脱下手套向接待小姐展现她的婚戒，笑得跟菲比一样开心。

那是上辈子的事啰。卡罗琳几乎已经忘了那段日子。但上个星期,艾尔还没有回家时,有家市中心的律师事务所寄来一封信。卡罗琳困惑地拆开,站在前廊,在十一月寒冷的空气中读信。

请与敝事务所联络,商讨关于在您名下的一个账户。

她马上打了电话,然后站在窗边看着车流,听着律师告诉她这个消息:戴维·亨利去世了。事实上,他已经去世三个月了。律师告诉她,他留下一个在她名下的银行账户。卡罗琳将听筒紧贴着耳朵,仔细端详几片残余的梧桐叶在清冷的晨光中飘摇。这个消息激起某种沉重的情绪,深深地贯穿了她的全身。远处的律师继续说:这是个收款账户。戴维把账户设在事务所和卡罗琳的名下,这样一来,账户便不会列在遗嘱之内,也无需经过认证。律师不肯在电话里告诉她户头里有多少钱,卡罗琳必须亲自到事务所一趟。

挂了电话之后,她走回屋外的长廊。她在长廊的摇椅上坐了很久,试图接受这个消息。戴维竟然以这种方式惦记着她,令她大吃一惊。更令她吃惊的是他居然去世了。她曾经怎样想呢?难不成她以为她和戴维将永远这样下去,各过各的日子,但依然想着当年他在办公室站起来,把菲比递到她怀中的那一刻?或是某天,某时,等到她愿意,她会主动找他,让他跟他女儿见面?车辆持续从山坡上急驶而下,她想不出该怎么办。最后她走回屋里,准备去上班。她把信塞到最上面的抽屉里,跟一大团橡皮圈和回形针摆在一起,等艾尔回家再做决定。到现在她还没提这件事,艾尔实在太累了。但这个还未说出的消息却随同琳达对菲比的关切,飘悬在两人之间。

灯光从中心流向到人行道和枯黄的草根。他们推开双层玻璃门走进大厅。舞池被安排在大厅的另一头,一个七彩镜球回旋转动,在天花板、墙面以及每张微微上扬的脸庞上投射出明亮的灯彩。大厅内播放着音乐,但没有人跳舞。菲比和罗伯特站在人群边缘,看着灯光在空荡荡的舞池地板上闪动。

艾尔把他们的大衣挂好，然后出乎卡罗琳意料地拉着她的手。"你记得在公园里，我们决定结婚的那天吗？我们来教他们两招吧，你觉得如何？"

卡罗琳几乎热泪盈眶。她想起很久以前的那一天，树叶像铜板般飘动，阳光亮丽，蜜蜂在远方嗡嗡低鸣，他们翩翩起舞，越过草坪。几小时之后，她在医院里答应艾尔的求婚，好，她说，好，我愿意嫁给你。

艾尔把手滑到她的腰际，两人走进舞池。他们好久没跳舞了，卡罗琳已经忘了他们的身体配合得多么自然，也忘了跳舞让她感到多么自由。她把头靠在他的肩膀上，吸了一口他刮胡水强烈的味道和挥之不去的机油味。艾尔的手压着她的背，紧紧贴上她的脸颊。他们转身，其他人也慢慢地跟进，朝着他们的方向微笑。卡罗琳几乎认识大厅里的每个人：中心的职员、"欢乐唐氏症协会"的其他家长、中心隔壁的住户。菲比正等着中心隔壁空出一个房间，她可以跟其他几个大人同住，中心里也有个家长负责监督。从很多方面而言，这种安排似乎相当理想：菲比能享有更多自由和自主权，最起码为她的未来做些准备。但卡罗琳却无法想象菲比离开她独自生活。当她们提出申请时，候补名单似乎很长，但过去一年中，菲比的名字一直在往前移。再过不久，卡罗琳就必须做出决定。现在她瞄了菲比一眼，菲比笑得跟往常一样灿烂，稀薄的头发被鲜红的发夹固定在身后，害羞地跟着罗伯特踏进舞池。

她又和艾尔跳了三支舞。她闭上双眼，跟随着他的步伐，尽情摆动。他舞技甚佳，步伐稳当而充满自信，音乐似乎直接贯穿过她。菲比的声音也能产生同样的效果。她清纯的歌声飘荡在家里各个房间里，卡罗琳一听就放下手边正在做的事情，直挺挺地站着，周围的一切像光线一样源源不绝地穿过她。感觉真好，艾尔一边喃喃说道，一边把她拉近一点，把脸庞紧贴上她的双颊。音乐换成快速的摇滚乐时,他们离开舞池,他的手臂始终环在她的腰际。

卡罗琳有点头晕眼花。她习惯性地扫视屋内,想看看菲比在哪里,但没见到她的踪影。她开始有点担心。

"我派她下去拿点果汁。"琳达从桌子后面大喊,同时指指桌上逐渐减少的饮料。"真难相信有这么多人来吧?卡罗琳,饼干也快吃完啦。"

"我去拿一些吧。"卡罗琳主动提议帮忙,很高兴有个借口可以去找菲比。

"她不会有事的。"艾尔说,一边握住她的手,一边指指他身旁的椅子。

"我去看看就好,"卡罗琳说,"一会儿就回来。"

她走过空旷的走廊,四处明亮而安静。她的肌肤依然感觉得到先前艾尔的触碰。她下楼走进厨房,一只手推开铁门,一只手伸出去找电灯开关。日光灯一亮,眼前两人仿佛被捉个正着:穿着花衣服的菲比抵着料理台,罗伯特靠得很近,把她抱在怀里,一只手顺着她的大腿往上滑。在他们转身前的那一刻,卡罗琳看到他正要吻她,而菲比想被吻,也准备回吻。罗伯特,她第一个真正心爱的人。她的双眼闭着,脸上洋溢着喜悦。

"菲比,"卡罗琳大声说,"菲比,罗伯特,够了。"

他们从彼此身边移开,吓了一跳,但没有悔悟的样子。

"没关系,"罗伯特说,"菲比是我女朋友。"

"我们要结婚了。"菲比加了一句。

卡罗琳全身颤抖,试着保持镇定。菲比毕竟已经是个成年女子。"罗伯特,"她说,"我得单独跟菲比说说话,一会儿就好,拜托。"

罗伯特犹豫了一下,然后走过卡罗琳身边,欢欣兴奋之情已经消逝。"没那么糟,"他停在门口说,"我和菲比……我们很相爱。"

"我知道。"卡罗琳说。同时,一道道门在他身后关上。

菲比站在强烈的灯光下,玩弄着她的领巾。"妈妈,你可以亲你喜欢的人,不是吗?你亲艾尔。"

卡罗琳点点头,想起艾尔的手贴在她腰上的感觉。"没错,但是亲爱的,你们刚才看起来不只是亲嘴。"

"妈妈!"菲比生气地说,"罗伯特和我要结婚了!"

卡罗琳想都没想就说:"你不能结婚,甜心。"

菲比抬起头,脸上浮现出卡罗琳再熟悉不过的顽固表情。日光灯照在锅上,在她的脸颊上投射出图样。

"为什么?"

"甜心,婚姻……"卡罗琳顿了一下,想起艾尔,他最近的疲惫,以及每次他的远行在两人之间造成的距离。"唉,甜心,婚姻很复杂。你可以跟罗伯特谈恋爱,但不一定要结婚。"

"不,我和罗伯特,我们要结婚!"

卡罗琳叹了一口气。"好吧,假设你们结了婚,你们打算住哪里?"

"我们会买栋房子。"菲比说,这下显得专注而热切,"妈妈,我们会住在那里。我们会有几个小宝宝。"

"养宝宝是个大工程。"卡罗琳说,"我猜你和罗伯特八成不知道照顾宝宝多辛苦吧?而且养小孩很贵,你们打算拿什么买房子?还有食物?"

"罗伯特有工作,我也有。我们有很多钱。"

"但是你如果得照顾宝宝,就不能工作了。"

菲比皱着眉头思索,卡罗琳一颗心涨得满满的。这些梦想是如此意义深远,如此单纯,却没办法实现。这样公平吗?

"我爱罗伯特,"菲比坚称,"罗伯特爱我。更何况艾芙丽有个宝宝。"

"哦,甜心。"卡罗琳说。她记得艾芙丽·斯旺推着娃娃车走在人行道上,还停下来让菲比弯下腰轻轻摸一下小宝宝的脸颊。"哦,甜心。"她走到菲比身旁,伸出双手抱住菲比的肩膀。"记得你和艾芙丽救了'小雨'吗?我们都爱这只小猫,但照顾它非常费事。你得清扫大小便的沙盒,帮它刷毛,还得清理它造成的一片混乱,放它进进出出。它不回家时,你还担心了半天。菲比,养小宝宝比这个更麻烦,养育小宝宝就像照顾二十只'小雨'。"

菲比脸色一沉,泪珠滑下她的脸颊。

"这样真不公平。"她低声说。

"确实不公平。"卡罗琳附和。

她们一言不发地在静默、强烈的灯光下站了一会。

"唉,菲比,你能帮我个忙吗?"她终于问道,"琳达还需要一些饼干。"

菲比点点头,擦干泪水,她们走回楼上,穿过走廊,手里端着盒子和瓶子,两人没说话。

当晚稍后,卡罗琳告诉了艾尔先前发生的事情。他坐在沙发上,靠着她坐着,抱着双臂,几乎快睡着了。他的脖子依然柔软,刚刚刮了胡子,脸上有点发红,两眼带着黑眼圈。他明天一早就得起床,开车上路。

"她想有自己的生活,艾尔。这应该是很容易的一件事。"

"嗯,"他说,突然惊醒,"说不定事情就是这么容易,卡罗琳。其他住在中心的人似乎应付得不错,我们也不会离开。"

卡罗琳摇摇头。"我就是无法想象她在外面世界的模样,而且她绝对不能结婚,艾尔,如果她怀孕了怎么办?我还没准备好抚养另一个小孩。但她如果有了宝宝,责任自然落在我身上。"

"我也不想再照顾一个孩子。"艾尔说。

"说不定我们应该把她和罗伯特分开一阵子,不让他们见面。"

艾尔转过头看着她,一脸惊讶。"你认为这样做是对的?"

"我不知道，"卡罗琳叹了一口气，"我真的不知道。"

"卡罗琳，听我说，"艾尔轻声慢语地说，"从我遇见你的那一分钟起，你就坚持这个世界不该剥夺菲比任何机会。不要低估了她，我已经听你说了多少次？你为什么不让她搬出去？为什么不让她试试看？她说不定喜欢那里，你说不定也喜欢有多一点自己的时间。"

她凝视沿着天花板的装饰花边，思忖着那里需要重新油漆，同时，心头却隐隐浮现一个令人难以接受的事实。

"我无法想象生活里少了她。"她轻声说。

"没有人说你的生活里会少了她。但她已经长大了，卡罗琳，事情就是这样。你努力了一辈子，为的不就是帮菲比争取一些自由吗？"

"我知道你喜欢自由自在，不受拘束。"卡罗琳说，"你喜欢一走了之，开车旅行。"

"你不喜欢吗？"

"我当然喜欢。"她哭了起来，被自己激烈的反应吓了一跳，"但是，艾尔，即使菲比搬出去，她也永远不可能完全独立。而我担心你会因此而不高兴，也担心你会离开我们。亲爱的，过去这几年来，你变得越来越生疏。"

艾尔沉默了很久。"你为什么这么生气？"他终于问道，"我曾经让你觉得我打算离开你们吗？"

"我没有生气。"她轻声说，因为她听得出她伤了他，"艾尔，等我一下。"她穿过房间，从抽屉里取出那封信。"这就是我为什么生气。我不知道该怎么办。"

他拿起信，仔细研究了半天，还一度把信翻到背面，好像背后写着某种文字，看了就知道该如何解决迷团。然后他又读了一次。

"户头里有多少钱？"他边问边抬起头。

她摇摇头。"我还不知道，我得亲自去一趟。"

艾尔点点头，再次仔细研究这封信。"他这么做真奇怪，我是说设立一个秘密账户。"

"我知道。说不定他怕我告诉诺拉，说不定他想确定菲比有足够的时间接受他已经过世的事实。我只能想到这么多。"她想到诺拉，每天照常过日子，却从来没想到女儿依然活在世上。还有保罗，他变成了怎样一个年轻人？很难想象那个她只见过一次的黑发宝宝，现在会是什么模样。

"你想我们应该怎么做？"她问。

"嗯，先把细节搞清楚再说。等我回来，我们一起去拜访这位律师先生。我可以请一两天假。至于接下来该怎么办，卡罗琳，我不知道。先不要多想吧，我们现在什么都不用做。"

"好吧。"她说。过去一星期的忧虑逐渐烟消云散，艾尔把一切都说得好容易。"我真高兴你在家。"她说。

"说真的，卡罗琳，"他握住她的手。"除了明天早上六点启程去托莱多之外，我哪也不会去，所以我要上楼睡觉了。"

他说完就亲亲她，唇贴着唇，把她拉近一点。卡罗琳把脸贴上他的脸颊，感受他的气味与体温，想起在路易斯维尔市外停车场碰到他的那一天，那个改变了她一生的一天。

艾尔站起来，一只手依然握着她的手。"一起上楼吧？"他发出邀请。

她点点头站了起来，一只手也握着他的手。

*   *   *

早上她起了个大早，做了早餐。盘子里摆了蛋、熏肉、土豆饼和几撮香菜。

"好香。"艾尔边走进来边说。他亲了一下她的脸颊，把报纸和昨天的信件丢在桌上。她拿起信件，感觉冰冷而有点潮湿。信件里有两封账单，还有一张来自爱琴海，色彩鲜艳的明信片。多罗在背后写了几句。

卡罗琳摸摸明信片，读了简短的来函。"特雷斯在巴黎扭伤了脚踝。"

"噢，真糟糕。"艾尔一把翻开报纸，对着选举新闻摇摇头。

"卡罗琳，"过了一会，他放下报纸说，"我昨晚在想，你何不跟我一起上路呢？我打赌琳达会让菲比在她那里过个周末。我们可以休个假，你也可以趁机看看菲比自己一个人怎么过。你说呢？"

"现在？你的意思是现在就走？"

"没错。把握当下，有何不可呢？"

"噢，"她张口结舌，虽然觉得开心，但她不喜欢长途待在车上，"我不知道，这礼拜有很多事要做，或许下回吧。"她很快地加上一句，不想让他失望。

"我们可以顺道参观一些地方，"他劝诱道，"你会觉得有趣一点。"

"这个主意真的不错。"她说，而她也确实这么想。

他失望地笑笑，靠过去吻她。他轻啄一下她的双唇，感觉凉凉的。

艾尔离开之后，卡罗琳把多罗的明信片贴在冰箱上。那是个阴沉的十一月，天气湿冷，好像快要下雪了。明信片上那片明亮、诱人的海洋以及温暖的沙滩令人心情开朗。接下来的整个礼拜，卡罗琳照顾病人、准备晚餐，或是折衣服时想着艾尔的邀请。她也想着罗伯特和菲比、被她打断的热情一吻，以及菲比想搬过去住的中心。艾尔说得没错，他们两人不会永远待在这里，菲比有权过她想过的生活。

但世界依然跟往常一样残酷危险。星期二，她们在家里吃肉饼、土豆泥和青豆时，菲比把手伸到口袋里拿出一块小小的塑料拼图。拼图上的数字可以移动，游戏规则是将数字按照顺序排好。她边吃边移动那些小方块。

"这个玩意不错。"卡罗琳不经意地说,喝了一口牛奶,"甜心,你从哪里拿来的?"

"迈克给我的。"

"他是你的同事吗?"卡罗琳问道,"新来的吗?"

"不是,"菲比说,"我在公交车上碰到的。"

"公交车上?"

"嗯,昨天。他人很好。"

"原来如此。"卡罗琳觉得时间慢了下来,所有感官都起了警戒。她得强迫自己冷静、自然地说话。"迈克就是那个给你拼图的人?"

"嗯,他人很好。而且他新买了一只小鸟,说要让我看看。"

"他让你看了吗?"卡罗琳说,一阵寒风猛然贯穿全身,"菲比,亲爱的,你不能跟着陌生人走,想都不能想,我们讨论过的。"

"我知道,我对他说了。"菲比说,然后把拼图摆在一边,挤了更多蕃茄酱在肉饼上。"他说,菲比,来,跟我回家。我说,好,但我得先跟我妈妈说。"

"好主意!"卡罗琳勉强挤出这句话。

"这么说,我可以去啦?我明天可不可以去迈克家?"

"迈克住哪里?"

菲比耸耸肩。"我不知道,我在公交车上碰见他的。"

"每天吗?"

"是啊。我能去吗?我想看看他的小鸟。"

"嗯,我也一起去好吗?"卡罗琳小心地说,"明天我们一起乘公交车,好不好?这样我就可以跟迈克见见面。我跟你去看看他的小鸟,你说呢?"

"好。"菲比高兴地说,喝完她的牛奶。

接下来的两天,卡罗琳跟菲比一起搭公交车上下班,但迈克却没出现。

"甜心,我想他骗了你。"星期四晚上她们洗盘子时,她对菲比说。菲比穿了一件黄色毛衣,双手上有十几道工作时被纸刮伤的小伤痕。卡罗琳看着她拿起每个盘子,仔细地擦干,心里庆幸菲比平安无事,也担心哪天她会受到伤害。这个叫做迈克的奇怪家伙是谁?如果菲比跟着他去,他可能对她做出什么事?卡罗琳到警察局报案,但她不指望他们会找到他,毕竟没出什么事,而且菲比也无法描述这人的模样,只说他戴了一个金戒指,穿了一双蓝色的运动鞋。

"迈克人很好,"菲比坚持,"他不会骗我。"

"亲爱的,不是每个人都是好人,也不是每个人都会为你着想。他答应跟你在公交车上碰面,却没有遵守承诺。菲比,他骗了你,你必须小心。"

"你总是这么说。"菲比边回答边把擦盘子的毛巾扔在料理台上。"你也叫我小心罗伯特。"

"那不一样。罗伯特不会想要伤害你。"

"我爱罗伯特。"

"我知道。"卡罗琳闭上眼睛,深深吸了一口气,"听好,菲比,我爱你,我不想让你受到伤害。有时候,外面的世界相当危险,我想那个人不怀好意。"

"但我没有跟他走,"菲比说。她已感觉到卡罗琳语气中的严肃与恐惧。她把最后一个盘子放在料理台上,忽然几乎落泪。"我没有去。"

"你很聪明,"卡罗琳说,"你也做对了。绝对不要跟任何人走。"

"除非他们知道那个词。"

"没错,而且那个词是秘密,你不能告诉任何人。"

"星火!"菲比高声地耳语,一脸高兴的样子,"这是秘密。"

"是的。"卡罗琳叹了一口气,"是的,这是秘密。"

星期五早上，卡罗琳开车载菲比上班。那天晚上，她坐在车里等着，透过窗户看着菲比。菲比在柜台后走来走去，装订文件或是跟马克斯开玩笑。马克斯是菲比的同事。这个头发扎成马尾辫的年轻女孩每个礼拜五跟菲比共进午餐。如果菲比弄错了订单，她也不怕直接纠正菲比。菲比已经在这里工作了三年，她喜欢她的工作，而且表现得不错。卡罗琳看着女儿在玻璃窗里走来走去，回想起她花了很多时间请愿、抗争，还得填写冗长的申请文件，这些都是为了让菲比有个工作机会。但还有许多她料想不到的事情，公交车上的那个事件只是其中之一。菲比赚的钱不够养活自己，她就是不能自己生活，连一个周末都不行。如果失火或是停电，她会害怕，而且不知道该怎么办。

还有罗伯特这个家伙。开车回家的路上，菲比聊些工作上的事情、马克斯和罗伯特。罗伯特这样，罗伯特那样。他明天要过来跟菲比一起烤个派，卡罗琳听在耳里，心里庆幸快到星期六，艾尔快回家了。由于公交车上那个奇怪的家伙，卡罗琳有了每天开车载菲比上下班的借口，因而也减少了菲比和罗伯特相处的时间，这倒不错。

她们走进大门时，电话响着。卡罗琳叹了一口气，八成是电话营销、邻居为心脏基金募款或是打错电话。"小雨"喵喵叫着表示欢迎，在她脚边绕来绕去。"坐好。"她边说边接电话。

是警察局打来的电话。电话另一头的警察清清喉咙，问卡罗琳在不在。卡罗琳吓了一跳，然后感到欣喜，说不定他们终于找到了那个公交车上的男人。

"我就是，"她边说边看着菲比抱起"小雨"搂着它，"我是卡罗琳·辛普森。"

他又清了清喉咙，然后开口说话。

事后回想起来，卡罗琳记得这个时刻无尽延展。虽然对方说得简短单纯，而且没花多少时间就讲完了，但时间不断扩充，直到遍布整个房间，逼得她在椅子上坐下。艾尔的卡车转弯时偏离车道，撞穿了防护栏，坠落到一个低矮的山坡上。他摔断了一条腿，人在医院的急救中心。多年以前，卡罗琳就是在这个中心答应嫁给他。

菲比对着"小雨"轻声哼歌，但她似乎察觉到出了事。卡罗琳一挂上电话，她就疑惑地抬头看着。卡罗琳边开车边解释出了什么事。在医院铺了地砖的走廊上，她发现自己一直想着多年前的那一天：菲比的嘴唇越肿越大，呼吸困难，那个护士让她气愤不已时，艾尔出言解决。现在菲比已经成年，穿着背心制服坐在她旁边；她和艾尔已经结婚十八年了。

十八年了。

他醒着，夹杂着银白发丝的黑发映着洁白的枕头，看上去格外醒目。她们走进来时，他试着坐起来，但痛苦地咧嘴一笑，然后慢慢地躺回去。

"噢，艾尔。"她走过房间握住他的手。

"我没事。"他说，然后眼睛闭了一会儿，深深地吸了一口气。她感到全身一片僵硬，因为她从来没见过艾尔这副模样。他惊吓得微微颤抖，下巴的肌肉抽动，几乎痉挛到耳际。

"嗨，我快被你吓到啦，"她说，试图将语气放轻松。

他睁开眼睛，他们直视着彼此。霎那间，两人之间的芥蒂消散了。他撑起身子，伸出一只大手轻抚她的脸颊，她也伸手紧贴着他的手，感觉到眼中已涌出泪水。

"怎么回事？"她轻声说。

他叹了一口气。"我不知道。下午天气真好。我一边听着收音机哼歌，一边沿着公路往前开，心想如果你在我身边，就像我们讨论过的一样,那该有多好。忽然车子就冲向防护栏。在那之后,我就不记得了。醒来之后我已经在这里,卡车全毁了。警察说我如果再往公路边偏个十几英尺,人就完蛋了。"

卡罗琳倾身伸出手臂抱住他,闻着他身上熟悉的气味。他的心脏在胸膛中稳定地跳动。仅仅几天之前,他们还在舞池中翩翩起舞,担心着屋顶和排水沟的花费。她顺顺他的头发,他颈际的发茬已经太长了。

"哦,艾尔。"

"我知道,"他说,"我知道,卡罗琳。"

菲比在他们身边,睁大眼睛哭了起来,一只手遮住嘴,努力掩饰哭声。卡罗琳坐起来,伸出手臂揽住菲比。她轻轻摸着菲比的头发,感觉到女儿矮胖身子的体温。

"菲比,"艾尔说,"瞧瞧你,刚下班吧?甜心,今天还好吗?我还没开到克里夫兰,所以没帮你买你喜欢吃的小面包。下次再买,好吗?"

菲比点点头,双手擦过脸颊。"你的卡车呢?"她问,卡罗琳想起艾尔曾开车带她们兜风,菲比坐在高高的驾驶室里。他们一超过其他卡车,她就往下伸出拳头,惹得其他司机对他们按喇叭。

"甜心,卡车坏了。"艾尔说,"对不起,但卡车真的撞坏了。"

艾尔在医院待了两天,然后回到家中。卡罗琳载菲比上班,自己也得工作,还要照顾艾尔、做饭、抽时间洗衣服,忙得完全不知道时间过得多快。她每晚累得倒头就睡,早晨醒来又开始忙碌的一天。艾尔是个很难料理的病人,他不喜欢被困在家里,脾气暴躁而且相当苛刻,这些都让她想到当年照顾利奥的那段日子,想了就不高兴。时光似乎在倒流,而不是呈直线前进。

一个星期过去了。星期六那天,卡罗琳疲倦地把一篓衣物放进洗衣机,走进厨房拿些东西准备晚餐。她从冰箱里拿出一磅胡萝卜做色拉,在冷冻柜里东翻西找,看看能不能想出新花样。什么都没有,唉,艾尔八成不喜欢。她或许得打电话叫比萨,但现在已经五点了,再过几分钟,她就得去接菲比下班。她暂停削萝卜,透过自己在窗户中的模糊身影,凝视远方超市的霓虹招牌。红色的招牌在稀疏的枝干间一闪一闪。她想到戴维·亨利,也想到诺拉。在他的摄影作品中,他把诺拉变成了某种物体,她的肌肤像山丘般浮起,发丝在出奇不意的灯光中遍布整张照片。律师寄来的信仍在抽屉里,艾尔车祸之前她约了时间。她如约前往,拜访了几乎全是橡木镶板的办公室,得知了戴维·亨利留赠的细节。整个星期,虽然她没时间多想,或是跟艾尔讨论,但他们的对话却始终萦绕在她脑海中。

外面传来噪音,卡罗琳吓了一跳,连忙转身看。透过后门的窗户,她看见菲比在屋外。不知何故,菲比自己回到家,身上没穿外套。卡罗琳放下削皮刀,向门外走去,边走边在围裙上擦干双手。走到外面之后,她看到刚才被屋子遮住的一景:罗伯特站在菲比旁边,一只手揽着菲比的肩膀。

"你们在这里做什么?"她口气尖锐地说,边说边踏出门外。

"我请了一天假。"菲比说。

"真的吗?你的工作怎么办?"

"马克斯在店里,我星期一帮她代班。"

卡罗琳慢慢地点点头。"但你怎么自己回来了?我正要出去接你。"

"我们搭公交车。"罗伯特说。

"哦。"卡罗琳笑笑。但开口说话时,她的口气很冲,而且带着忧虑,"好,好,当然。唉,菲比,我跟你说过不要搭公交车,这样不安全。"

"我和罗伯特都很平安。"菲比说。她微微噘起下唇。她一不高兴就是这副表情。"我和罗伯特要结婚了。"

"哦,老天爷啊,"卡罗琳说,她的耐性已被逼到极致,"你怎么能结婚?你一点也不了解婚姻,你们两个都不知道。"

"我们知道,"罗伯特说,"我们知道结婚是怎么回事。"

卡罗琳叹了一口气。"唉,罗伯特,你得回家了。"她说,"你搭公交车到这里,应该也知道怎么搭公交车回去。我没时间开车载你东跑西跑,我受不了了。你得回家。"

出乎她意料,罗伯特微笑着。他看看菲比,然后走到后院的阴暗之处,靠在秋千下方。过了一会,他拿着一束红色和白色的玫瑰花走回来,花朵在逐渐黯淡的暮色中似乎微微发光。他把玫瑰花交给卡罗琳,柔软的花瓣拂过她的脸颊。

"罗伯特?"她惊讶地说,花朵在冷冷的空气中微微散发出香气。"这是什么?"

"我在超市买的,"他说,"还打折呢。"

卡罗琳摇摇头。"我不明白这是做什么。"

"今天是星期六。"菲比提醒她。

星期六。艾尔通常在这一天回家,每次都带份礼物给菲比和一束鲜花给太太。卡罗琳想象罗伯特和菲比搭公交车到超市。罗伯特在这家超市负责上货,两人仔细研究鲜花的价钱,计算出准确的金额。她体内的一部分仍想尖叫,把罗伯特送上公交车,让他远离她们的生活;另一部分很想说:*我承受不起,我不在乎。*

屋内,她留在艾尔身旁的铃铛响个不停。卡罗琳叹了口气,退后一步,指指透出灯光和暖意的厨房。

"好吧,"她说,"你们两个都进来吧,免得冻着了。"

她匆匆上楼,试图镇定下来。一个女人究竟做得了多少事?"你应该有耐心一点。"她边说边走进他们的房间。艾尔一只脚跷在矮脚垫上,膝上搁了一本书。"病人,艾尔,你想这个词的词义打哪里来?①

---

① patient代表"耐性",也有"病人"的意思。(译注)

老天啊,我知道你很难过,但好起来需要时间。"

"是你要我多留在家里。"艾尔回了一句,"许愿的时候当心点啊。"

卡罗琳摇摇头,在床边坐下。"我可没有许这种愿。"

他望着窗外,静静地凝视了几秒钟。"你说得没错,"他终于说,"对不起。"

"你没事吧?"她问,"痛不痛?"

"还好。"

窗外,紫罗兰色的天空下,残存的梧桐树叶在风中飘摇,树下摆了几袋郁金香球茎,等着被植入土里。上个月她和菲比种了菊花。粉白、菊黄和深紫的花朵开得一片灿烂。她蹲坐在后脚跟上观赏,一边拍去手上的泥土,一边想起她也曾在花园里和母亲一起种花,母女两人一句话也不说,靠着种花联络感情。她们几乎很少谈起私事。现在卡罗琳心里有很多话,希望当年曾与母亲分享。

"我不做了。"他看也没看她,突然冒出一句,"我是说开卡车。"

"好。"她说,试图想象这个决定可能对他们的生活造成什么影响。她很开心,因为每次一想到他又要开车离去,她心头就一阵紧缩;但她忽然也有点焦虑。自从结婚以来,他们在一起的时间从未超过一星期。

"我会时时刻刻地烦你。"艾尔说,仿佛知道她正在想些什么。

"是吗?"她专注地看着他,仔细端详他苍白的脸色和严肃的目光,"这么说,你打算完全退休?"

他摇摇头,依然注视着双手。"现在退休还太年轻。我想我可以做些其他事情,或许改坐办公桌。我非常清楚公司的运作;或许去开公交车,我真的不知道。做什么都可以,但我不想再开卡车奔波了。"

卡罗琳点点头。先前她开车到出事现场,看到防护栏被撞出一个大洞,也看到卡车翻落的地方一片狼藉。

"我一直有种感觉。"艾尔看着双手说。他任由胡子长出来,一脸胡渣参差不齐,"迟早会发生这种事。不是今天,就是明天。现在果然发生了。"

"我不知道你这么想。"卡罗琳说,"你从没说过你害怕。"

"不是害怕,"艾尔说,"我只是有种感觉。这不一样。"

"话是这么说,但你还是从没提过。"

他耸耸肩,"讲了有什么用?卡罗琳,这只是种感觉。"

她点点头。再滑过几英尺,艾尔可能丧命,警察已经说了不止一次。这一个星期以来,她一直阻止自己多想,但事实上,她很可能成为寡妇,这辈子剩下的时光都孤孤单单。

"说不定你是该退休了。"她慢慢地说,"我去了律师事务所一趟。以前就约好了,所以我就去了。戴维·亨利留了一大笔钱给菲比。"

"嗯,那笔钱不是我的。"艾尔说,"就算是一百万美金,那也不是我的。"

她听了这话,想起当年多罗把房子送给他们时他所表现出的反应。现在他还是一样不愿意接受任何不是自己亲手挣来的赠与。

"没错,"她说,"钱是菲比的。但我们抚养她长大。如果她不缺钱,我们可以少操点心,也可以自由一点。艾尔,我们已经努力工作了很多年,说不定该是退休的时候了。"

"你这话是什么意思?"他问,"你想让菲比搬出去?"

"不,我一点都没有这种打算。但菲比想搬出去,她和罗伯特现在在楼下。"卡罗琳微微一笑,想起她把那束玫瑰花摆在削了一半的胡萝卜旁边。"他们一起搭公交车去超市,买了一束花给我,因为今天是星期六。唉,艾尔,我不知道,我有什么资格评断呢?说不定他们两个人在一起,多多少少会过得顺利。"

他沉思着点点头。看到他这么疲惫,想到最终他们的生命是如此脆弱,她不禁一惊。这些年来,她想尽各种办法让每个人平平安安,但眼前的艾尔却变老了,而且断了一条腿,她从未想过会有这种局面。

"我明天烤牛肉。"她说,这是他最喜欢吃的东西。"今晚我们叫比萨,好吗?"

"比萨也不错。"艾尔说,"但打电话叫布列达克街上的那一家。"

她摸摸他的肩膀,然后下楼打电话叫比萨。她在楼梯口停了一下,聆听罗伯特和菲比在厨房说话。两人轻声细语,不时冒出笑声。他们面对的世界广阔无垠,充满变数,有时甚至令人害怕。但此时此刻,她女儿在厨房里和男朋友一起欢笑,她先生膝上搁了一本书在打瞌睡,而且她不必煮晚饭。她深深地吸了口气,远处依稀飘来玫瑰花香,气味洁净,有如白雪般清新。

The Memory Keeper's Daughter

一九八九年

一九八九年七月一日

　　自从七年前戴维搬出去之后，没人进过车库上方的工作室和隐匿的暗房。但现在房子即将出售，诺拉不得不面对这里。戴维的作品再次受到重视，价值不菲。几位博物馆的策划人明天会来看看作品集，因此，诺拉从一大清早就坐在上了亮漆的地板上，用美工刀割开纸箱，从箱子搬出装满照片、底片和笔记的档案夹。在挑选照片的过程中，她下定决心不为所动，而且毫不留情。这应该不会花太多时间：戴维向来极为井然有序，每样东西都整齐地贴上标签。她想只要花一天就可以完成任务，不会拖得太久。

　　但她没有考虑到回忆的魔力，那种来自过去、逐渐浮现的诱惑。现在正是午后，气温越来越高，而她只整理了一个箱子。电风扇在窗边转动；她的皮肤上积了一层汗水，光滑的照片黏在她的手指上，那些她年轻时的岁月似乎离得很近，却又如此遥远；照片中她的发型经过仔细梳理，脖子上系了一条华丽的围巾。还有一张罕见的戴维的照片。他理个平头，神情严肃，怀里抱着还是小宝宝的保罗。回忆顿时蜂拥而至，充满了整个房间，让诺拉停留在特定的时间和地点：紫丁花香，新鲜的空气，小婴儿保罗的肌肤；戴维的触摸，他清清喉咙的模样；多年前的一个午后，阳光移过木头地板，留下规律的光影。诺拉自问，在这些时刻，他们各过各的日子，究竟有什么意义？这些照片中的女人，一点不像记忆中的自己，这又代表着什么？倘若仔细观看,她可以看得见自己眼光中的疏离与渴求,正如她似乎总是凝视着镜头之外。但陌生人不会注意到这一点。保罗就看不出来,单从这些影像中,没有人猜得出她内心深沉的秘密。

一只黄蜂嗡嗡作响,在天花板附近飞舞。黄蜂们每年都飞回来,在屋檐某处筑巢。现在保罗已经成年,诺拉也不再担心黄蜂。她站起来伸个懒腰,从冰箱里拿了一罐可乐,戴维曾把化学药剂和一卷卷细长的底片储存在冰箱里。她啜饮可乐,遥望窗外的野水仙和后院的忍冬花。她以前一直想多做些什么,而不是只在忍冬花木上挂些喂鸟器。但这些年来她始终没有动手,现在她也永远不会去做。再过两个月,她就要嫁给弗德瑞克,永远离开这个地方。

他已被调派到巴黎。前两次调派都没成功。他们曾讨论一起住在列克星顿,各自卖掉房子,两人有个新的开始,比方说买一栋新房子,一处从来没人住过的地方。他们都不是非常认真,通常是吃晚饭时随便提起,或是躺在薄暮中,酒杯摆在床头柜上,望着窗外枝头上一轮苍白的月亮时随口聊聊。列克星顿、法国、台湾,诺拉哪里都不在乎。她觉得和弗德瑞克在一起,已经让自己发现了新大陆。有时她晚上闭上双眼,躺着不睡,听着他沉稳的呼吸,心中充满强烈的满足。她明白过去她和戴维渐行渐远,早已不爱对方,想了心里就难过;他当然有错,但她也不对,她把自己保护得太紧。自从菲比去世后,她就害怕每一件事。但现在那些岁月已成过去,时光消逝,除了回忆,什么也没留下。

所以搬到法国也好。当消息传来,新职就在法国近郊时,她相当开心。他们已经在新堡的河畔租了一栋木屋,弗德瑞克此时就在那里,为他的兰花盖一间暖房。即使忙着整理照片,诺拉脑海中也充满了各种景象:阳台上光滑的红地砖,微风从河畔吹过屋旁的白桦树,弗德瑞克架上玻璃窗的时候,阳光洒落在他肩膀和手臂上。她可以走路到车站,两小时之内就抵达巴黎。她也可以走路到村里,购买新鲜的奶酪、面包,以及泛着暗光的红酒。每停在一处,她的购物袋就重了一些。她炒洋葱时可以停下来抬头看看篱笆之外缓缓流过的小河。晚上她会待在阳台上,盛开的月光花发出柠檬清香,她和弗德瑞克坐着边喝酒边聊天。真的,她只想着这些单纯、快乐的事情。诺拉瞄了瞄装满照片的纸箱,真想捉住年轻时的自己,轻轻地摇晃她的手臂。继续努力,她想告诉她,不要放弃,你这一生终究会过得很好。

她喝完可乐,继续工作。她略过这个勾起回忆的纸箱,打开另一个箱子,箱子里摆着档案夹,按照年份仔细地排好。第一个档案夹里放了许多不知名婴儿的照片,小宝宝在摇篮里睡觉,坐在草地或前廊上,或是躺在母亲温暖的怀中。每张都是八乘十的光面黑白照片,连诺拉都看得出来这是戴维早期的实验作品,策划人看了应该会很高兴。有些照片光线很暗,几乎看不清人影,有些则亮得几乎全白。戴维一定是在测试相机的性能,用不同的焦距、快门和光线拍摄同一个对象。

第二个档案夹相当类似,第三和第四个也大同小异。照片中的女孩不再是婴儿,而是两岁、三岁、四岁大的小女孩。女孩们穿着复活节的服装在教堂里,女孩们在公园里奔跑,女孩们在课间休息时吃冰淇淋或是聚在学校外面,女孩们跳舞、丢球、笑着、哭着。诺拉皱着眉头快速翻阅这些照片。她不认识其中任何一个女孩。照片依照年纪仔细排列,当她省略其他,跳到最后一部分时,她看到的不再是小女孩,而是走路、购物、跟彼此说话的年轻女子。最后一张是个图书馆里的年轻女孩。她凝视着窗外,一只手托着下巴,双眼带着诺拉熟悉的疏离。

诺拉任凭档案夹从膝上滑落,照片掉了一地。这是什么?这些女孩、年轻女子:这可能是一种变态心理吗?但诺拉直觉地知道不是。这些照片显现的不是灰涩的变态,而是一种无邪;小女孩在街对面玩耍,风吹起她们的头发和衣服。即使是那些年纪较大的女孩也具有这种特质。她们睁开双眼，困惑地凝视着世界，似乎在发出质问。在游戏、光线与阴影中，失落感挥之不去；这些照片中充满了思慕。没错，就是思慕，而不是欲望。

她合上箱子，看看盖子上的卷标。卷标上只写着观察。

诺拉不顾造成的混乱，很快地逐一检察所有其他箱子。她在房间中央看到另一个用粗黑字体标注着观察的纸箱。她打开箱子，抽出档案夹。

这回不是女孩，也不是陌生人，而是保罗。一个个档案夹里尽是不同年纪、不同成长阶段的保罗。他的成长，转身而去的愤怒；他的专注，对音乐的高度天赋，手指在吉他上飞舞。

诺拉直挺挺地坐了很久，某个念头渐渐浮上心头，令她愤怒不已。忽然间，她想通了，想通了之后再也挥之不去，心中一片麻木：这些年来戴维始终保持沉默，不愿提起他们早夭的女儿。同时，他却一直纪录着她的缺席。保罗和其他上千个女孩则已长大成人。

保罗，但不是菲比。

诺拉真该大哭一场。她忽然非常想跟戴维说说话。这些年来，他也失去了她。所有照片，所有沉默，都代表着密而不宣的渴求。她又看了一遍这些照片，端详保罗小时候的模样：接球、弹钢琴、在后院的树下摆出可笑的姿势。戴维纪录了这些时刻，却从未与诺拉分享。她研究了一遍又一遍，努力让自己融入戴维所体验的世界里，努力一窥他的内心。

两小时过去了，她感到饥饿，却没办法让自己走开，甚至无法从她坐着的地上站起来。这么多照片，全部都是保罗以及和他年纪相仿的不知名的女孩和女人。这些年来，她总感到女儿的存在。菲比恰如一个黑影，每次拍照时都悄悄站在身后。一出生就夭折的她总是徘徊在视线之外，仿佛以前来到屋里，然后悄悄离去，她的气味以及所经之处扬起的微风，却依然盘旋在先前所在的地方。诺拉把这种感觉埋在心里,生怕听到这话的人会认为她滥情,甚至精神失常。现在她却惊讶地发现,戴维也深切地感受到失去女儿的悲痛。想到这里,她不禁热泪盈眶。他在各处寻找菲比,在每个女孩、年轻女子身上搜寻女儿的身影,但似乎一直没有找到她。

沉默包围了她坐着的地方,一圈圈地向外扩散。小圆石依稀啪啪作响,打破了一片沉默。一辆车停在车道上,有人来到家门口。她依稀听到大门猛然关上的声音和脚步声。屋子里的门铃响了,她摇摇头,吞了一口口水,但没有起身。不管那人是谁,他终究会离开,说不定过一会再回来,说不定不会再上门。她拭去眼中的泪水。不管谁来找她,他大可等一等。但是不行,评估家具的人已经答应下午过来,所以诺拉伸出双手抹抹脸颊,从后面走进屋里,中途停下来在脸上洒些水,梳理一下头发。"来了。"门铃再度响起时,她在急流的水声中大喊。她走过每个房间,家具全都聚集在客厅中央,上面盖了防水布,油漆工明天会来。她算算还剩下几天,心想怎么可能把事情全都办妥。一时间,她又想起在新堡的那些夜晚。在那里她的日子总是一片宁静,生活就像一朵向着空中绽放的鲜花一般,慢慢趋于安宁。

她打开门,一边擦干双手。

前廊上的女子有点眼熟。她打扮得很平常,穿着一条笔挺的深蓝色长裤,上身是一件短袖棉质白毛衣,浓密的头发灰白,剪得非常短。即使初次见面,她也给人一种有效率、有组织的印象。她是那种听不得任何废话、大小事情一手包办、办事稳当的人。她没有开口,看到诺拉似乎吓了一跳。她仔细端详诺拉,神情专注到诺拉防御性地将手臂交抱起来,顿时意识到自己这身沾满灰尘的短裤和被汗水浸湿的T恤。诺拉瞥了一眼街对面,然后再看看前廊上的女子。她迎着女子的凝视,专注地看着对方距离较宽的双眼。那双眼睛好蓝。然后她明白了。

她忽然呼吸急促。"卡罗琳?卡罗琳·吉尔?"

女子点点头，顿时闭上蓝色的双眼，仿佛两人之间已经解决了某种问题。但诺拉不知道怎么回事。这名女子来自早已被遗忘的过去。她内心深处翻腾不已，也记起那个如梦般的夜晚。那晚她和戴维驶过积满白雪的静谧街道到达诊所；那晚卡罗琳·吉尔帮她麻醉，阵痛时一直握着她的手，嘴里说着：看着我，看着我，亨利太太，我在这里陪着你，你会没事的。那双蓝色的眼睛和那只稳定而有力的手已经深深地印在诺拉的脑海中，也与记忆中戴维一丝不苟的开车技术和保罗的第一声哭叫融为一体。

"你来这里有什么事？"诺拉问，"戴维一年前去世了。"

"我知道，"她点点头说，"我知道。我真的很抱歉。嗯，诺拉……亨利太太，有件事我得跟你说。这事很难启齿，我不知道你能不能抽出几分钟的时间给我。如果现在不是时候，我可以等到你方便的时候再过来。"

她的语调中带着紧迫和肯定，诺拉身不由己地退后一步，让卡罗琳走进门厅。墙边堆放着一个个里面摆得整整齐齐，外面贴了胶带的纸箱。"对不起，家里这副德行。"她说着指了指客厅，家具全都堆到客厅中间。"我请了几个油漆工明天过来比价，还有一位估家具的人。我要再婚了，"她加了一句，"也要搬走了。"

"这么说来，我真高兴及时赶上了。"卡罗琳说，"幸好我没有多等。"

为什么要赶上我？诺拉心想。但在习惯的驱使下，她请卡罗琳到厨房。只有在这里两人可以坐下聊聊。走过饭厅时，两人都没说话，诺拉想起卡罗琳当年突然离开以及那些丑闻。她回头看了两眼，无法挥去卡罗琳出现所引发的奇怪感觉。卡罗琳的脖子上挂了一副太阳眼镜。这些年来，她的轮廓变得更加鲜明，鼻子和下巴也更醒目，诺拉认定她在谈公事时肯定会是个厉害的角色，绝不是一个让人疏忽的对手。但诺拉也知道自己基于其他原因而感到不自在。卡罗琳眼中的她是个不同的女人,当年那个缺乏自信的年轻女人,活在一段想来不太光彩的过去之中。

诺拉在两个玻璃杯中注满冰块和开水。卡罗琳在吃早餐的角落坐下。戴维留下的最后一张字条贴在告示板上,恰好在卡罗琳肩膀上方。诺拉想到车库里等着整理的照片以及必须马上处理的大小事情,感到有点不耐烦。

"你这里有蓝知更鸟。"卡罗琳观察道,朝着乱糟糟的花园点点头。

"没错,花了好多年才引来它们。我希望下一位屋主会喂它们。"

"搬家的感觉一定很奇怪。"

"是时候了。"诺拉边说边拿出两个杯垫,把玻璃杯放在桌上。她坐了下来。"但你不是来这里询问搬家的事情吧?"

"不是。"

卡罗琳喝了一口水,然后把双手平贴在桌面上。诺拉觉得她仿佛想藉此稳住双手。但当她开口时,她显得冷静决然。

"诺拉……我能叫你诺拉吗?这些年来,我想到你的时候,就是这样称呼你。"

诺拉点点头,依然困惑,而且越来越不安。她上回想起卡罗琳·吉尔是什么时候的事了?好久以前了,而且只有在想到保罗出生的那个夜晚时,才会想到卡罗琳。

"诺拉,"卡罗琳说,仿佛知道她正想些什么,"你儿子出生的那个晚上,你记得什么?"

"你为什么问我这个问题?"诺拉口气坚定,但身体已经往后靠,躲开卡罗琳强烈的目光以及某种暗暗盘旋的激流,也想避开自己好像必须面临的恐惧。"你为什么来这里?为什么问我这个问题?"

卡罗琳·吉尔没有马上回答。蓝知更鸟轻快的叫声飘过屋内,宛如点点光影。

"嗯,对不起,"卡罗琳说,"我不知道该怎么讲。我想八成没有比较婉转的方式，所以我就直接说了。诺拉，那天晚上你生了双胞胎，菲比和保罗，而且当时出了问题。"

"没错。"诺拉口气尖锐地说。她想起产后的阴郁、悲喜交加的心情，也想起自己走过了漫长艰辛的路才达到目前的平静。"我的女儿死了，"她说。"这就是问题。"

"菲比没死。"卡罗琳平静地说，双眼直视着她。诺拉觉得被困住了，恰如多年前的那段日子。周围她所熟知的世界天旋地转，她只能紧捉住对方的凝视。"菲比生下来就有唐氏症，戴维坚信她的前景不乐观，所以请我把她送到路易斯维尔的一个中心，大家通常把这类孩子送到那里。在一九六四年那个年代，这样做并非不寻常，大部分的医生都会做出同样的建议。但我没办法把她留在那里，所以我收留了她，带着她搬到匹兹堡。诺拉，这些年来我抚养她长大。"她轻声地加了一句，"菲比还活着，她好得很。"

诺拉坐得笔直，花园里的小鸟振翅争鸣。不知道为什么，她想起有一次在西班牙时，她摔到一个没有标示的坑里。当时她轻松自在地走在阳光普照的大街上，忽然间一阵骚动，然后她发现自己半个身子埋在土里，一个膝盖扭伤了，小腿上还有一道道血迹斑斑的刮痕。我没事，我没事，她一直跟帮忙带她去医院的好心人说，浑然不觉鲜血汩汩地从伤口流出；我没事，直到后来她一个人安全地待在房间。当她闭上双眼，再度感到那阵骚动以及那种失去控制的感觉，她才低声啜泣。现在她就有同样的感觉。她颤抖地扶着餐桌边缘。

"什么？"她说，"你说什么？"

卡罗琳重复说道：菲比没死，但被送走了。这些年来，菲比在另一个城市里长大。她很安全，卡罗琳不断重复，她很安全，而且备受关爱和照顾。菲比、她的女儿、保罗的双胞胎妹妹、生来就有唐氏症、被送走了。

戴维把她送走了。

"你一定是疯了。"诺拉说。虽然嘴里这么说,但她生命中那些破碎的片段逐渐出现次序,她也知道卡罗琳说的必定属实。

卡罗琳把手伸进皮包里,把两张快照推过光滑的枫木桌面。诺拉颤抖得太厉害,无法拿起照片,但她倾身仔细端详:照片中有个矮胖、穿着白衣服的小女孩,脸上带着灿烂的笑容,高兴地闭上眼睛。另一张照片是同一个女孩。女孩长大了,正准备投篮,镜头捕捉了她跳起来之前的那一刻。她某部分看起来有点像保罗,另一部分有点像诺拉,但大多只像她自己。菲比,她不像任何一幅戴维排列得井然有序的摄影人像,而只是她自己,活生生地安居在世界的一隅。

"但是为什么?"她的声音明显得听得出怒气。"他为什么这么做?你又是为了什么?"

卡罗琳摇摇头,再次朝外面的花园望去。

"多年以来,我相信是自己无私,"她说,"也相信自己这么做是对的。那个中心很可怕,戴维没见过,他不知道那里有多糟,所以我收留了菲比,而且把她抚养长大。为了她的教育和医疗保险,我奋战了许多许多次,这都是为了确保她将来能过好日子。大家很容易把我看成英雄,但我从头到尾都知道,在我内心深处,我的动机并不完全无私。当年我想要小孩,自己却没有孩子。我也爱上了戴维,或者说我以为自己爱上了他。我的意思是说,从远处偷偷地仰慕他。"她很快地加了一句,"这些都是我自己的想法。戴维甚至从未注意过我。但当我看到报上的讣闻,我就知道我必须带她走,反正我非离开不可。我不能抛弃她。"

诺拉心中大乱,思绪回到那段悲喜交加、迷迷蒙蒙的日子:保罗在她怀中,布丽把电话递给她说,你必须把这事做个了断。她没通知戴维,径自安排了整个追思会,每项安排都帮她重新回到现实。那天晚上戴维回到家里时,她还全力抗拒他的反对。

那天晚上,那场追思会,他心里究竟有何感受?

而他依然让一切照常进行。

"但他为什么不告诉我?"她问,声音近乎耳语,"这些年来,他从来没有告诉我。"

卡罗琳摇摇头。"我不能替戴维发言。"她说,"对我而言,他一直是个谜。我知道他爱你,也相信虽然这事似乎荒谬到了极点,但他绝对是出于善意。他对我提过他有个妹妹,心脏有缺陷,年纪很轻就去世了,他母亲一直忘不了丧女的悲伤。不管是好是坏,我想他希望保护你。"

"她是我的孩子。"诺拉说。这话撕扯着内心深处,某些埋藏多时的旧伤隐隐作痛。"她是我的骨肉。保护我?借着对我说她死了来保护我?"

卡罗琳没有回答。她们坐了好一会,沉默在两人之间逐渐滋生。诺拉想到照片中的戴维以及他们共度的时光,他却一直怀藏着这个秘密。她完全不知情,她根本猜不到,但现在有人对她说了,听来合理,感觉却令人憎恶。

卡罗琳终于打开皮包,拿出一张写了她的地址和电话号码的纸片。"我们住在这里,"她说,"我先生艾尔、我和菲比。菲比在这里长大,她的成长过程很快乐。诺拉,我知道对你而言,这样可能不够,但我说的是实话。她是个可爱的年轻女孩。下个月,她就要搬到团体之家,这是她自己的要求。她在一家影印店上班,工作不错。她很喜欢那里,店里的人也喜欢她。"

"影印店?"

"没错,诺拉,她表现得非常好。"

"她知道吗?"诺拉问,"她知道有我这个人吗?她知道保罗吗?"

卡罗琳低头看着桌子,手指轻抚照片的边缘。"不,到我跟你谈话之前,我没有向她提过你。你大概想跟她见见面。我不知道你有什么打算,但我希望你过来看看她。你如果不愿意,我也不会怪你。过了这么多年了……唉……我真的很抱歉。但你如果想过来，我们都在家，打个电话来就好。下个礼拜或是明年都可以。"

"我不知道，"诺拉慢慢地说，"我想我还是相当吃惊。"

"你当然会吃惊。"卡罗琳起身。

"我能留下这些照片吗？"诺拉问。

"照片是你的，它们永远是你的。"

卡罗琳在前廊停了一下，严肃地看着诺拉。

"他非常爱你。"她说，"戴维一直爱着你，诺拉。"

诺拉点点头，想起她在巴黎也跟保罗说过同样的话。她在前廊上看着卡罗琳走向车子，开车回家。诺拉不禁猜想卡罗琳过得如何，她的生活又是多么复杂，多么神秘。

诺拉在前廊站了很久。菲比还活在世上，这个消息在她心里敲开一个无边无际的洞；备受关爱，卡罗琳刚才说，备受关照。但爱她、照顾她的人却不是诺拉，诺拉反而花了很大功夫放手让她走。诺拉想起当年做的梦，梦中她在冰冻干裂的草丛中搜寻。如今梦境再度浮现，深深刺伤了她的心。

她回到屋里，此时已泪流满面。她边哭边走过盖了防水布的家具。估家具的人会来，保罗今天或是明天也会来；他答应先打电话，但有时候他会直接出现。她洗洗玻璃杯，擦干杯子，然后站在安静的厨房里想着戴维。这些年来，多少个夜晚他在黑暗中起床，到医院为某个患者医治断骨。戴维是个好人，他主持一家诊所，他照顾那些需要帮助的人。

而他却送走了他们的女儿，还骗她说女儿死了。

诺拉握拳猛敲料理台，玻璃杯被震得跳起来。她帮自己调了一杯杜松子酒，慢慢走到楼上。她躺下，起身，打电话给弗德瑞克。留言机响起时，她挂了电话。过了一会，她走出去，回到戴维的工作室。一切都没变，空气依然凝滞、温暖，照片和纸箱散置在地上，一如先前她离开时的模样。策划人估计说，这些照片至少值五万美元，如果戴维亲笔写下构思的过程，那就更值钱了。

一切都没变，但一切却完全不一样了。

诺拉拿起第一个箱子，拖着它走过房间。她把箱子扛到柜台上，摆在窗沿，让它保持平衡，不至于落下。窗户下面就是后院。她停下来喘口气，然后打开纱窗，伸出双手决然地把箱子推出窗外，听到它砰地一声掉落在地上，心中感到快慰。她走回去搬另一个箱子，然后再搬一个。她已恢复先前自己所希望的心境：果断，迅速。是的，而且毫不留情。不到一小时，工作室已经清理完毕。她走回屋里，越过车道上破损的纸箱。照片撒了满地，遍布在午后阳光下的草地上。

她在屋里冲了澡，站在水柱下，直到水变冷为止。她穿上一件宽松的衣服，又调了一杯酒，在沙发上坐下，肌肉因为扛了那些箱子而发痛。她又端来一杯酒，走了回来。过了几个小时，天色变暗之后，她依然待在原处。电话响了，她听到留言机上自己的声音，然后是弗德瑞克在说话，他从法国打电话来，声音平稳而缓和，有如远方的海岸。她多希望自己在那里，在那个生活不会充满困惑的地方。但她没接电话，也没回电给他。远处响起火车的汽笛声，她拉起毛毯，融入夜晚的黑暗之中。

她睡睡醒醒，但没有真正睡着。她不时起身再喝一杯，在空荡荡的房里走来走去。月光下黑影重重，她一碰酒杯，杯中就满是阴影。过了一阵子，她已经懒得在酒杯里加上奎宁水、柠檬片或是冰块。有一次她梦见菲比在这个房间里，从墙里走了出来。菲比说她这些年来都待在墙里，诺拉日复一日地走过此处，却从未看见她，结果诺拉哭着从梦中醒来。她把剩下的酒倒到水槽里，喝了一杯开水。

破晓时分，她终于睡着了。中午她醒来时，前门大开，后院到处都是照片。照片夹在杜鹃花丛中，紧贴着喷水池，黏在保罗已经生锈的旧秋千上。双臂与双眼的浮光掠影，宛若沙滩的肌肤，发丝的侧影,血球像水面上的油滴一样四处流窜,戴维眼中他们的生活片段,戴维试图捕捉的种种时刻;黑色的底片散落在草地上。诺拉想象那些策划人、她儿子的朋友们,甚至她自己愤怒而惊讶地大叫:

你这是摧毁过去!

不,她回答,我这是讨回过去!

她又喝了两杯水,吃了几片阿司匹林,然后把纸箱拖到杂草丛生的花园最远处。她把其中一箱推到车库里保存下来,箱里摆满了保罗从小到大的照片。天气炎热,她的头隐隐作痛。当她猛一站起来,眼前顿时星光点点,头晕目眩。她记得好久以前在沙滩上的那一天,海水闪闪发光,光线宛如银白的小鱼,她头昏眼花,霍华德走进了她的视线之中。

车库后面有堆石头。她把石头一块块拖出来,把它们排成一个大圆圈,然后把第一个箱子扔到中间。那些光面的黑白照片在阳光下闪闪发亮,照片中陌生的年轻女子从草地上凝视着她。她蹲在正午的艳阳下,拿起打火机烧一张八乘十的光面照片,火光从边缘吞噬照片,扬起火花。她把燃烧中的照片丢到石头围成的圆圈中间,刚开始似乎没有引燃,但不久之后就冒出热气,烟雾冉冉上升。

诺拉进屋又拿了杯水。她坐在屋后的阶梯上喝水,看着熊熊火光。最近市政府通过一项法案,禁止焚烧任何物品,她担心邻居会打电话叫警察。但四下一片宁静,连火花也静静地上升到闷热的空中,散发出一片浅薄的蓝色雾气。一簇簇焦黑的纸片飘过后院,宛如蝴蝶在闪亮的热浪上飞舞。石头圆圈中的火势趋向平稳,火光更加炽热,她丢进更多照片。她烧了光线,烧了黑影,烧了那些戴维仔细捕捉、仔细保存的回忆。你这个混蛋,她悄悄地说,看着照片亮起火光,然后变得焦黑,卷成一团,消失无踪。

光归光,她心想,从热气、熊熊火焰以及飘扬在空中的余烬中退后一步。

尘归尘。

土终究归土。

一九八九年七月二日至七月四日

"喂,你现在就说吧,保罗。"米歇尔双臂交叉站在窗边。当她转过身时,眼神激动而阴沉,脸上也蒙着怒意。"你站在理论的观点,随便怎么讲都可以。但事实上小宝宝会改变一切,尤其是我。"

保罗坐在暗红色的沙发上。在这个夏日的早晨,他感到暖热而不自在。他和米歇尔在辛辛那提刚开始同居时,在街上发现了这个沙发。那段快乐的日子里,把沙发拖上三楼根本不算什么,或者,此举意味着疲惫、饮酒、欢笑以及稍后在粗糙的天鹅绒沙发上慢慢地做爱。此时,她转头望着窗外,黑发一晃一晃,他心中充满空虚和焦躁。近来他感到世界极为脆弱,仿佛是个破裂的鸡蛋,一不小心碰了就会粉碎。他们刚开始谈得一团和气,只是单纯地讨论两人都不在家时,谁该照顾猫咪。她在印第安纳波利斯有场音乐会,他则得回列克星顿去给妈妈帮忙。谈着谈着却忽然碰到内心的痛处。最近他们两人似乎经常走到这个地步。

保罗知道他应该改变话题。

"结婚并不等于生孩子。"他反而顽固地坚持下去。

"哦,保罗,诚实一点吧,你一心只想有个孩子,我甚至是其次。怎么说都是这个神秘的小宝宝。"

"我们神秘的小宝宝,"他说,"这是将来的事,米歇尔,不是现在。唉,我只想谈谈结婚这件事,没什么大不了的。"

她生气地哼了一声。这栋阁楼式的公寓铺着松木地板,墙壁漆成白色,瓶瓶罐罐、枕头和抱枕都是三原色色彩。米歇尔也穿着白衣服,皮肤和头发和原木地板一样散发出温暖的色泽。保罗看着她,心中隐隐作痛。他知道在某些重要的层面,她已经做了决定,她很快就会离开他,她艳丽的容貌和音乐也将随之而去。

　　"真有趣啊,"她说,"最起码我觉得很有趣。我的事业刚起步,你就提起这些问题。你以前都不说,现在偏偏要谈。说来奇怪,但我觉得你正试着破坏我们的感情。"

　　"这话太荒谬了。这件事和时机完全无关。"

　　"没有吗?"

　　"没有!"

　　他们好几分钟没说话。沉默在白色的房间滋长,塞满了整个空间,紧紧贴上墙壁。保罗害怕开口,但更怕什么都不说。最后他终于忍不住了,不得不一吐为快。

　　"我们在一起已经两年了。事情不是有所进展、有所改变,就是画上句号,就此了结。我希望我们之间有进展。"

　　米歇尔叹了一口气。"不管有没有一张证书,凡事迟早都会改变,你就没有考虑到这一点。况且无论你怎么说,结婚确实是件大事。不管你说什么,结婚绝对会改变一切。不管大家怎么讲,做出牺牲的总是女人。"

　　"那是理论。实际生活中不是这样。"

　　"噢,保罗,你对大小事情都有该死的把握,实在让人生气。"

　　太阳已经升起,阳光照在河面上,室内充满银白色的光芒,天花板上的光影摇摆不定。米歇尔走进浴室,关上门,随即传来在抽屉里东翻西找和水流的声音。保罗走到她刚才站着的地方,仔细端详窗外风景,仿佛这样可以帮他了解她的想法。然后,他轻轻地敲门。

　　"我要走了。"他说。

一片沉默，然后她大声回应，"你明天晚上回来？"

"你的音乐会是六点，对不对？"

"没错。"她打开浴室的门，站在门口。她身上裹着白色的毛巾，正在往脸上涂抹乳液。

"好吧。"他说，他吻她，记住她的气味、她光滑的肌肤。"我爱你。"他边说边往后退。

她看了他一会儿。"我知道。"她说，"明天见。"

我知道，开车去列克星顿途中，他一路都在苦思她的话。他开了两个小时，跨过俄亥俄河，驶过机场附近繁忙的路段，最后终于进入绵延起伏的美丽山区。接着车子经过市中心安静的街道和空荡荡的建筑物。他记得大街当年曾是市民的生活中心，也是人们购物、吃饭和交际应酬的地方。他还记得走到药房里，坐在后面卖冰淇淋的柜台上，金属杯中的巧克力冰淇淋冻得硬梆梆的，果汁机轰轰作响，空气中混杂着绞肉和防腐剂的味道。他父母就是在市中心相逢，妈妈搭乘手扶电梯，像太阳一样从人群中脱颖而出，爸爸则跟随其后。

他驶过新银行大楼、旧法院，以及曾是戏院的一片空地。一个瘦小的女人低着头走在人行道上。她手臂交抱，黑发在空中飘扬。多年以来，他第一次想到劳伦·洛贝里欧。当年她一星期接着一星期，沉默而决然地走过空旷的停车场来到他的身旁，他则一而再再而三地迎向她；很多个夜晚，他在黑暗中惊醒。当年他害怕与劳伦发生牵扯，诸如婚姻、孩子、密不可分的生活等等，现在他却渴望与米歇尔有着这些牵连。

他边开车边径自哼唱他那首名为"心中的树"的新歌。说不定今晚在琳纳小酒馆他就演奏这首歌曲。米歇尔知道了肯定大吃一惊，但保罗不在乎。自从爸爸过世之后，他最近在非正式场所表演的次数，几乎跟在音乐厅的正式演出一样多。他拿起吉他在酒吧或餐厅里弹奏，有时演奏古典音乐，但大多是他过去瞧不起的流行乐曲。他无法解释自己为什么改变心意,或许跟表演场所有关。那些地方的感觉很亲密,他觉得跟听众有了感情的牵连,双方离得很近,近到他伸出手就碰得到大家。米歇尔不赞同。她认为这是悲伤引发的结果,要求他甩掉这种念头。但保罗无法放弃。在整段少年的岁月中,他出于愤怒而弹吉他,也渴望着感情的牵连,仿佛借着音乐,他能把某种秩序以及某种看不到的美带进家里。现在爸爸已经走了,他少了弹吉他作对的对象,也因而获得自由。

他开到家附近,经过一栋栋宏伟的房子和深长的前院。人行道上永远是那么寂静。妈妈家的前门关着。他关掉引擎,坐了一会,聆听鸟鸣和远处除草机的声音。

心中的树。爸爸已经过世一年了,妈妈快要嫁给弗德瑞克,搬到法国住一阵子。此时他来到这里,他的身份不是孩子,也不是访客,而是往事的守护者。此行目的是选择什么该留下,什么该丢弃,他曾试着跟米歇尔讨论此事。他觉得自己身负重任,他从老家里保存下来的童年物品,将来有一天会传给他的孩子。这样一来,他的孩子们才可以借着这些实实在在的东西了解他。他最近一直想着爸爸,爸爸的过去依然是个谜团。但米歇尔误会了。他只是不经意地提到孩子,她听了却态度强硬。我没有那个意思,他生气地抗议。她也不高兴,不管你知不知道,你就是那个意思。

他往后一靠,在口袋里搜寻家里的钥匙。妈妈一得知爸爸的作品相当值钱,就把家里的门全部上了锁,但工作室里却摆着还未拆封的箱子。

唉,他也不想看到那些东西。

下车之后,保罗在路边站了一会,环顾四周。天气炎热,微风轻轻吹过高耸的树梢,针栎树的树叶嵌入光影中,阴影在地面上左右摆动。很奇怪,空中似乎充满雪花,灰白色的碎片轻飘飘地从蓝色的空中落下。保罗把手伸向闷热、潮湿的空中,感觉自己好像站在爸爸的照片里,照片中树木展开成一颗心的形状,世界似乎忽然变了样子。他把一个碎片捉到手掌中,握拳,然后摊开手掌,这才发现手心被抹黑了。灰烬像雪花一样,飘浮在七月凝重的暑气中。

走上台阶时,他在人行道上留下一个个脚印。前门没有上锁,但屋里空荡荡的。哈啰?保罗边喊边走过各个房间。家具已被推到地板中央,盖上了防水布,墙上空无一物,准备上油漆。他很多年没住在这里了,但此时他停驻在客厅里。过去赋予客厅生命的东西全被拆除一空,妈妈重新布置了这个房间多少次?可是最终它也只是一个房间。妈?他大喊,但没人回答。他上楼,站在自己房间的门口。这里也堆满了箱子,箱里装着他必须整理的东西。她保留了所有东西,甚至连他的海报都整齐地卷起来,用橡皮筋固定好。墙上依稀有些长方形的格子,也就是他以前挂海报的地方。

"妈?"他再次大喊,然后下楼走到后院。

她在后院,坐在台阶上,穿着一件陈旧的蓝短裤和皱皱的白衬衫。他停下来看着眼前奇怪的景象,说不出话来。石头围成的圆圈中,余火依旧在燃烧,到处都是刚才飘落在他身边的灰烬和烧焦的纸片。树丛和妈妈的头发上了也蒙上一层灰烬。纸张散落在草地各处,有些紧贴着树木的根部,有些黏在老旧的秋千架上。保罗发现妈妈烧了爸爸的照片,不禁大吃一惊。她抬起头,脸上尽是一道道灰烬与泪水。

"没事了。"她平静地说,"我住手,没有再烧了。保罗,我很气你爸爸,但后来我忽然想到,这些也是你的遗产。我只烧了一箱,箱子里全是女孩的照片,我想八成值不了多少钱。"

"你在说些什么啊?"他边问边在她身边坐下。

她递给他一张他的照片。他从没见过这张照片。照片中的他大约十四岁,坐在前廊的摇椅上,俯身面向吉他,专注地弹奏。他沉醉在音乐之中,浑然不顾周围的一切。他非常惊讶爸爸捕捉了这一刻:

在这个私密的时刻,他完全放开了自己,这也是他毕生中最有活力的一刻。

"好吧。但我还是不明白,你为什么这么生气?"

妈妈把双手贴着脸颊,叹了口气。"保罗,你记得你出生的那晚发生了什么事吗?那场大风雪,我们几乎来不及去诊所?"

"当然。"他不知道该说什么,等着她继续说,但他直觉地知道这跟他死去的双胞胎妹妹有关。

"你记得那个护士卡罗琳·吉尔吗?我们跟你提过她吗?"

"提过,但没说她叫什么。你说她有对蓝眼睛。"

"没错,而且非常蓝。保罗,卡罗琳·吉尔昨天来过。从那天晚上之后,我就没见过她,她告诉我一个令人震惊的消息,我不知道该怎么讲。我就直接告诉你吧。"

她拉起他的手,他没把手抽回来。她镇定地对他说,他妹妹根本没死,她生下来就患有唐氏症,他爸爸请卡罗琳·吉尔把她送到路易斯维尔的一个中心。

"免得我们伤心,"她说,声音梗塞,"她这么说。但她下不了手,保罗。卡罗琳·吉尔收容了你妹妹,她收容了菲比。这些年来,你的双胞胎妹妹一直活得好好的。她在匹兹堡长大。"

"我妹妹?"保罗说,"在匹兹堡?我上个礼拜还在匹兹堡。"这样说不太妥当,但他不知道还能说些什么。他心中充满了奇怪的空虚感和某种惊讶过度的疏远。他有个妹妹,这个消息已经够吓人了,而且她智障、不完美,所以爸爸把她送走。很奇怪,他并不生气,反而感到恐惧。他是独子,从小爸爸就把全部精力投注在他身上。昔日的忧虑与不安再度浮上心头。他的恐惧也来自他必须自己走出一条路,即使爸爸不赞同,一气之下离他而去,他还是得坚持到底。这些年来,保罗像个极具天赋的炼金师,已经把恐惧转化为愤怒与反叛。

"卡罗琳搬到匹兹堡,开始她的新生活,"妈妈说,"她把你妹妹抚养长大。我想这一定不容易,特别是在那个年代。我试着感恩,谢谢她对菲比这么好,但某个部分的我还是气得不得了。"

保罗暂时闭上眼睛,试图接纳这些消息。他感觉世界变得扁平、怪异而陌生。这些年来,他曾试着想象妹妹是什么模样,但现在他却想不起任何关于她的片段。

"他怎么可以这么做?"他终于问道,"他怎么可以瞒着我们?"

"我不知道。"妈妈说,"我已经问了自己好几个小时,他怎么可以?他怎么胆敢一走了之,让我们自己发现这个秘密?"

他们沉默地坐着。保罗想起他捣毁了暗房之后的第二天下午,他和爸爸一起洗照片,他心中充满罪恶感,爸爸也是。暗房里气氛凝重,两人都为已经说出口和藏着没说的话而感到不自在。相机,爸爸对他说,源自法文 chamber,也就是"房间"。在相机之中就是"秘密行动"的意思。爸爸坚信,每个人都是孤立的宇宙,心中有片漆黑的森林,而后就是一把白骨。那就是爸爸眼中的世界,而他的心再也没有比那一刻更痛苦。

"我很奇怪他没有把我送走。"他说,心里想着他始终极力抗拒爸爸眼中的世界。他离家、弹吉他,音乐发自他的内心,进入了这个世界。人们转过头来,放下手中的饮料,仔细聆听。一屋子的陌生人因而产生感情的牵连,心心相印。"我确定他想这么做。"

"保罗!"妈妈皱起眉头,"不。这么说吧,因为这些事情,所以他想给你更多,期望也更高。他要求他自己做到尽善尽美。我慢慢想通了这一点。其实这种想法相当可怕。现在我知道了你妹妹的事,我也开始慢慢了解你爸爸的一些谜团。以前我总觉得我们之间有一道墙。那道墙果然存在。"

她起身走到屋内,拿着两张快照照片回来。"这就是她。"她说,"她就是你的妹妹菲比。"

保罗看着照片,目光从一张移到另一张。照片中的女孩摆着姿势,面带微笑。另一张照片中的她正要投篮。他仍在试图消化妈妈告诉他的消息:这个长着一对杏眼、双腿结实的陌生人,居然是他的双胞胎妹妹。

"你们的头发一模一样。"诺拉轻声说,再度坐到他身旁,"保罗,她喜欢唱歌,这不是很有意思吗?"她笑笑。"你猜怎么着,她是个篮球迷。"

保罗的笑声尖锐,充满痛苦。

"嗯,"他说,"我想爸爸选错了孩子送人。"

妈妈看着手中的照片。她的双手沾满灰烬。

"保罗,不要这么刻薄。菲比患了唐氏症。我不太了解唐氏症,但卡罗琳·吉尔讲了很多。说真的,她讲得太多,我几乎没办法全盘接受。"

保罗一直用拇指摩擦水泥台阶的边缘。这时他停住手,看着鲜血从刮破的伤口渗出来。

"不要这么刻薄?我们去过她的墓地。"他说。他想起妈妈穿过铁门,手里捧满了鲜花,告诉他在车里等着。也想起妈妈跪在泥土地上,种下牵牛花的种子。"那又怎么说?"

"我不知道。那是本特利医生的土地,所以他一定也知道。你爸爸从来不愿意带我去那里,我跟他吵得很凶。有时我想他担心我会精神崩溃。哦,他那副他永远最行的德行,实在把我气坏了。"

妈妈的口气相当激动,保罗听了吓一跳,也想起今天早晨他和米歇尔的对话。他把拇指贴在唇边,吸去一小串血滴。鲜血尝起来有股强烈的黄铜味,令他开怀。他们沉默地坐了一会,看着后院的灰烬、散了一地的照片和潮湿的纸箱。

"智障是什么意思?"他终于问道,"我的意思是,她每天怎么过?"

妈妈又看看照片。"我不知道。卡罗琳说她的功能相当强,谁晓得那是什么意思。她有份工作,有个男朋友,还上过学,但显然没办法真正独立地生活。"

"这个护士,卡罗琳·吉尔,过了这么多年,她为什么现在来我们家?她想要什么?"

"她只想告诉我这件事,"妈妈轻声说,"如此而已。她没有任何要求,保罗。她开了一扇门,我真的相信如此。这是一个邀请,但接下来该怎么办,则由我们决定。"

"我们有什么打算?"他问,"这下该怎么办?"

"我要去一趟匹兹堡,我知道我一定得见见她。但在那之后,我完全不知道该怎么办。我该带她回到这里吗?对她而言,我们是陌生人。我也得跟弗德瑞克谈谈,他应该知道这件事。"她把脸埋在双手中,静静地坐了好一会儿。"唉,保罗,我怎么能把她留在这里,自己到法国住两年?我不知道该怎么办,这一切实在太难以承受了。"

一阵微风把照片吹得在草地上飞扬。保罗沉默地坐着,与心中百般困惑的情绪斗争。他生爸爸的气,爸爸的失落也让他感到惊讶与悲伤;他也担心,这样想实在不对,但如果他必须照顾这个无法独立生活的妹妹,那该怎么办?他怎么可能照顾她?他甚至从没见过智障者,而他发现自己对智障人士的印象全都是负面的。但所有的负面印象都不符合照片中那个笑容甜美、愉快的女孩,这点也令他不安。

"我也不知道。"保罗说,"没准我们该先收拾这些乱七八糟的东西。"

"这些是留给你的遗产。"妈妈说。

"不只是我的,"他想得很周详,同时试着说出这些话,"也是妹妹的。"

他们连着两天忙个不停,整理照片,重新装箱,把纸箱拖到阴凉的车库里。妈妈和策划人会面时,保罗打电话给米歇尔告诉她发生了什么事,同时也对她说他实在没办法参加她的音乐会。他以为她会生气，但她不予置评地聆听，然后挂断电话，当他试着再打给她时，却只听到留言机的声音，一整天都是这样。他不只一次想上车，飞车返回辛辛那提的家，但他知道这样做也没有用。他也知道其实自己不想再这样下去：米歇尔对他的爱，总是比不上他对她的深情。因此他强迫自己待下来，专心整理家务。晚上，他走到市中心的图书馆，借了一些关于唐氏症的书。

星期二早上，母子两人安静、若有所思、满心焦虑地坐上诺拉的车，越过河流，驶过俄亥俄州夏日的一片青绿。天气非常炎热，玉米叶在无边无际的蓝天下闪耀着光芒。他们在国庆节返家的人潮中驶进匹兹堡。车子进入隧道，一出隧道就上桥，两河交汇的壮丽景观顿时呈现在面前。他们在市中心繁忙的交通中缓慢前进，沿着莫农加希拉河行驶，穿过另一个长长的隧道，最后终于抵达卡罗琳·吉尔的家，这栋砖瓦砌成的房屋坐落在忙碌的大街旁。

卡罗琳已经跟他们说了把车停在巷子里。他们照办，然后下车伸展一下筋骨。草地的另一端有几道台阶，台阶向下通往一块狭窄的土地，地面上那座高高的砖屋就是妹妹长大的地方。保罗仔细端详房子。房子真像他在辛辛那提的住所，但不像他所长大的舒适、宁静的郊区。街道上交通繁忙，车辆急驶过屋前小小的院子，进入拥挤的市区。他们周围房屋栉比鳞次，密集而炎热。

沿着巷子的各家花园都花团锦簇，园中种满了各色蜀葵和鸢尾花，白色和紫色的花朵映着青绿的草地，感觉格外鲜活。有个女人在花园里工作，照料一排生长茂盛的西红柿。她身后有一丛紫丁香，青翠的叶片在微风中飘动，叶片推动了炎热的空气，却降低不了气温。女人穿着深蓝色的短裤和白色T恤，手上戴着色泽鲜艳的印花棉手套。她从跪着的地方站起来，用手背擦擦额头。街上车来车往，她没听到他们走过来。她从西红柿架上折下一片树叶，放在鼻子下。

"那是她吗？"保罗问，"她就是那个护士吗？"

他妈妈点点头。她双臂紧紧地抱在胸前,带点保护意味。她的太阳镜遮住了双眼,但即使如此,他依然看得出她是多么紧张、苍白和激动。

"是的,那是卡罗琳·吉尔。保罗,虽然我们已经来了,但我不确定自己办得到。要不我们回家算了。"

"我们开了大老远的车子过来,而且她们在等我们。"

她疲惫地微微一笑。这几天她几乎没睡,连嘴唇都显得苍白。

"她们不可能等着见我们,"她说,"不太可能吧。"

保罗点点头。后门摇摇晃晃地开启,前廊上隐约有个身影,卡罗琳站起来,在短裤上擦擦手。

"菲比,"她大喊,"你在哪里啊?"

保罗感到身旁的母亲更紧张,但他没看她,反而把目光移到前廊。这个时刻感觉非常漫长,阳光直朝他们射下来。那个身影终于出现,手里端着两杯水。

他专心地看着。她不高,比他矮多了。她的发色较深,头发稀疏,剪成简单的锅盖头,盖住她的脸。她跟妈妈一样肤色白皙。从这里远远望去,她的轮廓似乎相当细致,一张脸有点扁平,好像被压着贴在墙面上太久。她的眼睛微微向上倾斜,四肢粗短。她已经不是照片中的女孩,而是跟他同年的成年女子。她有些白头发,他若不刮脸的话,自己脸上也会冒出几根白胡须。她穿着印花短裤,身材矮壮,有点墩墩的,走路的时候膝盖互相摩擦。

哦,他妈妈说,一只手紧贴在胸前。保罗庆幸她的双眼藏在太阳眼镜之后,因为这个时刻太私密了。

"没关系,"他说,"我们就在这里多待一会吧。"

阳光很强,车辆奔驰而过,卡罗琳和菲比并肩坐在台阶上喝水。

"我可以过去了。"他妈妈终于说。于是他们走下台阶,来到蔬菜园和花圃中间的狭长草地。卡罗琳·吉尔先看到他们。她用双手遮住太阳,眯着眼睛抵挡阳光,站了起来。接下来的几秒钟,双方隔着草地对望,然后卡罗琳牵起菲比的手,他们在西红柿架旁边碰面。沉甸甸的果实已开始成熟,空气中充满清澄的果香。没有人说话,菲比盯着保罗。过了好一阵子,她伸手碰碰他的脸颊,似乎想看看他是不是真人。保罗沉默地点点头,严肃地看着她。不知为何,他感觉她的举动很恰当,菲比想认识他,如此而已。他也想认识她,但他却不知道对这个忽然冒出来的妹妹说些什么。他们的关系是如此亲密,却又如此陌生。他也相当忸怩,生怕做错了事。你怎么跟智障者说话?上个周末他读的书里充满医学名词,但没有任何一本书告诉他,当有个实实在在的人伸手轻摸他的脸颊时,他该怎么办。

菲比先恢复常态。

"你好。"她边说边正式地伸出一只手。保罗握住她的手,感到她的手指好小,但依然说不出话来。"我是菲比,很高兴认识你。"她带着浓重的口音,让人很难听得懂。然后她转身面对他妈妈,同样伸手致意。

"你好。"他妈妈边说边拉起她的手在自己的手心间拍拍,声音中充满感情。"你好,菲比,我也很高兴认识你。"

"天气好热,"卡罗琳说,"我们何不进屋呢?我把电风扇开着,菲比今天早上泡了一些冰茶,她一直很高兴地等着你们来。甜心,是不是啊?"

菲比微笑地点点头,忽然显得腼腆。他们跟着她走进阴凉的屋内。屋里各个房间不大,但收拾得非常整齐。房间里摆着漂亮的木制品,客厅和餐厅之间有道法式落地门。客厅里满室阳光,暗紫红色的家具有点破旧,最远的角落摆了一台巨大的纺织机。

"我正在织一条围巾。"菲比说。

"真漂亮。"他妈妈边说边穿过房间去抚摸深粉红、淡黄、浅绿和黄色的纱线。她已摘下太阳眼镜,抬起头,双眼泪汪汪的,声音依然充满感情。"菲比，你自己挑了这些颜色吗？"

"这些是我最喜欢的颜色。"菲比说。

"我也是。"他妈妈说，"我跟你一样大的时候，也非常喜欢这些颜色。我的伴娘们穿着深粉红和淡黄的礼服，手里还捧着黄玫瑰。"

保罗听了相当惊奇，他看过的照片都是黑白的。

"你可以把这条围巾拿去。"菲比边说边在织布机上坐下。

"噢，"他妈妈说，闭上眼睛，"菲比，围巾真漂亮。"

卡罗琳端来冰茶。他们四个人不自在地坐在客厅里，别扭地聊着天气如何、匹兹堡在钢铁业不景气中依然持续复苏等等，菲比安静地坐在纺织机旁，把梭轴移来移去，听到大家提到她的名字，就不时抬头看看。保罗一直用眼角瞄着她。菲比的双手细小肥胖，她咬着下唇，专心地瞪着梭轴。妈妈终于喝完茶，开口说话。

"嗯，"她说，"大家都在这里了，我不知道这下该怎么办了。"

"菲比，"卡罗琳说，"你过来跟我们坐在一起，好不好？"菲比静静地走过来，在卡罗琳身旁的沙发上坐下。

妈妈开始说话，口气非常急促，紧张地拍拍双手。"我不知道怎么做才好。就我们目前的情况而言，没有人能指引出一个方向，不是吗？但我想说我的家就是菲比的家，如果她愿意的话，她可以过来跟我们住。最近几天我常常想到这一点，我们说不定得花上一辈子的时间才能了解彼此。"说到这里，她停下来喘口气，然后转身面对菲比。菲比睁大双眼，忧虑不解地看着她。"你是我的女儿，菲比，你知道吗？这是保罗，你的哥哥。"

菲比握住卡罗琳的手。"她才是我妈妈。"她说。

"没错。"诺拉看了一眼卡罗琳，又试了一次。"她是你妈妈，"她说，"但我也是你的妈妈。你在我肚子里长大，菲比。"她拍拍她的腹部，"你在这里长大。但是在你出生以后，你妈妈卡罗琳把你养大。"

"我要嫁给罗伯特，"菲比说，"我不要跟你住在一起。"

385

保罗已经看着妈妈挣扎了一星期,一听到菲比这么说,感到好像被这些字句踢了一下。他看得出妈妈也有同样感受。

"菲比,没关系,"卡罗琳说,"没有人强迫你离开。"

"我没有这个意思……我只是想给她……"妈妈停下深呼吸一口,深绿色的双眼中充满不安。过了一会儿,她又尝试道,"菲比,我和保罗想多了解你一点,如此而已。你不要怕我们,好吗?我只想说……我的意思是……你随时可以来我家,任何时候都可以,不管我在世界上哪个地方,你都可以来,我也希望你来。我希望有一天你会来找我们,如此而已,这样可以吗?"

"说不定可以。"菲比做出让步。

"菲比,"卡罗琳说,"你带保罗参观一下家里,好吗?让亨利太太跟我好好聊聊。甜心,别担心,"她加了一句,一只手轻轻地搁在菲比的手臂上,"我们都会在这里,一切都没问题。"

菲比点点头站起来。

"你要看看我房间吗?"她问保罗,"我有一个新的唱机。"

保罗看了妈妈一眼。她点点头,看着他们两人一起穿过客厅,保罗跟着菲比上楼。

"罗伯特是谁?"保罗问。

"他是我男朋友,我们要结婚。你结婚了吗?"

保罗一想到米歇尔,心中就一阵刺痛。他摇摇头说:"不,我还没结婚。"

"你有女朋友吗?"

"不,我以前有个女朋友,但她离开了。"

菲比停在楼梯最顶端的一层,转过身来。他们对视,距离近得让保罗感到不自在,好像他的私人空间受到了侵犯。他移开目光,然后又转过头来看着她,她依然目不转睛地盯着他。

"瞪着人看不礼貌。"他说。

"嗯，你看起来很伤心。"

"我是伤心。"他说，"事实上我非常，非常伤心。"

她点点头。一时之间，她似乎跟他一样难过，表情变得黯淡，但不一会又开朗了起来。

"来，"她边说边带着他沿着走廊向前走，"我有一些新唱片。"

他们坐在她房间的地上。房里的墙是粉红色的，还有粉红色和白色相间的窗帘。这是个小女孩的房间，里面摆满了绒毛玩具，墙上挂着色泽鲜艳的图片。保罗想到罗伯特，心里怀疑菲比是不是真的能嫁给他，然后他又因为自己这么想而感到难过。她为什么不能结婚?为什么不能做其他事情?他想到家里那间多出来的房间，他小时候外婆偶尔来访时就睡在那里。那应该是菲比的房间，她会在房里摆满唱片和她的东西。菲比放上一张唱片，调高她小小的唱机的音量，"Love, Love Me Do"响彻房内。她闭上眼睛跟着哼唱，保罗听得出她的声音不错。他把音量转小一点，翻翻其他唱片。她有很多流行歌曲唱片，也有古典音乐。

"我喜欢长号。"她边说边假装吹奏伸缩喇叭，保罗看了大笑，她也跟着笑。"我真的喜欢长号。"她叹了口气。

"我会弹吉他，"他说，"你知道吗?"

她点点头。"我妈妈跟我说了，就像约翰·列侬。"

他笑了笑。"有点像。"他说。他很惊讶自己跟她谈得来，也很习惯她的腔调。他跟菲比聊得越久，菲比越自在。你不可能将她贴上任何标签。"你听过安德烈斯·塞戈维亚吗?"

"听过。"

"他很棒，也是我最喜欢的音乐家。哪天我弹他的曲子给你听，好吗?"

"我喜欢你，保罗，你人很好。"

他发现自己露出微笑。他觉得受宠若惊，也很愉快。"谢谢，"他说,"我也喜欢你。"

"但我不要跟你住。"

"没关系,我也不想跟我妈妈住。"他说,"我住在辛辛那提。"

菲比脸色一亮。"一个人住?"

"没错。"他说,心里很清楚回到家时,他会发现米歇尔已经搬走了。"自己一个人。"

"你真幸运。"

"我想是吧。"他严肃地说,忽然发现自己确实很幸运。他认为生命中理所当然的事,对菲比而言都是梦想。"我很幸运,没错,我是很幸运。"

"我也很幸运,"她说。他听了有点吃惊。"罗伯特的工作不错,我也是。"

"你的工作是什么?"保罗问。

"我复印,"她带点骄傲地说,"复印很多很多份。"

"你喜欢吗?"

她笑了笑。"马克斯也在那里做事。她是我的朋友,我们有二十三种不同颜色的纸。"

她仔细地拿开第一张唱片,选了另一张。这个过程她始终轻声哼唱,一脸满足。她的动作不快,但做得有效率,而且相当专注。保罗可以想象她工作的模样:她复印文件,跟朋友开玩笑,不时停下来看看五颜六色的纸张,做完了一份工作就笑逐颜开。他听到楼下依稀传来说话声,妈妈和卡罗琳·吉尔正在商讨该怎么办。他忽然明白,他先前同情菲比,妈妈也假设菲比无法独立,其实这些念头都是愚蠢而多余的,他想了就深感羞愧。菲比喜欢她自己,也喜欢她的生活;她活得很快乐。他所有的努力、参加过的竞赛、获得的奖章,这些为了取悦他自己以及爸爸的漫长、徒劳无功的挣扎,和菲比的生活比起来,似乎显得有点愚蠢。

"你爸爸呢?"他问。

"在上班。他开公交车。你喜欢'黄色潜水艇'吗?"

"喜欢,我喜欢。"

菲比笑得很灿烂,放上了唱片。

一九八九年九月一日

  纸张从教堂里飘向晴朗的空中。保罗站在明亮的红门门口，感觉几乎看得见音乐。音乐在白杨树的树叶间飘动，宛如光点般洒在草地上。管风琴手是他的朋友，一个名叫雅丽安卓的秘鲁女孩。她把枣红色的头发紧紧地扎成一个马尾辫。米歇尔离开他之后，他消沉了好一阵子。在那段日子里，雅丽安卓带着汤和冰茶上门劝诫他。起来，她一边轻快地对他说一边用力拉开窗帘和百叶窗，动作迅速地把脏盘子放到水槽里。起来，你垂头丧气也没用，为了一个长笛手消沉更是没意思，他们总是反反复复，你不知道吗？她跟你待了这么久，还真让我惊奇呢。两年啊！老实说，这肯定是个纪录。

  这时雅丽安卓弹奏的音符有如银白的河水一样流泄而下，然后轻快地上扬、攀升，瞬间悬挂在阳光中。他妈妈出现在门口，面带笑容，一只手轻轻地挽着弗德瑞克的手臂，他们一起迎着阳光，踏入一阵细雨般的种子和花瓣中。

  "真漂亮。"菲比在他身旁评论道。

  她穿着一件银绿色的衣服。先前在婚礼上捧着的水仙花，现在松松地垂挂在她的右手上。她面带微笑，愉快地眯起双眼，丰润的脸颊上有两个深深的酒窝。花瓣和种子纷纷落下，在晴朗的天空下宛如一道拱门。菲比笑得特别开心，保罗专注地看着她：这个陌生人，他的双胞胎妹妹。刚才他们一起走过这座小教堂的红地毯，他们的妈妈和弗德瑞克在讲坛边等待。他走得很慢，菲比专心而严肃地跟在他身旁，她用一只手圈住他的胳膊肘，决心做好每一件事。交换誓言之时，燕子在屋檐下挥动翅膀。他妈妈从一开始就决定在这个教堂结婚，正如她含着泪水，不知所措地讨论关于菲比和她的未来时，她始终坚持在她的婚礼上，两个孩子都得站在她的身边。

突然又冒出声音，这次是缤纷的五彩碎纸和一阵笑声，轻轻荡漾。他妈妈和弗德瑞克低下头，布丽拍去他们肩膀和头发上的碎纸，鲜艳的五彩碎纸散落在各处，让草坪看起来像个水磨石地。

"你说得没错，"他对菲比说，"是很漂亮。"

她点点头，这会儿看起来深思熟虑，伸出双手抚平她的裙子。

"你妈妈要去法国。"

"是的。"保罗说，但他听到"你妈妈"这个字眼时，心里有点紧张。你对陌生人才会选用这个字眼，而他们确实都是陌生人。说到底，这是他妈妈最难过的一点，失去的多年岁月阻隔在双方之间。他们之间应该充满关爱，也该相处得很自在，但他们讲起话来却谨慎而正式。"你和我再过两个月也会去，"他提醒菲比他们一致同意的计划，"我们会去法国看他们。"

菲比露出忧虑的表情，有如稍纵即逝的云朵一样飘过她的脸。

"我们会回来的。"他轻声地加了一句，想起妈妈建议带着菲比搬到法国时，菲比那副害怕的神情。

她点点头，但神情依然忧虑。

"怎么了？"他问，"怎么回事？"

"吃蜗牛。"

保罗惊讶地看着她。婚礼之前，他在门厅一直跟妈妈和布丽开玩笑，讲些大伙将在新堡享受哪些大餐的笑话。菲比安静地站在一旁，他没想到她都听进去了。菲比的存在，她看到了什么，感觉到什么，以及了解多少，对他而言都是谜团。他对她的了解用一张卡片就能写完：她喜欢猫、编织、听收音机、在教堂里唱歌；她经常微笑，喜欢拥抱别人；她跟他一样，被蜜蜂叮了会过敏。

"蜗牛没那么糟。"他说，"它们很有嚼劲，有点像大蒜口香糖。"

菲比扮了个鬼脸，然后笑笑。"好恶心哦，"她说，"保罗，好恶心。"微风轻拂她的头发，她依然盯着眼前的景象：走来走去的宾客、阳光、树叶，以及飘荡在其间的音乐。她的两颊上有着点点雀斑，跟他一模一样。草坪远远的那端，他妈妈和弗德瑞克举起了切蛋糕的银刀。

"我和罗伯特，"菲比说，"我们也要结婚。"

保罗笑笑。第一次造访匹兹堡时，他见到了罗伯特。他们到超市找他，罗伯特高大、神情专注，穿着黄褐色的制服，戴了一个名牌。菲比腼腆地介绍两人认识，罗伯特马上拉起保罗的手，拍拍他的肩膀，好像两人已经隔了好久没见面。很高兴认识你，保罗，菲比和我要结婚了，你和我很快就是兄弟了，很棒吧？说完就一脸高兴，等都不等对方的反应。他一心认定世界是美好的，也坚信保罗跟他一样高兴。他转身面对菲比，伸出手臂揽住她，两人就这么微笑地站着。

"真可惜罗伯特不能来。"

菲比点点头。"罗伯特喜欢派对。"她说。

"这点我倒不惊讶。"保罗说。

保罗看着妈妈送一口蛋糕到弗德瑞克嘴里，然后用拇指摸摸他的嘴角。她穿着一件淡黄色的礼服，头发剪得短短的，一头金发已逐渐银白，绿色的双眼看起来格外醒目。他想到爸爸，不知道他们当年的婚礼是什么样子？他当然看过照片，但那只是表相，他想知道那天光线怎样，大伙的笑声听起来如何；他想知道妈妈舔去唇边的一抹糖霜之后，爸爸是否也跟弗德瑞克现在一样，弯下身子亲她一下。

"我喜欢粉红色的花。"菲比说，"我婚礼上要有很多很多粉红色的花。"她顿时变得严肃，皱了皱眉头，耸耸肩，银绿色的衣服从锁骨上微微滑落。她摇摇头说："但是我和罗伯特，我们得先存钱。"

微风吹拂。保罗想起高大、强悍的卡罗琳•吉尔在列克星顿中心的旅馆大厅里和先生艾尔以及菲比站在一起。大伙昨天选在那个中立的地点碰面。他妈妈的房子空着，"房屋待售"的牌子竖立在院子里。今晚，她和弗德瑞克将前往法国，卡罗琳和艾尔从匹兹堡开车过来，大伙客气而有些不自在地吃了早午餐。然后他们俩前往纳什维尔度假，把菲比留在这里参加婚礼。卡罗琳说这是他们第一次单独度假，看起来似乎很开心，但是卡罗琳依然拥抱了菲比两次，然后停在人行道上透过窗户回头看，不断地挥手。

"你喜欢匹兹堡吗？"保罗问。那里的交响乐团要聘用他，工作性质不错。圣菲的一个乐团也表示愿意聘用他。

"我喜欢匹兹堡。"菲比说，"我妈妈说那里有好多台阶，但我还是喜欢。"

"我说不定会搬到那里，"保罗说，"你觉得如何？"

"太好了，"菲比说，"你可以参加我的婚礼。"接着叹了口气，"婚礼要花很多钱，真是不公平。"

保罗点点头。是的，的确是不公平，这一切都不公平。与菲比在这个不欢迎她的世界所面对的挑战相比，他自己的生活要容易得多。还有他们的爸爸做出的事情，这些没有一样称得上公平。忽然间，他有股冲动，想给她一个她想要的婚礼，最起码送她一个结婚蛋糕。比起其他所有事情，此举简直是微不足道。

"你们可以私奔。"他建议。

菲比考虑了一下，转了转她手腕上的绿色塑料手镯。"不，"她说，"这样就没有蛋糕了。"

"哦，我不知道。不能吗？我的意思是，为什么不会有蛋糕呢？"

菲比严肃地皱皱眉头，瞄了他一眼，看看他是不是拿她开玩笑。"不，"她坚决地说，"保罗，婚礼不是这样办的。"

他笑了。看到她对世界的运转方式这么确定，他觉得很感动。

"菲比，你知道吗？你说得没错。"

弗德瑞克和妈妈切完了蛋糕，笑声和掌声依稀飘过阳光下的草坪传来。布丽微笑地举起相机，最后再拍一张照片。保罗对着桌子点点头，桌上摆满了小盘子，盘子分送到每个人手中。"这个结婚蛋糕有六层，中间是覆盆梅和鲜奶油。菲比，你喜欢吗？要不要吃一点？"

菲比笑得更开心，点点头以示答复。

"我的蛋糕会有八层。"他们穿过满是说笑声和音乐的草坪时，菲比对他说。

保罗笑了起来。"只有八层吗？为什么不是十层？"

"愚蠢。保罗，你是个愚蠢的家伙。"菲比说。

他们走到桌旁。他妈妈的肩膀上都是缤纷的五彩碎纸。她面带微笑，轻盈地走来，摸摸菲比的头发，把发丝拨到身后，好像菲比仍是个小女孩。菲比往后退，保罗心头一紧。这件事没有单纯的结局，将来双方会往返大西洋互相拜访，也会常打电话，但绝对不可能共享寻常的家居生活。

"你表现得真好。"他妈妈说，"菲比，我很高兴你和保罗能参加婚礼。我无法形容这对我意义有多么重大。"

"我喜欢婚礼。"菲比边说边伸手拿一盘蛋糕。

妈妈的微笑中带着一丝悲伤。保罗看着菲比，想知道她是否明白这是怎么回事。她似乎不太操心，而把世界视为一个神奇、不寻常、充满了各种可能性的地方。在这里，你从未见过的妈妈和哥哥说不定哪天出现在家门口，邀请你参加婚礼。

"我很高兴你会去法国找我们，菲比。"妈妈继续说，"弗德瑞克和我都很高兴。"

菲比抬头看着她，又开始显得不自在。

"都是蜗牛惹的祸。"保罗解释，"她不喜欢蜗牛。"

他妈妈笑了。"别担心，我也不喜欢蜗牛。"

"而且我会回来的。"菲比补充了一句。

"是的，"妈妈轻声说，"没错，我们都同意。"

保罗看在眼里，痛苦像石头一样重重地搁在心头，感觉相当无助。在强烈的阳光中，妈妈显出了岁数。她的皮肤起了皱纹，金发变得银白，看了令他大吃一惊。他也惊讶妈妈还是那么美，甜美而脆弱。他实在想不通爸爸怎么可能背叛她，背叛他们全家。过去几星期，这个问题始终萦绕在他心头。

"怎么可以？"他轻声问道，"他怎么可以从来不跟我们说？"

她转身面对他，一脸严肃。"我不知道，也永远不会了解。但是保罗，这些年来，他心里一直藏着这个秘密，你想想他的日子是怎么过的。"

他望着桌子的另一端。菲比在白杨树旁，树叶刚开始变颜色，她正用叉子刮去蛋糕上的鲜奶油。

"如果他不那么做，我们的生活可能会完全不一样。"

"没错，你说得对。但是我们的生活也可能没什么不同，保罗。事情就这样发生了。"

"你在帮他说话。"他慢慢地说。

"不，我原谅他了，最起码试着原谅他。这两者是不一样的。"

"他不配被原谅。"保罗说，也很诧异自己依然如此刻薄。

"说不定不配。"他妈妈说，"但你、我和菲比，我们有所选择。我们可以生气、怨恨，也可以试着抛掉过去，继续过下去。我有一切理由可以生气，对我而言，甩开这股怒气是最困难的一件事，我心里依然挣扎，但我要这么做。"

他想了想这番话。"我在匹兹堡有个工作机会。"他说。

"真的吗？"他妈妈的眼睛一亮，在此刻的阳光中更显得深绿。"你会接受吗？"

"我想我会。"他说，心中明白自己已做了决定。"这份工作不错。"

"你没办法修补，"她轻声说，"你不能修补过去，保罗。"

"我知道。"而他也确实明白。第一次去匹兹堡时，他坚信自己必须决定该不该帮忙。他一直担心将来必须承担的责任，他有了个智障的妹妹，这种负担将对他的生活带来什么改变；但他却惊奇，其实是大吃一惊地发现，他这个妹妹从头到尾都说不，我就是喜欢这样过日子，谢谢你了。

"你过你的日子。"她继续说，口气变得迫切，"你不必为过去发生的事情负责，菲比在金钱方面过得去。"

保罗点点头，"我知道，我不觉得必须为她负责，真的，我不觉得。我只是……我只想多了解她，我是说一天一天慢慢来，她毕竟是我妹妹。除此之外，这份工作不错，而我也真的需要改变。匹兹堡是个美丽的城市，所以我想何不试试看呢？"

"哦，保罗，"他妈妈叹了口气，伸出手顺顺她的短发，"那份工作真的不错吗？"

"是的，真的不错。"

她点点头。"这样很好，"她口气缓慢地承认，"你们两个待在同一个地方。但你得从大处着想。你这么年轻，而且才刚开始寻找自己想走的路，你得确定这个决定是对的。"

他还没来得及回答，弗德瑞克就点点手表，表示他们得赶飞机了。简短交谈之后，弗德瑞克过去开车，妈妈转身面对保罗，一只手搁在他的手臂上，亲亲他的脸颊。

"我想我们得走了。你会带菲比回家吧？"

"会。卡罗琳和艾尔说我可以待在他们家。"

她点点头。"谢谢，"她轻声说，"谢谢你留在这里。从任何方面而言，过去这些日子对你肯定不容易，但有你在身旁，对我的意义非常重大。"

"我喜欢弗德瑞克,"他说,"我希望你们快乐。"

她微笑着摸摸他的手臂。"保罗,你真的让我骄傲。保罗,你知道你让我多么骄傲,我多么爱你吗?"她转身隔着桌子凝视菲比,菲比的胳膊下夹了一束水仙花,微风吹拂着她闪亮的衣裙。"你们两个都让我骄傲。"

"弗德瑞克在招手呢。"保罗赶紧说,趁机掩饰自己的感情,"我想时候到了,他准备上路了。去吧,妈,快快乐乐地过日子吧。"

她再次专注地看了他很久,眼中充满泪水,然后亲亲他的脸颊。

弗德瑞克走过草坪,跟保罗握手。保罗看着妈妈抱抱妹妹,把她的新娘捧花给菲比;他也看着菲比谨慎地回抱一下。他们的妈妈和弗德瑞克坐进车里,在另一阵漫天飞舞的五彩碎纸中,一边微笑一边挥手。车子消失在拐角处,保罗慢慢走回桌旁,沿途停下来同宾客们打招呼,同时盯着菲比的身影。走到她身旁时,他听到她高兴地跟另一个客人大谈罗伯特和她自己的婚礼。她讲得很大声,带着浓厚的腔调,听起来怪怪的,兴奋之情却是显而易见。他看到对方带着紧张、不确定的微笑耐心倾听,不禁眉头一皱,因为菲比只想说话,因为短短几星期之前,他自己对这类谈话也做出了同样的反应。

"菲比,怎么样啊?"他走过去打断谈话,"你要走了吗?"

"好。"她说,然后放下盘子。

他们驶过绿油油的乡间。气候温煦,保罗关掉空调,摇下车窗。他想起多年以前,妈妈发狂一般驶过同样的田野,逃避寂寞与悲伤,大风扬起,猛然吹过她的发丝。他跟着她开了几千英里,来回横越整个州;他仰躺着,试着从一闪即逝的树叶、电话线杆天空中,判断出他们在哪里。他记得看着蒸气船驶过泥泞的密西西比河面,明亮的轮子闪烁着阳光与河水的光泽。他始终不了解她的悲伤,但日后不管身处何处,他总是带着那股悲伤。

现在,那股悲伤全都消失无踪;那段日子也已结束,划上了句号。

他飞速前进,四处可见秋天的踪影。茱萸已经开始变色,山坡上一片艳红的花丛。花粉弄得保罗的眼睛痒痒的。他打了好几个喷嚏,但他仍然让车窗开着。妈妈会开冷气,让车里冷得像花艺师傅的工具盒;爸爸会打开公文包,找出抗组胺剂。菲比笔直地坐在他旁边的座位上。她的肤色很白,几乎透明。她从她那大大的黑色塑料皮包的小盒子里抽出一张面纸递给他。她的皮肤下隐约可见浅蓝的血管,他看得见她的皮包在平稳地晃动。

他的妹妹,他的双胞胎手足。如果她不是生来就有唐氏症呢?如果她生来就是这样,就是菲比?在那个外面大雪纷飞的夜晚,他的同事开车栽到沟渠中,如果爸爸没有看见卡罗琳·吉尔呢?他想象他的父母,那么年轻,那么快乐地抱着他们兄妹上车,在他们出生之后的三月融雪中,慢慢地驶过列克星顿滑溜溜的街道。他房间旁边那个明亮的游戏室应该是菲比的,她会追着他下楼,穿过厨房,跑到繁花盛开的花园,兄妹两人脸贴着脸,笑声此起彼落。若果真如此,他会是个怎样的人呢?

但他妈妈说得没错:他永远不知道可能发生什么事,他只知道事实:爸爸在一场突如其来的大雪中,亲自接生了双胞胎。爸爸遵循熟悉的步骤,把注意力集中在产台上女人的脉搏和心律上,女人肌肉紧绷,小婴儿的头出来了!呼吸、皮肤的颜色、手指和脚趾。啊,是个男孩,表面上看来完美极了,爸爸的脑海中回荡着一阵轻快的歌声。过了一会,第二个宝宝来到人间,而爸爸脑海中的歌声自此永远终止。

他们快到市中心了。保罗等着交通稍微疏缓一点,然后转进列克星顿墓园,开过石头砌成的门房。他把车停在一株熬过了数百年干旱与虫害的老橡树下,走出车外。他绕到菲比那边,打开车门,伸出手。她惊讶地看着他的手,然后抬头看看他。过了一会,她自己奋力离开座位，手里仍握着水仙花，水仙花的枝干已经被压扁，变得软塌塌的。他们沿着小径走了一会，经过纪念碑和水塘，最后他带着她穿过草地，来到标示着他们爸爸名字的墓碑前。

菲比用手指顺着刻在黑色大理石上的姓名和日期比划。他又猜想起她正在想些什么。她的爸爸是那个名叫艾尔·辛普森的男人，他晚上跟她玩拼图，从各地带回来她喜欢的唱片。他曾让她坐在肩上，好让她摸得到白杨树高高树稍上的叶子。这块大理石和这个姓名对她不可能具有任何意义。

戴维·亨利·迈克凯利斯特，菲比慢慢地大声念出这些字，字眼从她的嘴里溢出，重重地落在世上。

"我们的爸爸。"他说。

"我们的天父，"她说，"愿你的名被尊为圣。"

"不，"他惊讶地说，"我们的爸爸，你和我的爸爸。"

"我们的爸爸。"她重复道。他顿时深感挫折，因为她讲得很正式，不带感情，而且显然觉得没什么重要性。

"你很难过。"她随后评论道，"如果我爸爸死了，我也会难过。"

保罗大吃一惊。没错，就是这样：他是很难过。他的怒气已经烟消云散。忽然间，他能够从不同的角度看爸爸。他活生生地在爸爸面前，爸爸每吸一口气，每看他一眼都会想到自己当年所做出，而后却无法改变的决定。策划人离开之后，他们在暗房后面的一个抽屉里找到卡罗琳这些年寄来的菲比的快照。爸爸也把他家族唯一的一张照片藏在这里，照片中一家人站在前廊上，家园却已经失散。保罗依然保留着这张照片。爸爸拍了几千张照片，一张接着一张，爸爸让影像层层交叠，试图掩埋那些他永远改变不了的时刻。但过去依然呈现在眼前，宛如记忆般挥之不去，宛如梦境般清晰强烈。

菲比，他的妹妹，这个埋藏了四分之一个世纪的秘密。

保罗往回走了几步，回到碎石小径上。他停了下来，双手插进口袋里。树叶在阵阵旋风中向上飞舞，报纸的碎片飘过一排白色的墓石。云朵映着阳光飘动，在地面上投射出种种花样，阳光在墓碑、草地和树上跳动，树叶在微风中轻轻摇摆，长长的草丛沙沙作响。

刚开始歌声非常细微，几乎被微风所掩盖，声音小到他得竖起耳朵聆听。他转过身，菲比依然站在墓碑旁，一只手靠在黑色大理石的边缘，唱起歌来了。坟墓上的草左右摇摆，树叶翩然飘动。她唱的是一首他不太熟的圣歌，字句虽然难以分辩，但她的歌声纯净而甜美，墓园里的其他人纷纷朝着她的方向侧目，看着头发灰白，身穿伴娘服装的菲比。她的站姿有点奇怪，咬字不太清楚，但歌声自在而清澈。保罗吞了一口口水，盯着自己的鞋子，他明白自己这辈子都得面对这样的挣扎。他知道菲比行动笨拙，因为跟其他人不同而要面对各种困难，但她直接而坦率的爱，却驱使他不顾这一切。

是的，就因为她的爱。他陶醉在歌声中，心里明了这也是因为他自己对她的爱，而这股新生的爱意出奇地单纯。

她的歌声高昂清澈，穿过树梢和阳光，洒在碎石小径和草地上。他想象音符像石头掉到水中一样落入空气中，在世间激起一道道无形的涟漪。一波波声浪，一波波阳光。爸爸试图让一切定格，但世界是流动的，包围不住的。

树叶飞起，阳光流闪。这首古老圣歌的字句飘回他面前，保罗跟着合唱起来。菲比似乎没注意到，她继续歌唱，说不定把他的歌声当成了风声。他们的歌声交融。音乐在他身体之内，肌肤之下低鸣，音乐也回荡在他身体之外。她和他的歌声如出一辙。歌曲结束时，他们站在原地，驻足于午间明亮的阳光下。风向变了，菲比的头发被吹得紧贴着她的脖子，落叶沿着陈旧的石墙在飞扬。

一切都慢了下来，直到整个世界陷入了这个浮悬的一刻。保罗站得笔直，等待着接下来会发生的事。

等了几秒钟，什么也没发生。

然后菲比慢慢地转身，抚平她起皱的裙子。

虽是个简单的举动，却令世界重新运转。

保罗注意到她的手指甲剪得很短，她贴在大理石墓碑上的手腕很秀气。妹妹的双手小巧，就跟他们妈妈的手一样。他走过去，拍拍她的肩膀，带她回家。